Hannes Probst

# MoonPower

Mondstrahlen, Mondmythen, Mondregeln, Mondmagie
und ein immerwährender Mondkalender

## WINDPFERD

1. Auflage 1997
© 1997 by Windpferd Verlagsgesellschaft mbH, Aitrang
Alle Rechte vorbehalten
Umschlaggestaltung: Kuhn Grafik, Digitales Design, Zürich
Grafiken im Innenteil: Uwe Hiltmann, Niedernhausen/Ts.;
(zum Teil nach Vorlage von Hannes Probst)
Lektorat: Roland Rottenfußer, München; (Karin Brunke)
Layout/Satz: *panta rhei!* – MediaService, Uwe Hiltmann, Niedernhausen/Ts.
Gesamtherstellung: Schneelöwe, 87648 Aitrang

ISBN 3-89385-180-1

Printed in Germany

# Inhaltsverzeichnis

# Einleitung

Der am häufigsten ausgesprochene Satz des modernen Menschen heißt: „Ich habe keine Zeit". In einer hochtechnisierten Welt mit immer hektischeren, immer unmenschlicheren Zeitvorgaben bedeutet dies nicht zuletzt: „Ich habe keine Zeit, um zu leben." Keine Zeit für Stille, keine Zeit für die einfachen Genüsse des Lebens, keine Zeit, um einem Kind zuzuhören, keine Zeit für mich selbst.

Wir alle sind Meister darin, die Zeit zu messen und zu verplanen, sie in Terminkalender und Stundenpläne zu pressen, noch unsere Freizeit nach genau vorgegebenen Abläufen zu strukturieren. In jedem wachen Moment kennen wir das Jahr, den Monat, in dem wir leben und das aktuelle Datum. Mit Hilfe unseres ständigen Begleiters, der Uhr, sind wir darüber hinaus auch jederzeit über die augenblickliche Stunde und Minute informiert. Die *Quantität der Zeit* wurde zum bestimmenden Faktor unseres Lebens, der uns am Gängelband führt.

Darüber geriet ein anderer, mindestens ebenso wichtiger Aspekt völlig in Vergessenheit: Die *Qualität der Zeit*, die einer Stunde oder einem Tag innewohnende fördernde oder hemmende Energie, die einer zu diesem Zeitpunkt begonnenen Unternehmung zum Erfolg oder zum Scheitern verhelfen kann. Unseren Vorfahren, die in inniger Verbindung mit der Natur lebten, war dieses uralte Wissen um den richtigen Zeitpunkt noch bekannt. Unzählige Bauernregeln und der immerwährende Kalender legen Zeugnis ab von diesem vertrauensvollen Mitschwingen mit den ewigen Rhythmen von Werden und Vergehen. Es gab eine Zeit, um zu säen und eine Zeit, um zu ernten; eine Zeit, um zu bauen und eine Zeit, um abzureißen; eine Zeit, um zu erkranken und eine Zeit, um zu genesen.

In jüngster Zeit beginnen allerdings immer mehr Menschen, die moderne „Betriebsblindheit" gegenüber der Zeitqualität abzulegen. Dazu gehören auch Persönlichkeiten, die scheinbar „mit beiden Beinen auf der Erde" stehen. Ich kenne einen Großerzeuger aus der Schokoladenwaffel- und Zuckerbranche, der seinen überwältigenden Erfolg der Kraft der Stunden und der Mondrhythmen zuschrieb. Er sagte: „Jeder wichtigen Entscheidung ging die Frage voraus, ob ich eine Sonnen- oder Jupiterstunde brauchte, ob etwas ab- oder zunehmen (wachsen) sollte, welche Mondposition an welchem Tag optimal war."

Auch Du kannst dies lernen: mit Hilfe der in diesem Buch gegebenen Informationen. Sie vermitteln Dir das Wissen um die Qualität der Zeit. Ein besonderes Anliegen dieses Buches ist es – über die in zahlreichen populären Mond-Büchern vermittelten Informationen hinaus – vor allem auf die Bedeutung der optimalen *Stunde* hinzuweisen. Die Stundenqualiät kann die positive Energie des für eine bestimmte Unternehmung geeigneten Tages potenzieren – oder sie neutralisieren, zunichte machen.

Wer die Zeitqualität kennt, hat mehr Zeit für das Leben. Durch die intensive Nutzung der „Gunst der Stunde", sparst Du viel Zeit und Kraft, die Du sonst im vergeblichen Ankämpfen gegen die negativen Energien des falschen Augenblicks vergeudet hättest. Du hörst auf, Dich von der Zeit und den scheinbar undurchschaubaren, „zufälligen" Wechselfällen des Schicksals beherrschen zu lassen. Statt lediglich Spielball der im Alltag wirksamen Einflüsse und Energien zu sein, wirst Du zum souveränen „Spielleiter" Deines Leben. Du wirst lernen, auf der „Welle" des richtigen Augenblicks zu „reiten", anstatt von den „Wellentälern" hilflos in die Tiefe gesogen zu werden.

Noch eine Bemerkung zum Schluß: die meisten Menschen verbringen viel zu viel Zeit damit, darüber nachzudenken, ob und warum die Angaben in diesem Buch zutreffen könnten oder ob es dafür gar Beweise gibt. Dies ein Praxisbuch, das auf überliefertem Erfahrungswissen beruht. Die Richtigkeit dieser Informationen läßt sich ausschließlich dadurch überprüfen, daß man die gegebenen Ratschläge beherzigt und sie dann an ihrem Erfolg für das praktische Leben mißt. Ein bißchen Vertrauensvorschuß kann dem Leser reichen Lohn bringen: Ein selbstbestimmtes Leben voll Harmonie, Gesundheit und Erfolg.

Teil I

# Grundlagen

# Kapitel 1

# Die Macht des Mondes

Alles im Universum ist Rhythmus. Von der Wellenbewegung des Ein- und Ausatmens, ohne die wir nur wenige Minuten überleben könnte, über den Wechsel von Ebbe und Flut, von Tag und Nacht, von Sommer und Winter, von Leben und Tod bis hin zum zyklischen Werden und Vergehen ganzer Universen – von den Indern „der Atem Brahmans" genannt: Überall rhythmisches Schwingen zwischen zwei gegensätzlichen Polen.

Zahlreiche alte Kulturen, etwa in Tibet, China, Japan und bei den Inkas, verstanden unter „Zeit" nicht einen linearen Ablauf, der von einem Anfangs- zu einem Endpunkt führt, sondern einen kreisförmigen, unbegrenzten Vorgang, einen immerwährenden zyklischen Rhythmus.

Als symbolischer Repräsentant dieses Urprinzips galt schon seit alters her der Mond, dessen zyklisches An- und Abschwellen, Verschwinden und Wiedererscheinen dem Menschen wie ein Gleichnis seiner eigenen instabilen, schwankenden Seelenbefindlichkeit vorkam. Das Wesen des Mondes ist berechenbarer Wandel, Regelmäßigkeit im Wechsel, „ewige Wiederkehr des Gleichen". Besonders Frauen erkennen im Mondzyklus einen Spiegel ihrer körperlichen Zyklen wieder. Nicht umsonst ist der Mond in nahezu allen Sprachen der Welt weiblichen Geschlechts (vergl.: „luna", „la lune").

Beinahe jede Kultur verehrte eine Mondgöttin als Spenderin von Fruchtbarkeit und Wachstum. So verkörperten die griechischen Göttinnen Demeter, Semele und Artemis verschiedene Aspekte der mysteriösen Mondkraft.

Zahllose Mythen, Märchen und Kunstschöpfungen ranken sich um den bleichen Trabanten der Erde. Stets spiegelte sich in diesen Erzählungen die ambivalente Gefühlshaltung der Menschen gegenüber dem „Mythos Mond". Luna, die launenhafte „Königin der Nacht", ist bedrohliche „verschlingende" Mutter und verführerische Lebensspenderin in einem. Er/sie kann magische Wachstums- und Heilungsenergien, aber auch zerstörerischen „Schadenszauber" aussenden. Dieses vage Erspüren einer doppelgesichtigen magische Aura hat sich Laufe von Jahrtausenden zu klaren Regeln über den richtigen Umgang mit den schützenden oder schädlichen Wirkungen der Mondenergie kristallisiert – ein Erfahrungswissen, das auch Grundlage dieses Buches bildet.

In jüngerer Zeit, freilich, hat die Sonne mit ihrem nüchternen, grellen und vordergründigen Licht die ganze Aufmerksamkeit des Menschen auf sich gezogen. Jeden Tag einmal, zur Stunde der Morgendämmerung, trägt sie einen triumphalen Sieg über den Mond davon, der sein mattes Licht ja nur von der Sonne geliehen hat. Im Zeitalter der „Aufgeklärtheit", des Materialismus und der Hochtechnologie ist dieser Triumph der Sonne allgegenwärtig geworden. Liegt darin nicht auch ein Gleichnis dafür, wieviel Bedeutung der moderne Mensch dem „Licht des Verstandes" gibt, und wie wenig er die subtile, untergründige Wirksamkeit der emotionalen, unbewußten und intuitiven Kräfte zu schätzen weiß? Die Inflation künstlich flimmernder „Sterne", die den modernen Großstadthimmel elektrisch beleuchten, hat den Mond, diese blaßschimmernde und unzuverlässige Leuchte der Nacht, scheinbar vollends überflüssig gemacht.

Und doch wäre es verfehlt, ja gefährlich, die Kraft des Mondes zu unterschätzen. Seine Macht, die Moon-Power, beruht nicht auf seiner Helligkeit, sondern auf der Gravitation, die wegen der größeren Erdnähe des Mondes 2,8 mal größer ist als die der Sonne. Dies bedeutet auch: 2,8 mal mehr Einfluß auf die Körperrhythmen und mentalen Kräfte des Menschen.

In der jüngeren Menschheitsgeschichte hat es einen spektakulären Versuch gegeben, den „Mythos Mond" zu entzaubern. Am 20. Juli 1969 betraten Edwin Altrin und Neil Armstrong für 2 Stunden den Erdtrabanten. Sie holten 23 kg Mondgestein zurück zur Erde. An der Wirksamkeit der Mondenergie hat diese Aktion nichts geändert. Noch immer verstärkt sich an Vollmond die Anziehungskraft des Mondes derart, daß die Ozeane bis zu 70 cm höher steigen. Manchmal entstehen dabei Flutwellen, die sich bis zu 15 Meter hoch auftürmen.

Diese Kraft ist so stark, daß an einem Tag die Leistungen von 1.000 Kraftwerken erzeugt werden können. Lasermessungen ergaben zudem eine tägliche Anhebung der Landmassen um bis zu 28 cm. Diese periodische Verformungen wirken bis ins Erdinnere hinein. Die Chronologie von Naturkatastrophen zeigt, daß es an Tagen um Neu- oder Vollmond katastrophale Folgen bei Erdbeben gibt. Flutwellen und Überschwemmungen häufen sich. Es sei auch erwähnt, daß laut Statistik an Neu- und Vollmondtagen um 20 Prozent mehr Regen fällt.

Wenn der Mond fähig ist, solch gewaltige Kräfte zu entwickeln, Ozeane zu bewegen, ja sogar Landmassen zu heben, welche Auswirkungen wird er dann auf Lebenwesen haben, deren Körper zu 70 Prozent aus Flüssigkeit besteht? Starke Wirkungen sind vor allem auf die „flüssigen" Körpersysteme des Menschen, Blut und Lymphe, zu vermuten. Außerdem können erhebliche Einflüsse auf den Verdauungstrakt sowie insbesondere auf die menschlichen Seelenstimmungen beobachtet werden. Patienten, die sich einer Operation unterziehen müssen, erleiden an Vollmondtagen unverhältnismäßig starke Blutungen. Von Polizeistationen ist bekannt, daß sie an diesen Tagen ihr Personal verstärken, weil erfahrungsgemäß mit einer „Flut" von Gewaltverbrechen und Sexualstraftaten zu rechnen ist.

Besonders wichtig ist das Wissen um die unterschiedliche Wirkung der Mondphasen naturgemäß in Gesundheitsfragen. Die alten Ärzte wußten, daß der Erfolg einer Heilung wesentlich von der Kenntnis astrologischer und anderer Rhythmen abhing. Die lebenssteuernden Zyklen weisen für jeden einzelnen von uns eine besondere Zeitstrukturierung auf. Es ist wichtig, diese zu kennen, um zum richtigen Zeitpunkt mit den richtigen Maßnahmen und Medikamenten in den rhythmischen Ablauf der Körperfunktionen einzugreifen. Gesundheit bedeutet auch: Mitschwingen mit den Rhythmen der äußeren und der inneren Natur.

Doch auch in anderen Lebensbereichen hat die Mondkraft einen wesentlichen, wenn auch naturwissenschaftlich nicht mehr so leicht nachweisbaren Einfluß. Nicht umsonst sprechen wir in finanziellen Angelegenheiten von „Ebbe in unserer Kasse"; Verliebte träumen vom „Honeymoon", usw. Lassen Sie sich überraschen, welche erstaunlichen Beeinflussungsmöglichkeiten sich für diejenigen auftun, die den herrschenden „Mond-Analphabetentum" des modernen Menschen überwunden haben und zu Wissenden geworden sind: Zu Nutznießern der schwankenden und doch berechenbaren Gezeitenkräfte, die in Natur, Körper und Seele wirksam sind.

# Das Präzessionsjahr

Rhythmische Schwingung ist das Gesetz allen zeitlichen Ablaufs: sowohl im kleinen als auch im großen Maßstab. Die kleinsten in der Astronomie verwertbaren Zyklen heißen Tattwas und dauern 24 Minuten. Der größte, in unserem galaktischen System wirkende Zyklus ist das sogenannte Präzessionsjahr. Es beschreibt den Umlauf unseres Sonnensystems um die große Zentralsonne der Galaxie und dauert nach den Maßstäben unserer heutigen Zeitrechnung etwa 25.920 Jahre. Wie das Erdenjahr ist auch das Präzessionsjahr in zwölf Abschnitte unterteilt, die nach den bekannten Tierkreiszeichen der Astrologie benannt werden. Ein Präzessionsmonat beträgt 2.160 Jahre unserer Zeitrechnung.

Im Gegensatz zu dem uns bekannten irdischen Jahreszyklus, der mit dem Tierkreiszeichen „Widder" beginnt und mit „Fische" endet, werden im Verlauf eines Präzessionsjahres die Tierkreisabschnitte in umgekehrter Reihenfolge durchlaufen. So begann vor über 6.000 Jahren das Stierzeitalter, das unter anderem die Blütezeit der minoische Kultur auf Kreta mit ihrem ausgeprägten Stierkult umfaßte. Vor rund 4.000 Jahren schloß sich das Widderzeitalter an, in dessen Verlauf der Widder in vielen Kulturen ein „beliebtes" Opfertier war. Das gerade zu Ende gegangene Fischezeitalter, das annähernd mit Christi Geburt begonnen hatte, wurde entscheidend von christlicher Kultur und Glaubensprägung beeinflußt. Interessant ist in diesem Zusammenhang, daß der Fisch zu den frühen Symbolen des Urchristentums gehörte.

Seit kurzer Zeit (über den genauen Zeitpunkt sind sich die Astrologen noch uneins) leben wir im Wassermannzeitalter. Man kann auch vom „Wassermann-Präzessionsmonat" sprechen. Wassermann heißt auf Hebräisch »dli« oder »dlia«. Dies bedeutet wörtlich „Eimer, Schöpfen, Herausholen" – im übertragenen Sinne auch „erlösen". Im Zeichen des Wassermanns wird der Mensch durch seine Fähigkeit, erkennen zu können, erlöst werden. Er wird aufhören, die Welt aus der „Froschperspektive" zu betrachten. Dieses Zeitalter steht unter der Herrschaft des Uranus, des Gottes der vorurteilslosen Erkenntnis, der geistigen Freiheit und ausgeprägten Individualität. Der im Tierkreiszeichen Fische Geborene sagt: „ich glaube"; der im Tierkreiszeichen Wassermann Geborene dagegen: „ich weiß".

## Das Sonnenjahr

Der Sonnenzyklus in unserem galaktischen System umfaßt eine Periode von 28 Jahren. Nach deren Ablauf fallen die Wochentage auf genau das gleiche Datum (Monat und Tag). Ein Sonnenjahr hat

365 Tage, 5 Stunden, 42 Minuten und 46 Sekunden. Eine Drehung der Sonne um die eigene Achse dauert 11,6 Jahre (was nicht mit 11 Jahren und 6 Monaten zu verwechseln ist) und hat Einfluß auf die elektromagnetischen Felder auf der Erde. Alle 11,6 Jahre ist aufgrund erhöhter Sonnenfleckenaktivitäten (Energieausbrüche) weltweit mit Krankheiten durch Mikroben, Immunschwäche der Organe, mit politischen Unruhen und erhöhten Scheidungsraten sowie mit kleineren Völkerwanderungen zu rechnen. Maximale Sonnenfleckenbildungen waren 1969, 1980 und 1992 festzustellen und werden 2003 und 2014 wieder auftreten. Diese Phasen können von ein bis zwei Tagen bis zu mehr als einem Jahr dauern.

## Perigäum, Apogäum, Mondknoten

Der Mond umkreist die Erde auf einer elliptischen Bahn. Das bedeutet, er befindet sich auf seiner Umlaufbahn in unterschiedlich großem Abstand zur Erde. Der Zeitpunkt seiner größten Annäherung an die Erde – also der kürzesten Entfernung zwischen Mond und Erde – wird *Perigäum* genannt. Wenn der Mond der Erde so nahe ist, bewirkt er elektromagnetische Felder mit sehr niedriger Frequenz. Zu dieser Zeit sind Lebewesen generell müder und unkonzentrierter. Dies solltest Du bei langen Autoreisen und geplanten Spitzenleistungen berücksichtigen. 80 Prozent aller Erdbeben fanden außerdem im Perigäum statt. Einige Tage nach dem Perigäum steigt die Zahl der kleineren Erdbeben um 800 Prozent an. Stehen mehrere Himmelskörper zur Erde in einer Linie, kann es zu einer Erdbebenkatastrophe kommen. Dies ist jedoch erst in etwa 136 Jahren wieder der Fall.

Wenn der Mond den Punkt mit dem größten Abstand von der Erde erreicht hat, nennt man das *Apogäum*. In dieser Mondphase ist das elektrische Potential enorm hoch. Für die menschliche Psyche bedeutet dies: Wir sind aktiver, konzentrierter und mit Energie geradezu aufgeladen. Ein idealer Zeitpunkt, um sich durch Spitzenleistungen zu profilieren.

Zwei weitere markante Punkte auf der Umlaufbahn des Mondes um die Erde sind die sogenannten *Mondknoten*. Dies ist folgendermaßen zu verstehen: Denken wir uns die Äquatorlinie in den Weltraum hinaus zu einer Ebene verlängert, die die Erdkugel in zwei Hälften spaltet. Der Mond wird diese gedachte Ebene auf seiner Umlaufbahn zweimal „durchstoßen": einmal im Aufsteigen („aufsteigender Mondknoten"), einmal – auf der gegenüberliegenden Seite – im Absteigen („absteigender Mondknoten"). Der aufsteigende Mondknoten hat Jupitereigenschaften (d. h. Glück und Wachstum sind begünstigt), der absteigende Mondknoten dagegen die ungünstigeren Saturneigenschaften (was mit Hemmung und Widerständen bei menschlichen Vorhaben gleichzusetzen ist).

## Der Mondzyklus

Gemeint ist hier zunächst der sogenannte *synodische Zyklus*. Es ist der auch für das bloße Auge erkennbare zyklische Wechsel von ab- und zunehmendem Mond, der durch die Stellung des Mondes zur Erdkugel und zur Sonneneinstrahlung zustande kommt. Das Wort „synodisch" bezieht sich ursprünglich auf den 24-Stunden-Zyklus von Licht und Dunkelheit, der allem Leben – auch in seiner chemischen und organischen Komponente – zugrunde liegt. Dieser 24-Stunden-Rhythmus findet sein vergrößertes Spiegelbild im Wechselspiel der Mondphasen. Der synodische Mondumlauf (also die Zeit, die zwischen Neumond und Neumond verstreicht) dauert 29 Tage, 12 Stunden, 44 Minuten und 2,8 Sekunden. Er wird in 28 sogenannte Häuser eingeteilt, von denen jedes etwa einen Tag (24 Stunden) umfaßt.

Es existiert noch ein zweiter Mondzyklus, der sogenannte *siderische Zyklus* (der Durchgang des Mondes durch die 12 Stationen des Tierkreises). Dieser dauert 27 Tage, 7 Stunden, 43 Minuten und 11,5 Sekunden. Für das Durchwandern eines Tierkreiszeichens braucht die Sonne etwa 30 Tage; der Mond benötigt dazu im Durchschnitt 2 Tage und 7 Stunden. Bei annähernd 12 siderischen Umläufen pro Jahr vergehen 19 Jahre, bevor wieder am gleichen Datum (gleiches Tagesdatum, aber anderer Monat) Vollmond ist. Nach 304 Jahren herrscht nicht nur am gleichen Tag, sondern auch im gleichen Monat Vollmond. Über den siderischen Zyklus wird später noch ausführlich zu reden sein (S. 48ff).

Die Bahngeschwindigkeit des Mondes beträgt 1.023 Kilometer pro Sekunde. Der Auf- und Untergang des Mondes verschiebt sich täglich um etwa 51 Minuten. Bekanntlich ist die Erdkugel an den beiden Polen abgeflacht. Der Mond hat also am Äquator eine andere Entfernung von der Erdoberfläche als etwa oberhalb von Nord- und Südpol. Bedingt durch die unterschiedliche Entfernung des Mondes zu Pol- und Äquatorialregion ist auch die Anziehung verschieden stark, was eine Schwankung der Erdachse zur Folge hat.

Von der Erde aus können wir den Mond in unterschiedlichen Erscheinungsbildern beobachten: Die von der Sonne beschienene Seite sehen wir einmal im Monat, ebenso die der Sonne abgewandte Seite. Zwischen diesen beiden Extremen gibt es alle Abstufungen, die wir aus dem Sprachgebrauch kennen: Vollmond, abnehmender Mond, Neumond, zunehmender Mond und (zweimal innerhalb eines Zyklus) Halbmond.

> **Die sechs Gesichter des Mondes**
> - ● Neumond
> - ◑ zunehmender Mond
> - ○ Vollmond
> - ◐ abnehmender Mond
> - ☋ Mond geht über sich
> - ☊ Mond geht unter sich

Der Mond hat 6 Gesichter, die er uns bei seinem Umlauf um die Erde zeigt. Aus diesen Mondphasen entwickelte der Mensch seinen Kalender, der es ihm ermöglichte, die Zeit zu gliedern und sein Leben auf der Grundlage dieser Einteilung zu gestalten, z. B. Ackerbau zu betreiben. Nicht nur wegen seiner Bedeutung für die Landwirtschaft kann der Mond jedoch als Spender von Fruchtbarkeit und Leben gelten. Nur aufgrund der Gezeiten Ebbe und Flut konnte sich das Leben im Meer und damit eine fruchtbare Meeresflora entwickeln. Die in die Ozeane einmündenden Flüsse allein würden zu wenig Mineralstoffe in das Meer spülen. Mit den kräftigen Gezeiten jedoch holt sich das Meer aus den anliegenden Küstengebieten alle notwendigen Mineralstoffe, die sich in den Jahrmillionen so angereichert haben, daß Leben möglich war.

### ● Neumond

Das erste Gesicht des Mondes Neu- oder Finstermond genannt. Neumond wird im Kalender als schwarzer Kreis dargestellt. Steht eine Uhrzeit dabei, so bezeichnet diese den genauen Zeitpunkt des Neumonds. Der Mond steht dann genau zwischen Sonne und Erde. Somit beleuchtet die Sonne den rückwärtigen, von uns aus unsichtbaren Teil des Erdtrabanten. So sehen wir ihn, wenn überhaupt, nur dunkel. Zu diesem Zeitpunkt sind lediglich ein Minimum an Kraft und an Licht sowie der geringste Magnetismus vorhanden. Auch der Neumond bewirkt allerdings noch immer Ebbe und Flut.

Wenn Sonne und Mond von der Erde aus gesehen auf einer Linie hintereinander stehen, nennt man das auch eine Konjunktion (dargestellt als Kreis mit einem nach rechts oben schräg angesetzten Strich ☌ ). Herrscht eine solche Konjunktion, so werden die Kräfte der einzelnen Planeten um ein Vielfaches verstärkt, sowohl im positiven als auch im negativen Sinn. Im zweiten Teil dieses Buches gebe ich dazu praktische Tips.

## ☽ Zunehmender Mond

Unmittelbar nach der Neumondzeit beginnt der Mond wieder, uns seine lichtbeschienene Seite zuzuwenden. Er „wächst" wieder und nimmt an Lichtintensität zu. Die Phase des zunehmendes Mondes beginnt im Augenblick des Wendepunktes vom 28. Haus in das erste Haus. Sie endet mit Anfang des 15. Mondhauses. An dieser Position ist der Wendepunkt zum Vollmond erreicht.

Die 14 Stationen des zunehmenden Mondes haben besondere Qualitäten. Die Säfte steigen von unten nach oben, von der Wurzel in den Wipfel. Der zunehmende Mond verkörpert das Prinzip von Wachstum und Entwicklung in jeder konkreten Ausprägung. Während dieser Mondperiode wächst und sprießt alles besser. Beispielsweise wachsen Haare kräftiger, Samen entwickelt sich rascher und kräftiger, das Blut zirkuliert besser, Bäche fließen schneller, Fieber wirkt sich stärker aus, Wunden brauchen länger zum Heilen. Die Fruchtbarkeit von allem Lebendigen ist außerordentlich groß.

Der zunehmende Mond beschleunigt Heiratsabsichten und unterstützt die Suche nach einer Wasserquelle. Am besten führst Du solche Aktivitäten im 12. Mondhaus durch, das heißt drei Tage vor Vollmond. Wenn der Mond im Fisch steht, werden die Chancen Deines Vorhabens noch zusätzlich verbessert (siehe meine Angaben über den Mond in den einzelnen Tierkreiszeichen, S. 48ff).

Zum Massieren und zum Körperaufbau sollte der Mond zunehmen. Schnecken bekämpfst Du ebenfalls am besten in dieser Phase, und zwar am besten, wenn der Mond im Skorpion steht. Neugeborene Kinder sollten in dieser Periode zum ersten Mal in ihr zukünftiges Bett gelegt werden. Außerdem werden dadurch Krankheiten abgewehrt. Zum Abstillen eines Säuglings ist zunehmender Mond (am besten im dritten bis fünften

Haus) optimal, weil die Mutter zu diesem Zeitpunkt eine straffe Brust behält. (Natürlich kann das Stillen im Interesse des Kindes nicht auf diese wenigen Tage beschränkt bleiben.)

## ○ Vollmond

Der Vollmond beginnt genau am Wendepunkt zwischen dem 14. und 15. Mondhaus. Im Mondkalender ist dazu die genaue Uhrzeit angegeben. Dies geschieht häufig um die Mittagszeit, wenn der Mond wegen der Helligkeit der Sonne nicht sichtbar ist. Zu diesem Zeitpunkt ist das höchste Maß an Kraftentfaltung von Seiten des Mondes zu spüren. Wenn der Mond gleichzeitig mit der Sonne in Konjunktion wäre, könnte eine Flutwelle die Folge sein. Die Kraft des Vollmonds steht – etwas schwächer – schon neun Stunden vor dem Wendepunkt, also der eigentlichen Geburtsstunde des Vollmonds, zur Verfügung.

Bei Vollmond sind die Menschen enthemmter, aber auch gereizter, was häufig dadurch zustandekommt, daß sie vor Nervosität nicht schlafen können. Wenn Du mit einem Menschen zusammenlebst, der zu diesem Zeitpunkt besonders aggressiv oder gereizt ist, solltest Du jede Konfrontation vermeiden. Bei Vollmond wird häufig die Produktion des Stillhormons Prolaktin angeregt, was auch bei Männern den Sexualtrieb verstärkt. Dadurch ist die Gefahr einer Vergewaltigung an solchen Tagen größer. Dies ergaben Untersuchungen von Dr. M. Berg vom Kanakee State Hospital Wisconsin.

Wahnsinn und epileptische Anfälle treten bei Vollmond erheblich häufiger auf als in der übrigen Zeit. Dr. A. L. Lieber und Dr. C. R. Shering untersuchten zahlreiche Fälle und kamen zu der Erkenntnis, daß bei Vollmond mehr Gewalttaten gegen die eigene Familie und Kinder geschehen. Auch mit Raubüberfällen, Einbrüchen und anderen aggressiven Handlungen bis hin zu Terror (speziell: in elektrisch betriebenen Verkehrsmitteln) ist zu rechnen. Du solltest also an diesen Tagen Deine Mitmenschen möglichst wenig provozieren und Konfrontationen vermeiden.

Zu Vollmondzeiten solltest Du keine Pflanzen beschneiden, sonst verkümmern sie Dir. Bei Kaminen, die gut ziehen sollen, beginnt man am besten bei Vollmond mit dem Bau. An diesem Tag sollte niemand beerdigt werden. Das bringt nichts Gutes. Träume in einer Vollmondnacht werden sich bewahrheiten.

Träumst Du Zahlen, merke sie Dir, vielleicht winkt Dir ein Lottogewinn.

Wenn der Mond voll ist, sollten Heilkräuter gesammelt werden, dann ist ihre Kraft am stärksten. Auch Obstbäume können zu diesem Zeitpunkt mit Erfolg verpflanzt werden. Die fruchtbaren Tage für die Zeugung von Nachwuchs fallen häufig in die Zeit des Vollmondes. Betten sollten an diesem Tag gefüllt werden. Dunkle Haare dagegen schneidet man besser nicht, sonst werden sie heller.

Warzen kannst Du entfernen, indem Du durch einen Hohlspiegel oder ein Brennglas die Strahlen des Vollmondes darauf lenkst. Dies ist auch bei großen Warzen von bis zu 2 Zentimetern Durchmesser möglich. Es genügen 20 bis 30 Minuten, um bei einer einmaligen Anwendung die Warzen zum Einschrumpfen zu bringen.

Operationen sollten niemals bei Vollmond durchgeführt werden.

## ◑ Der abnehmende Mond

Mit Eintritt des Mondes in das 15. Haus beginnt die Phase des abnehmenden Mondes. Sie endet im 28. Haus mit dem Wiedereintreten des Neumondes. In dieser Periode steigen die Säfte bei allen Lebewesen nach unten. Alles, was Du in die Erde hineingibst, um es zum Wachsen und Gedeihen zu bringen, ist jetzt gut aufgehoben. Kümmere Dich um alles, was schwinden, abnehmen soll. Für Trennungen ist jetzt der gegebene Zeitpunkt.

Diese Zeit ist gut zum Konservieren und Einkochen. Der abnehmende Mond zieht die Krankheiten weg. Wenn Du die Hände bis zum Ellbogen ins Wasser tauchst, achte darauf, daß Du in Strömungsrichtung schaust, also mit dem Rücken zur Quelle stehst. Auf diese Weise wird die Krankheit vom Wasser übernommen. Ein weiterer Tip dazu: Schüttle beide Hände dreimal und trockne dann zuerst die rechte Hand ab.

Um Warzen, Muttermale, Feuermale und Blutschwämme zu entfernen, ist der abnehmende Mond sehr gut geeignet. Meide jedoch den Krebstag. Warzen verschwinden, wenn man sie zusätzlich mit frischem Schöllkrautsaft betupft und den Saft eintrocknen läßt – oder mit echtem Zitronenöl die Warzen betupft und sie mit einem Pflaster bedeckt. Hautwarzen verschwinden, wenn bei abnehmendem Mond Thuja D4 und D30 gemischt (davon dreimal täglich drei Globuli) eingenommen werden.

Zähne sollten nur bei abnehmendem Mond gezogen werden. Dabei sind die Tage zu meiden, an denen er im Zeichen des Skorpions, der Zwillinge, des Wassermanns oder der Waage steht. Auch Brücken und Kronen solltest Du bei abnehmendem Mond einsetzen lassen. Kieferoperationen sind sehr ungünstig, wenn sich der Mond im Stier befindet.

Deine Nägel kannst Du am besten bei abnehmendem Mond pflegen. Dazu gehört auch die Behandlung von eingewachsenen Nägeln, Nagelpilz und Fußpilz. Doch darf der Mond dabei nicht im Zeichen der Fische stehen. (Diese Position ist allerdings wiederum gut für Fußbäder.)

Operationen sind am besten bei abnehmendem Mond durchzuführen.

### Mond über und unter sich gehend

Diese beiden Begriffe haben nichts mit den üblichen, auch mit dem bloßen Auge erkennbaren Mondphasen zu tun. Sie beziehen sich auf Stand des Mondes in den Tierkreiszeichen. Diesen wohnt, je nach ihrer Stellung im Jahreslauf, eine unterschiedliche Energie inne. Steinbock, Wassermann, Fische, Widder und Stier verkörpern die aufsteigende Kraft der Periode zwischen Winter- und Sommersonnenwende (die Zeit, in der die Tage länger werden); Krebs, Löwe, Jungfrau, Waage und Skorpion stehen für die absteigende Kraft der zweiten Jahreshälfte (die Tage werden kürzer). Schütze ist der Wendepunkt, an dem absteigende in aufsteigende Energie „umkippt"; der gegenüberliegende Wendepunkt ist Zwillinge. Diese beiden Tierkreiszeichen sind daher nicht eindeutig zuzuordnen. Diese unterschiedlichen Energien, die wir durch Beobachtung des Jahreslaufes intuitiv begreifen können, sind auch im verkleinerten Abbild des Jahreszyklus, dem siderischen Mondzyklus, wirksam: Dem Mondlauf durch die Tierkreisabschnitte innerhalb von gut 27 Tagen (siehe S. 48ff).

Die Bezeichnungen „Mond geht unter sich" und „Mond geht über sich" beziehen sich auf eine – vom Äquator aus gesehen – nördliche und eine südliche Abweichung der Mondbahn. Beginnend mit der Südwende (Zwillinge) geht der Mond „unter sich"; beginnend mit der Nordwende (Schütze) geht der Mond „über sich".

#### ☽ Mond geht über sich (aufsteigender Mond)

Diese Phase (Steinbock, Wassermann, Fische, Widder, Stier, teilweise noch Schütze) symbolisiert die „Loslösung von Feuchtigkeit", das heißt alles trocknet schneller aus. Jetzt ist ein guter Zeitpunkt, um Dachstühle aufzurichten, Brunnen zu graben (das Wasser steigt besser), Holz einzubringen (es trocknet, auch wenn es naß ist) sowie Fenster und Türen zu versetzen (sie klemmen nicht, und die Scheiben schwitzen nicht). Steht der Mond laut siderischem Zyklus in einem Feuerzeichen (Widder, Löwe oder Schütze), kannst Du jetzt gegen Schimmel und Fäulnis vorgehen und all das erledigen, wobei Fäulnis unbedingt vermieden werden muß.

Setze jetzt alle Pflanzen, die über der Erde Früchte tragen sollen (also beispielsweise Tomaten und Äpfel, nicht aber Karotten und Kartoffeln). Alles, was im aufsteigenden Mond gepflanzt wird, gedeiht schneller und wächst höher, zum Beispiel Getreide, Gemüse und Gewürze, alles, was Samen trägt. Auch das Umtopfen von Blumen ist zu dieser Zeit optimal.

In dieser Mondphase sollte man alles, was lagern muß, einkellern: Kartoffeln, Wurzelknollen, Dahlien, Gladiolen, Obst (erst wenn es kälter wird) – dies jedoch nicht, wenn der Mond in einem Wasserzeichen (Krebs, Skorpion, Fische) steht, denn das an diesen Tagen Versorgte würde faulen.

Auch für allgemeine Hausarbeit ist die Zeit des über sich gehenden Mondes gut: So empfiehlt es sich, den Dachboden aufzuräumen, das Haus (einschließlich der Fenster) zu putzen, Kleidung zu waschen, Bettdecken zu füllen.

Im aufsteigenden Mond geschnittene Haare wachsen schneller. Nägel, die jetzt geschnitten werden, wachsen nicht mehr ein.

### ⌒ *Mond geht unter sich (absteigender Mond)*

Die Kräfte des Mondes ziehen in dieser Phase alles nach unten. In dieser Zeit Gepflanztes wächst in die Tiefe oder kriecht am Boden und trägt wenig Früchte. Es ist ein guter Zeitpunkt für Zwiebeln, Frühkartoffeln, Karotten, also alles, was unter der Erde gedeihen oder was starke Wurzeln bilden soll. Es bilden sich schnell feine Wurzeln, die Säfte steigen abwärts. Dünger geht gut in den Boden. Wenn Du jedoch im Zeichen der Waage und Jungfrau düngst, hat das Geerntete einen negativen Geschmack.

Diese Zeit ist auch gut zum Schneiden von Hecken und Bäumen. Außerdem ist jetzt der richtige Zeitpunkt zum Dörren von Früchten.

Beim Hausbau ist jetzt das Setzen des Fundaments und das Bauen des Kellers zu empfehlen. Sie bleiben dann trocken. Holzfußböden, die jetzt eingebaut werden, bleiben solide und bekommen keine Rissen und Spalten, die Dielen biegen sich nicht. Senkgruben können ausgehoben werden. Werden verstopfte Wasserrohre oder Bachläufe jetzt gereinigt, ist der freie Durchfluß auch langfristig gewährleistet (siehe auch den Abschnitt „Bauen", S. 132).

# Kapitel 2

# Gute Zeiten – schlechte Zeiten

*Ein Jegliches hat seine Zeit, und alles Vorhaben unter dem Himmel hat seine Stunde.* (Prediger Salome 3.1)

Jeder Anfang trägt den Keim des Ganzen in sich. Wenn Du etwas Neues beginnst, sind die Einflüsse der Planeten und des Mondes im Moment des Beginns für Dein Vorhaben sehr prägend. Bekanntestes Beispiel für dieses Prinzip ist das Geburtshoroskop, das eine Augenblicksaufnahme des Sternenhimmels zur Stunde Deiner Geburt darstellt. Die spezifische Energie dieses einen Augenblicks hat eine prägende Kraft, die Dein ganzes Leben bestimmen kann. Je nach Konstellation – positiv oder negativ – kann eine Unternehmung gelingen oder zum Scheitern verurteilt sein, ob es sich nun um das Pflanzen einer Blume, die Grundsteinlegung für ein Haus, eine Heirat oder gar um ein ganzes Menschenleben handelt. Dieser Moment des ersten Mals, der Augenblick der ersten Berührung ist also äußerst wichtig.

Prüfe deshalb bei wichtigen Entscheidungen, ob der Zeitpunkt, zu dem Du sie treffen willst, optimal ist. Es ist das Ziel aller großen Meister, im Einklang mit der Natur zu leben. Nur ein Narr lebt in den Tag hinein. Heute ist es nicht mehr jedem Menschen möglich, in enger Verbundenheit mit der Natur, zum Beispiel in einem Wald oder auf einem anderen einsamen Flecken Erde zu leben. Andererseits ist auch der moderne Großstadtmensch dazu fähig, mit dem positiven Rhythmus dieser Welt zu schwingen und dies nutzbringend zur Erreichung seiner Ziele einzusetzen.

Dabei hilft das Wissen über die Qualität von Stunde und Tag, die Fähigkeit, diese Qualität optimal zu nutzen und so die Kraft von „kosmischer Ebbe" oder „kosmischer Flut" für sich arbeiten zu lassen.

Mit Hilfe des Stundenkalenders kannst Du die Kraft glücklicher Stunden und guter Tagen vereinigen und dadurch die möglicherweise nicht so gute Konstellation bei Deiner Geburt, die ja prägend auf Dein Leben wirkt, ausgleichen.

Um den richtigen Zeitpunkt zu ermitteln, solltest Du als erstes auf die richtige Stunde, als zweites auf den passenden Tag und als drittes auf die Position des Mondes achten. Mit anderen Worten: Achte bei jedem Unternehmen genau darauf, unter welchem Tages- und Stundenplaneten Dein Vorhaben die beste Kraftschwingung erhält. Auch muß der Mond in der richtigen Position stehen, denn ohne seine Kraft wirst Du schwerlich etwas erreichen.

## Die Stunden

Alles Werdende kommt zunächst aus dem Dunkeln (schon in der Bibel steht: „Es werde Licht."). Jedes Saatgut muß zuerst in die Dunkelheit der Erde, bevor es als Pflanze dem Licht entgegenwachsen kann, und jedes Säugetier lebt die erste Zeit seines Daseins in der Dunkelheit des Mutterleibes. So beginnt auch jeder Tag am Abend des Vortages. Der Name „Sonnabend" (Samstag) weist ja darauf hin, daß der Sonntag schon am Abend (18.00 Uhr) des schwindenden Samstags beginnt. Die einfache Regel ist, daß jeder neue Tag um 18.00 Uhr abends mit dem Zeichen des Planeten-Herrn des kommenden Tages beginnt: Sonntag mit der Sonnenstunde, Montag mit der Mondstunde und so weiter.

Zum Verständnis ist hier eine nähere Erklärung nötig: Im rhythmischen Ablauf des Jahres hat seit jeher die Zahl sieben eine große Rolle gespielt. Dies hängt mit den sieben seit alters her bekannten Planeten unseres Sonnensystems zusammen: Sonne, Mond, Mars, Merkur, Jupiter, Venus und Saturn. (Uranus, Neptun und Pluto wurden erst in den letzten Jahrhunderten – mit Hilfe der verbesserten optischen Geräte – entdeckt und spielten daher in der traditionellen Astrologie noch keine Rolle.) Jedem dieser sieben Planeten wurde eine spezifische Energie zugeschrieben. So steht (allerdings auf eine sehr vereinfachte und unvollständige Formel gebracht) die Sonne für aus sich heraus wirkende Lebenskraft, der Mond für Empfänglichkeit und Emotionalität, Mars für Willenskraft und Aggression, Merkur für Intelligenz und Kommunikationsfähigkeit, Jupiter für Persönlichkeitswachstum und Glauben, Venus für Liebe und Anteilnahme und Saturn für Hemmung und Beschränkung.

Der bekannteste Anwendungsbereich dieser Siebener-Rhythmus ist die Wochenstruktur. Jedem Wochentag wird ein Planet mit der ihm eigenen Energie und Qualität zugeordnet. Im deutschen Sprachgebrauch ist dies bei Sonn(Sonnen-)tag und Mon(d)tag noch erkennbar. Andere europäische Sprachen lassen auch die übrigen Planetenzuordnungen mühelos erkennen. Man denke etwa an engl. „saturday" (Saturn), franz. „mercredi" (Merkur), ital. „vendredi" („venere" = Venus).

Hier nun die vollständigen Wochentage mit den dazugehörigen Planeten:

| | |
|---|---|
| Montag | Mond |
| Dienstag | Mars |
| Mittwoch | Merkur |
| Donnerstag | Jupiter |
| Freitag | Venus |
| Samstag | Saturn |
| Sonntag | Sonne |

Ebenso wie die Tage werden auch die Stunden den sieben bekannten Planeten zugeordnet. Alle sieben Stunden wiederholt sich also eine „Sonnenstunde", darauf folgt die „Mondstunde", die „Marsstunde" usw. Bei insgesamt 24 Stunden eines vollständigen Tageszyklus enthält folglich jeder Tag je 3 bis 4 Sonnen-, Mond-, Mars-, Merkur-, Jupiter-, Venus-, und Saturnstunden. Analog gibt es in jedem Monat viermal einen Sonntag, Montag usw. Die Zahl der Sonnenstunden, Mondstunden usw. pro Woche beträgt somit ebenfalls 24 Stunden. Pro Monat (gemeint ist hier nicht der Kalendermonat, sondern der vollständige synodische Mondzyklus) also 96 Stunden, die jedem der Planeten zugehören.

Ein Beispiel dafür, wie Du dieses Wissen anwenden kannst: Die beste Stunde für den Antritt einer Reise ist die des Mondes. Du willst am Freitag wegfahren. Ab Donnerstag 18.00 Uhr beginnt der Freitag. Die erste Mondstunde dauert von 20.00 Uhr bis 21.00 Uhr, die zweite von 3.00 Uhr bis 4.00 Uhr, die dritte von 10.00 Uhr bis 11.00 Uhr und die letzte Mondstunde des Freitag von 17.00 Uhr bis 18.00 Uhr. Dann beginnt der Samstag. Die Reise beginnt in dem Augenblick, in dem Du die Tür Deiner Bleibe (Wohnung, Hotel, Ferienwohnung usw.) hinter Dir schließt.

| MEZ | MESZ | Sonntag | Montag | Dienstag | Mittwoch | Donnerstag | Freitag | Samstag |
|---|---|---|---|---|---|---|---|---|
| 18 – 19 | 19 – 20 | ☉ Sonne | ☽ Mond | ♂ Mars | ☿ Merkur | ♃ Jupiter | ♀ Venus | ♄ Saturn |
| 19 – 20 | 20 – 21 | ♀ Venus | ♄ Saturn | ☉ Sonne | ☽ Mond | ♂ Mars | ☿ Merkur | ♃ Jupiter |
| 20 – 21 | 21 – 22 | ☿ Merkur | ♃ Jupiter | ♀ Venus | ♄ Saturn | ☉ Sonne | ☽ Mond | ♂ Mars |
| 21 – 22 | 22 – 23 | ☽ Mond | ♂ Mars | ☿ Merkur | ♃ Jupiter | ♀ Venus | ♄ Saturn | ☉ Sonne |
| 22 – 23 | 23 – 24 | ♄ Saturn | ☉ Sonne | ☽ Mond | ♂ Mars | ☿ Merkur | ♃ Jupiter | ♀ Venus |
| 23 – 24 | 0 – 1 | ♃ Jupiter | ♀ Venus | ♄ Saturn | ☉ Sonne | ☽ Mond | ♂ Mars | ☿ Merkur |
| 0 – 1 | 1 – 2 | ♂ Mars | ☿ Merkur | ♃ Jupiter | ♀ Venus | ♄ Saturn | ☉ Sonne | ☽ Mond |
| 1 – 2 | 2 – 3 | ☉ Sonne | ☽ Mond | ♂ Mars | ☿ Merkur | ♃ Jupiter | ♀ Venus | ♄ Saturn |
| 2 – 3 | 3 – 4 | ♀ Venus | ♄ Saturn | ☉ Sonne | ☽ Mond | ♂ Mars | ☿ Merkur | ♃ Jupiter |
| 3 – 4 | 4 – 5 | ☿ Merkur | ♃ Jupiter | ♀ Venus | ♄ Saturn | ☉ Sonne | ☽ Mond | ♂ Mars |
| 4 – 5 | 5 – 6 | ☽ Mond | ♂ Mars | ☿ Merkur | ♃ Jupiter | ♀ Venus | ♄ Saturn | ☉ Sonne |
| 5 – 6 | 6 – 7 | ♄ Saturn | ☉ Sonne | ☽ Mond | ♂ Mars | ☿ Merkur | ♃ Jupiter | ♀ Venus |
| 6 – 7 | 7 – 8 | ♃ Jupiter | ♀ Venus | ♄ Saturn | ☉ Sonne | ☽ Mond | ♂ Mars | ☿ Merkur |
| 7 – 8 | 8 – 9 | ♂ Mars | ☿ Merkur | ♃ Jupiter | ♀ Venus | ♄ Saturn | ☉ Sonne | ☽ Mond |
| 8 – 9 | 9 – 10 | ☉ Sonne | ☽ Mond | ♂ Mars | ☿ Merkur | ♃ Jupiter | ♀ Venus | ♄ Saturn |
| 9 – 10 | 10 – 11 | ♀ Venus | ♄ Saturn | ☉ Sonne | ☽ Mond | ♂ Mars | ☿ Merkur | ♃ Jupiter |
| 10 – 11 | 11 – 12 | ☿ Merkur | ♃ Jupiter | ♀ Venus | ♄ Saturn | ☉ Sonne | ☽ Mond | ♂ Mars |
| 11 – 12 | 12 – 13 | ☽ Mond | ♂ Mars | ☿ Merkur | ♃ Jupiter | ♀ Venus | ♄ Saturn | ☉ Sonne |
| 12 – 13 | 13 – 14 | ♄ Saturn | ☉ Sonne | ☽ Mond | ♂ Mars | ☿ Merkur | ♃ Jupiter | ♀ Venus |
| 13 – 14 | 14 – 15 | ♃ Jupiter | ♀ Venus | ♄ Saturn | ☉ Sonne | ☽ Mond | ♂ Mars | ☿ Merkur |
| 14 – 15 | 15 – 16 | ♂ Mars | ☿ Merkur | ♃ Jupiter | ♀ Venus | ♄ Saturn | ☉ Sonne | ☽ Mond |
| 15 – 16 | 16 – 17 | ☉ Sonne | ☽ Mond | ♂ Mars | ☿ Merkur | ♃ Jupiter | ♀ Venus | ♄ Saturn |
| 16 – 17 | 17 – 18 | ♀ Venus | ♄ Saturn | ☉ Sonne | ☽ Mond | ♂ Mars | ☿ Merkur | ♃ Jupiter |
| 17 – 18 | 18 – 19 | ☿ Merkur | ♃ Jupiter | ♀ Venus | ♄ Saturn | ☉ Sonne | ☽ Mond | ♂ Mars |

*Die Stundenqualität*

**Legende:**

| | | |
|---|---|---|
| ☉ Sonne | Gunst von einflußreichen Leuten, gute Lebens-einstellung |
| ♀ Venus | Frauen, Liebe, Heirat und Vergnügen |
| ☿ Merkur | Kauf, Verkauf, Briefe, Unterzeichnen von Verträ-gen, Anfang eines Studiums |
| ☽ Mond | Umzüge, Reisen, alles, was nicht von langer Dauer sein soll |
| ♄ Saturn | wenig anfangen, Erkrankungen sind bösartig |
| ♃ Jupiter | Leihen und Verkauf, Verleihen von Geld, Gunst von Personen |
| ♂ Mars | nichts Wichtiges unternehmen |

## Der Einfluß der Stunde

In den folgenden Beschreibungen der Stunden habe ich in über-sichtlicher Form beschrieben, welche Unternehmungen man zu einer bestimmten Planetenstunde beginnen sollte, und welche man besser auf einen späteren Zeitpunkt verschieben sollte. Manche Stunden wirken sich verstärkend auf den Erfolg in bestimmten Berufsgruppen aus.

### ☉ Sonnenstunde

*Die beste Stunde für diese Berufe:* Staatsdienst, Juwelier, Edelstein-handel, Goldschmied(in), Priester(in), hoher Beamte/hohe Beam-tin, Manager(in).

*Die beste Stunde für diese Angelegenheiten:* Kontaktanbahnun-gen mit Vorgesetzten und einflußreichen Menschen, Bitten um Beförderung, Gehaltserhöhung oder ähnliches, Pflege von Freund-schaften, Kümmern um nahestehende Personen.

*Schlecht für diese Angelegenheiten:* Hausbau, Tierkauf, Handel allgemein, Bankwesen und Geldverleih.

### ☽ Mondstunde

*Die beste Stunde für diese Berufe:* Matrose, Wirt(in), Koch (Köchin), Gärtner(in), Jäger, Schiffahrt (Handel und Reisen), Frauenberufe, übersinnliche und häusliche Berufe.

*Die beste Stunde für diese Angelegenheiten:* Antritt einer Reise, Kauf von Tieren mit einem Gewicht von mehr als 30 kg, Baube-ginn von Wasseranlagen.

*Schlecht für diese Angelegenheiten:* Geldverkehr, Erwerb von Grundstücken und Liegenschaften, Baubeginn für Haus oder Stall (Unterkünfte im allgemeinen).

## ♂ Marsstunde

*Die beste Stunde für diese Berufe:* Militärangestellte(r), Polizist(in), Ingenieur(in), Metallbearbeitende Berufe wie Schlosser, Schmied, Maschinenbau und Waffentechnik; Arzt/Ärztin, Chemiker(in), Apotheker(in), Schlachter(in), Abenteurer(in).

*Die beste Stunde für diese Angelegenheiten:* Ein- und Verkauf von allem, was aus Eisen oder Stahl gefertigt ist; Kauf von Waffen, Zubehör und Munition.

*Schlecht für diese Angelegenheiten:* Reiseantritt, Liebe, Verlobung, Ehe- oder Freundschaftsbünde.

## ☿ Merkurstunde

*Die beste Stunde für diese Berufe:* Akademiker(in), Lehrer(in), Bankkaufmann(frau), Post- und Bahnbedienstete(r), Schriftsteller(in), Medienangestellte(r), Luftfahrtangestellte(r), Vortragende(r) und Redner(in), Hellsichtige(r).

*Die beste Stunde für diese Angelegenheiten:* Kauf und Verkauf, Vertrags- und Urkundenunterzeichnung, insbesondere Reise- und Bankverträge, Kreativität, Befruchtung, Pflanzen von Bäumen und Sträuchern.

*Schlecht für diese Angelegenheiten:* Hauskauf- und Ehevertrag (*niemals* in dieser Stunde unterzeichnen).

## ♃ Jupiterstunde

*Die beste Stunde für diese Berufe:* Juristen, Regierungs- und Gemeindeangestellte(r), Politiker(in), Gelehrte(r), Magier(in), Priester(in), Kirchenkünstler(in).

*Die beste Stunde für diese Angelegenheiten:* Verkauf, Verleih, Vermittlung und Geldverkehr; Entschlüsse, die uns im Leben vorwärts bringen, Umgang mit männlichen Ordensleuten und Justizpersonen, Prozeßbeginn, Rückforderungshinterlegung bei staatlichen Einrichtungen (Briefkasten), Umgang mit esoterischen Energie-Verstärkern (z. B. Pyramide), priesterlicher Segen (Ehe, Verlobung, Haussegen).

*Schlecht für diese Angelegenheiten:* Kauf von Waffen, Tieren und Pflanzen, Einpflanzen von Bäumen und Sträuchern.

## ♀ Venusstunde

*Die beste Stunde für diese Berufe:* Kunst- und Modebranche, Fremdenverkehr, Vergnügungs-, Ernährungs- und Schönheitsberufe und alle an Produktion und Handel von Lebensmitteln und Körperpflegeartikeln beteiligt sind, Tanzlehrer(in), Tänzer(in), Dufthersteller und -händler.

*Die beste Stunde für diese Angelegenheiten:* Liebe, Ehe, Heirat, Freundschaft, Glück durch Frauen, Vergnügungen, Tanz, Frauenveranstaltungen, Reisen aufs Land.

*Schlecht für diese Angelegenheiten:* Beginn einer Reise zu Wasser.

## ♄ Saturnstunde

*Die beste Stunde für diese Berufe:* Landarbeiter, Bauer, Maurer und alle, die Erde, Holz und Steine bearbeiten, Berg-, Hütten-, Hoch- und Tiefbauarbeiter, Architekten, Immobilienhändler.

*Die beste Stunde für diese Angelegenheiten:* Ein- und Verkauf von Schwermetallen, Strahlungsprodukten, Grunderwerb, Obst-, Garten-, Land-, Forst- und Bergbau, Abschluß und Kündigung von Miet- und Pachtverträgen.

*Schlecht für diese Angelegenheiten:* Ehevertrag, Umgang mit Höherstehenden, Beginn von Freundschaften und Geldgeschäften.

# Edelsteine und Stundenqualität

Jeder hat die Freiheit, seine Glücksstunde selbst zu wählen. Willst Du Edelsteine von besonderer Schwingungsenergie, so kaufe, verschenke, schleife und fasse Steine, die Dir etwas bedeuten, in der ihnen zugeschriebenen Stunde.

| | |
|---|---|
| ☉ *Sonnenstunde* | Brillant, Bergkristall, Hyazinth, Chrysoberill, Sonnenstein, Rubin, grüner Achat, roter Jaspis und Goldtopas. |
| ☾ *Mondstunde* | Smaragd, Opal, Aquamarin, Mondstein, helle Perlen, Olivyn, Nephrit, Aventurin, Goldberyll, Achate, Malachit, Chrysokoll, Chrysopras. Der Smaragd entwickelt um Vollmond seine stärkste Kraft. |
| ♂ *Marsstunde* | Rubin, Granat, Almantin, Alexandrit, Garfunkelstein, Hämatit, Karneol, Korallen und Magnetstein, Roter Jaspis. |

| ☿ *Merkurstunde* | Beryll, Karneol, Blutstein, Heliotrop und alle Achate, Topas, Jaspis, Tigerauge, brauner Jaspis und Bernstein, Citrin, Echter Goldtopas. |
| ♃ *Jupiterstunde* | Saphir, Beryll, Türkis, Amethyst, Lapislazuli, Heliotrop, Blutjaspis, Chalzedon, Almandin, Sodalith, Blauer Edeltopas. |
| ♀ *Venusstunde* | Heller Saphir, Lapislazuli, Korallen, Blauer Edelcirkon, Hyazinth, Rosenquarz, Rhodochrosit, Rhodorit, Carneol, Achat. |
| ♄ *Saturnstunde* | Onyx, Chalzedon, dunkle Perlen, Rauchtopas, Turmalin schwarz, Malachite, Moosachat, Sardonyx. |
| ♆ *Neptunstunde* | Amethyst, Labrador, Mondstein, Sugilith, Fluorit, Opal |
| ♅ *Uranusstunde* | Rauchtopas, Bernstein, Aquamarin, Amazonit, Türkis |
| ♇ *Plutostunde* | Alle Granate, Blutstein, Magnetstein, Lavastein, Roter Turmalin, Carneol |

Beim Kauf von Edelsteinen empfiehlt es sich außerdem, auf den Stand des Mondes im jeweiligen Tierkreiszeichen (gemäß dem siderischen Zyklus, siehe S. 49) zu achten:

*Sehr gut:* Stier ♉, Krebs ♋, Löwe ♌, Waage ♎
*Gut:* Widder ♈, Zwillinge ♊, Jungfrau ♍, Schütze ♐, Fische ♓
*Meide:* Skorpion ♏, Steinbock ♑, Wassermann ♒

# Die Tage

Bevor ich Dir die einzelnen Wochentage mit ihren spezifischen Eigenschaften und Zuordnungen vorstelle, noch ein paar Worte zu den Talismanen, die bei jedem Wochentag genannt sind. Dieser Talisman sollte in der Stunde angefertigt werden, die zum Tag gehört. Zum Beispiel ein Sonnentalisman am Sonntag, ein Mondtalisman am Montag, ein Marstalisman am Dienstag, usw. Wie die einzelnen Talismane und Amulette herzustellen sind, beschreibe ich in einem zweiten Buch. Wenn Du bereits jetzt Talismane herstellen möchtest, nimm bitte über den Verlag Kontakt mit mir auf.

Die in der Tabelle genannten „Quadratzahlen" und „Kristallzahlen" sind Begriffe aus der Numerologie (Lehre von der geistigen

Bedeutung der Zahlen), die nur dem Leser mit einiger diesbezüglicher Vorbildung etwas sagen werden. Wenn Du Näheres darüber wissen möchtest, kannst Du in entsprechender Fachliteratur nachschauen. Die Aufstellung vermittelt Dir das notwendige, überlieferte Wissen über die Tagesqualität und die damit verbundenen Zuordnungen. Sie hat aber durchaus auch praktische Bedeutung. So empfiehlt es sich zum Beispiel an Sonntagen, Goldschmuck und rote Kleidung zu tragen. Wer mit den entsprechenden Ritualen vertraut ist, kann durch Anrufung des Engels Raphael starke positive Energien auf sich ziehen.

## Sonntag

*Symbolisiert durch:* Sonne ☉
*Zahl:* 1
*Geometrie:* Sechseck
*Quadratzahl:* 6
*Kristallzahl:* 6, 16, 111, 666
*Metall:* Gold
*Heilstein:* Diamant, Bergkristall
*Farbe:* Rot
*Körperliche Entsprechung:* Herz
*Verkörpert:* Sonne, das höhere Ego, die Lebenskraft, Vitalität
*Engel:* Raphael
*Attribute:* elektrisch, männlich, Tagesgestirn, feurig
*Betrifft:* Alle Prozesse, die sich auf das ureigene Ich beziehen.
*Talisman für:* Gesundheit, Selbstvertrauen, Männlichkeit, Manager, Politiker, Futurologen, Autorität, Offenheit, Freundschaft, Genuß, Sex, Erfolg für Bankwesen, Künstler, Handel, Gerichtswesen
*Einfluß:* Wohltäter
*Einfluß auf:* Das innerste Sein des Menschen, Ausstrahlung, Selbstbewußtsein, Beförderung und berufliches Weiterkommen; hohe Beamte, Priester, Manager, Juweliere und Goldschmiede.

## Montag

*Symbolisiert durch:* Mond ☾
*Zahl:* 2
*Geometrie:* Neuneck
*Quadratzahl:* 9
*Kristallzahl:* 9, 81, 369, 3321
*Metall:* Silber
*Heilstein:* Smaragd, Opal

*Farbe:* Orange
*Körperliche Entsprechung:* Milz
*Verkörpert:* Weiblichkeit, Fruchtbarkeit, Reinkarnation, Persönlichkeit, Macht, Zeitqualität
*Engel:* Gabriel
*Attribute:* magnetisch, weiblich, Nachtgestirn, zieht Kraft an sich, wäßriges Gestirn
*Betrifft:* Das Reflexionsvermögen, die Reaktion, Widerspiegelung
*Talisman für:* Fruchtbarkeit, Unternehmer, Schutz des Hauses vor negativen feinstofflichen Schwingungen und Magie
*Einfluß:* Neutral, jedoch sehr abhängig von Planeten-Aspekten
*Einfluß auf:* alle Wasseraktivitäten, Reisen, Handel, Schiffe; die Fruchtbarkeit, die Mutterschaft, das Zuhause, die Familie, die Kinder; Neuunternehmungen.

## Dienstag

*Symbolisiert durch:* Mars ♂
*Zahl:* 9
*Geometrie:* Fünfeck
*Quadratzahl:* 5
*Kristallzahl:* 5, 25, 65, 325
*Metall:* Eisen
*Heilstein:* Magnetstein, Rubin, Granat, Diamant
*Farbe:* Gelb
*Körperliche Entsprechung:* Nabel
*Verkörpert:* Kampf, Intuition und Gestaltung
*Engel:* Camael
*Attribute:* Elektrisch, männlich, feurig, Tagesgestirn
*Betrifft:* Energie, Tempo, Kampf (dadurch Gefahr), praktische Aktivitäten; Krieg, Sport, männliche Sexualität, chirurgische Eingriffe, Operationen, Mut und Körperkraft.
*Talisman für:* Schutz im Kampf, Krieg oder Sport, Potenz und für alle, die mit Waffen umgehen
*Einfluß:* Übeltäter, wirkt jedoch günstig mit der Sonne und ungünstig mit dem Mond
*Einfluß auf:* Ingenieure, Maschinen, die Entwicklung und den Einsatz von Waffen.

## Mittwoch

*Symbolisiert durch:* Merkur ☿
*Zahl:* 5

*Geometrie:* Achteck
*Quadratzahl:* 8
*Kristallzahl:* 8, 64, 260, 2080
*Metall:* Quecksilber
*Heilstein:* Achat, Beryll, Blutstein (Hämatit)
*Farbe:* Grün
*Körperliche Entsprechung:* Nieren, Bauchspeicheldrüse
*Verkörpert:* Kausalität, Überbringer, Zirkulation
*Engel:* Michael
*Attribute:* elektrisch und magnetisch (männlich/weiblich)
*Betrifft:* Handel zu Wasser, Luft und Land
*Talisman für:* Reise, Rhetorik, Piloten, Kapitäne, Kaufleute, Astrologen
*Einfluß:* Neutral, jedoch beeinflußt von anderen Planeten-Aspekten
*Einfluß auf:* die Beweglichkeit des Verstandes, Vermittlung, Handel, Journalisten und Schriftsteller, Reisen, Redner, Medien, Industrie, Wissenschaft, Propheten und Futurologen.

## Donnerstag

*Symbolisiert durch:* Jupiter ♃
*Zahl:* 3
*Geometrie:* Viereck
*Quadratzahl:* 4
*Kristallzahl:* 4, 16, 34, 136
*Metall:* Zinn
*Heilstein:* Saphir, Türkis
*Farbe:* Hellblau
*Körperliche Entsprechung:* Hals
*Verkörpert:* Religion, Moral, Geist und Seelenleben, Wortkraft, Resonanz und Denkkontrolle
*Engel:* Zadikiel
*Attribute:* elektrisch, männlich, sendet Kraft aus, Tagesgestirn
*Betrifft:* Glauben
*Talisman für:* Gesundheit, Ärzte, Geschäft, Familie, Sympathie und Schutz
*Einfluß:* Wohltäter
*Einfluß auf:* Glück, gute Veranlagung, Beziehungen und Sympathie, gute Geschäfte, Spekulationen und Rechtsangelegenheiten sowie Religion, Philosophie, Erziehung, Reichtum, Ehe, Freundschaft, Heilberufe und Gesundheit

**Freitag**
*Symbolisiert durch:* Venus ♀
*Zahl:* 6
*Geometrie:* Siebeneck
*Quadratzahl:* 7
*Kristallzahl:* 7, 49, 175, 1225
*Metall:* Kupfer
*Heilstein:* Heller Saphir, Lapislazuli
*Farbe:* Indigo (Nachtblau)
*Körperliche Entsprechung:* Stirn
*Verkörpert:* Liebe und Rhythmus der Frauen, Meditation, Bildkraft und Erkenntnis
*Engel:* Aniel
*Attribute:* magnetisch, weiblich, zieht Kraft an sich, irdisch, Nachtgestirn
*Betrifft:* Bindung, Verbindung (Kupfer ist ein Mittler)
*Talisman für:* Liebe, Ehe, Geld, Kunst, Innigkeit, Amulett gegen seelische Gifte und körperliche Geschwüre
*Einfluß:* Wohltäter; steht sie im Osten, wirkt sie günstiger auf die Männer, steht sie im Westen, wirkt sie günstiger auf die Frauen
*Einfluß auf:* alle Liebes-, Persönlichkeits- und Geschäftsbeziehungen, Verhandlungs- und Vertragsbemühungen, Freizeit und künstlerische Tätigkeiten, die weibliche Sexualität und den Verdienst.

**Samstag**
*Symbolisiert durch:* Saturn ♄
*Zahl:* 8
*Geometrie:* Dreieck
*Quadratzahl:* 3
*Kristallzahl:* 3, 9, 15, 45
*Metall:* Blei
*Heilstein:* Onyx, Chalzedon
*Farbe:* Schwarz
*Körperliche Entsprechung:* Scheitel
*Verkörpert:* Selbstsucht, Beschützer aller Mystiker und Magier, Mental- und Geisteskraft
*Engel:* Zaphiel
*Attribute:* magnetisch, weiblich, zieht Kraft an sich, irdisch, Tagesgestirn
*Betrifft:* reines Sein, aber auch Begrenzung

*Talisman für:* gute Geburt, Politik, Landwirte, Immobilienhändler, Architekten, Baumeister, Moral, Amulett gegen Intrigen und Gifte
*Einfluß:* Übeltäter, zusammen mit dem Mond wirkt er besonders kräftig, sowohl positiv als auch negativ
*Einfluß auf:* alle Prozesse, die der Konservierung (Umwandlung) dienen.

## Tage und Stunden in Kombination

Tagesqualität und Stundenqualität könnte – jede für sich – Dein Leben ein ganzes Stück voranbringen, wenn du sie bei der Planung Deiner privaten und beruflichen Unternehmung miteinbeziehst. Durch die optimale Kombination aus beiden kannst Du die positiven Energien sogar noch potenzieren. Die nachfolgende Beschreibung klärt Dich über die besondere Macht der sieben „Sternstunden" einer Woche auf. Darüber hinaus solltest Du für jeden Tag auch die 42 negativen Tage berücksichtigen (Du findest sie im Kalender ab S. 195ff), denn sie vermindern diese positiven Kräfte.

Ganz allgemein sind folgende Tage für die genannten „magischen" Vorhaben vorteilhaft:

*Anrufungen:* Montag, Dienstag, Mittwoch und Sonntag bestens geeignet, und zwar am besten in einer Mond-, Mars-, Merkur-, oder Saturnstunde.

*Liebesbeschwörungen:* Sonntag oder Freitag in einer Sonnen- oder Venusstunde.

*Beeinflussung jeder Art:* Dienstag oder Samstag in einer Mars- oder Saturnstunde.

*Anfertigen von Amuletten:* Beginne an einem Merkurtag (Mittwoch) zu einer Merkurstunde. Ein Amulett ist ein Schutzzeichen oder ein Gegenstand (Kreuz oder Schutzengel).

*Die eigene Erleuchtung:* Fange an einem Merkurtag (Mittwoch) zu einer Merkurstunde damit an.

*Heilzeremonie:* Die günstigste Zeit dafür ist der Donnerstag oder der Freitag. Die Zeremonie solltest Du in einer Jupiter- oder einer Venusstunde beginnen.

Für alle magischen Arbeiten gilt außerdem: die stärkste Wirkung ist zu erzielen, wenn der Mond im Krebs, Skorpion, Steinbock und Wassermann steht.

Im folgenden nun die sieben besonders begünstigten Stunden der Woche. Bedenke auch, daß jede dieser Planetenstunden (z. B. Sonntags zu einer Sonnenstunde) an jedem Tag drei bis viermal wiederkehrt. Insgesamt hat die Woche also 24 solcher „magischen" Stunden. Ihre genaue Uhrzeit kannst Du der Tabelle auf S. 24 entnehmen.

### Sonntags zu einer Sonnenstunde

Führe verbindende Telefonate oder statte einen Besuch ab. Du hast jetzt die Chance, Feinde in Freunde zu verwandeln. Tritt dazu in einer Sonnenstunde mit dem rechten Fuß (Deinem Sonnenfuß) über die Türschwelle der Person, mit der Du Dich versöhnen willst. Bringe ein der Sonne zugehöriges Geschenk mit: z. B. Orangen, Weintrauben (auch in flüssiger Form), vierblättriger Klee, Myrrhe, Duftöl, eine Handvoll Walnüsse, eine Palme im Topf (der Palmzweig ist Symbol des Friedens), Sonnenblumenkerne (siehe S. 113), Arnikasalbe oder einen Jaspis- oder Sonnestein als Schmeichelstein. Auch Goldschmuck übergibt man am besten am Sonntag zu einer Sonnenstunde, wenn man dadurch zu einem Menschen eine Verbindung herstellen möchte.

Eine Potenzierung der Kraft erreichst Du, wenn der Mondaufenthalt im Löwen bei 8° 34' 19" bis 4° 17' 10" (1. oder 2. Löwe-Tag) ist. Dies ist auch die beste Zeit, um Unternehmungen zu beginnen, die auf Reichtum, Gunst, Glück und Einfluß abzielen oder das Erreichte festigen sollen. Auch um Groll aufzulösen, die Zerrüttung von Liebesbeziehungen zu stoppen und das Verhältnis zu Kindern mit Worten der Wärme zu festigen.

Jeder Sonntag, Dienstag und Donnerstag hat vier, die anderen Tage haben drei Sonnenstunden. So hast Du in jeder Woche 24mal eine ganze Stunde zur Verfügung, um Worte der Wärme für Deine Lieben zu finden. Sprich von ganzem Herzen, denn das Herz ist ein Organ der Sonne. Nach dem Gesetz der Resonanz wirst Du alles ernten, was Du zuvor gesät hast.

### Montag zu einer Mondstunde

Dies ist die Zeit, um Verlorenes, Verlegtes und Gestohlenes zurückzuholen. Sprich bei Gebeten den „Diebesbann". Es ist von großem Vorteil, vor allem wenn der Mond sich dabei in einem Erdzeichen befindet, also Stier, Jungfrau oder Steinbock.

Auch kannst Du Dich mental auf Zukunfts-Visionen einstellen und alles unternehmen, was einer Tätigkeit als Seher, Zukunftsdeuter oder Futurologe dient.

Beginne und kaufe alles, was mit Wasser zu tun hat. Als Geschenk verwende Mondblumen, z. B. Lilien (siehe Seite 113f). In dieser Zeit kaufe und schenke auch Perlen, Smaragde und Opale.

Matrosen, Wirte, Köche, Gärtner und Jäger sollen in dieser Zeit alles für ihren Erfolg Förderliche beginnen oder das Erreichte festigen. In von Dir neu bezogenen Küchen koche das erste Mal Mondgemüse, z. B. Kohl, und der Erfolg wird Dir sicher sein.

Beginne Reisen, die dem Einkauf von edlen Tieren, Wasserfahrzeugen, Brücken, Wasserbauten und ihrer Ersatzteile dienen. Lagere oder verarbeite alle nicht öligen Flüssigkeiten.

Befestige einen Hausschutz, z. B. Blitzableiter, Schutzzeichen, Talisman. Beginne Schutzbauten gegen Schnee. Winter- und Wassersport beginne in dieser Zeit. Der Erfolg wird Dich ein Leben lang begleiten.

Unternehme alles, um die Fruchtbarkeit bei Lebewesen und Pflanzen sowie Wald- und Ackerböden zu fördern. Sofern es möglich ist, potenziere diese Kräfte, indem Du einen der Tage wählst, an denen sich der Mond im Tierkreiszeichen Krebs aufhält.

## Dienstag zu einer Marsstunde

Bete für den Frieden und die im Krieg Getöteten. Beginne eine sportliche, polizeiliche und waffentechnische Laufbahn, indem Du Gesuche schreibst sowie Ämter und Menschen kontaktierst, die Dich fördern oder anstellen könnten. Dasselbe gilt für Jagd und Waffenhandel. Beginne den Bau von Schutz- und Sicherungsanlagen gegen Gewalt.

Für die Förderung der Potenz, sei es durch eine Operation, durch Einnahme von Mitteln oder durch ein Bodybuilding-Training zur Stärkung der Manneskraft, ist die Stunde günstig.

Maschinen (z. B. Autos) kaufe am besten an diesem Tag, besonders, wenn sich der Mond im ersten Tag Widder aufhält.

Unterlasse es auf alle Fälle, Dinge aus Eisen und ganz besonders Waffen und Zubehör *unerlaubt* zu kaufen, zu verkaufen oder gar zu schmuggeln. Dies gilt auch für Suchtmittel in flüssiger oder fester Form.

Zöllner, Fahnder und Polizei begünstigt diese Zeit bei der Aufdeckung einschlägiger Delikte.

## Mittwoch zu einer Merkurstunde

Diese Stunden sind gut, wenn es darum geht „Wunder" zu bewirken, seien es Erscheinungen, Erleuchtungserlebnisse oder Erkenntnisse für die Zukunft. Auch das Beten oder Sprechen mit Schutz-Wesenheiten, Engeln, Geistern oder lieben Verstorbenen ist erfolgreich, sofern der Mond in einem Luftzeichen steht (Zwillinge, Waage, Wassermann).

Zur Merkur-Stunde sollte man sich Spiele oder Scherze (z. B. im Karneval) ausdenken, Jagden, Jägerspiele oder Versammlungen organisieren.

Schreibe Bücher, besonders über Handel, Wissenschaft und die Zukunft. Setze Reden auf und halte Vorträge über die oben genannten Themen. Beginne einen für Dich persönlich wichtigen Schriftverkehr in der Merkurzeit.

Tag und Stunde des Merkur sind die beste Zeit für Handel, Geschäfte, Astrologie und Redekunst. Es ist aber auch die Zeit der Diebe und Täuschungen (Merkur ist auch der Gott der Diebe und Eintreiber).

Stelle einen Schutz-Talisman gegen Diebstahl und Übervorteilung her: z. B. einen im Achteck geschliffenen Achat. Eine weitere Steigerung der Merkurkraft wird durch eine Fassung des Steins in Zink erreicht.

Besorge Dir mittwochs zu einer Merkurstunde einen apfelgrünen Chrysopras in Zink gefaßt. Wenn möglich, sollte der Mond dabei in den Zwillingen oder im Sternzeichen Jungfrau stehen, am besten im ersten Viertel einer diesen Tierkreiszeichen zugehörigen Phase. Dieses Amulett schützt vor Diebstahl, überzogenen Bußstrafen und Schuldforderungen. Es lindert Gicht, Rheuma, Jähzorn und Fallsucht. Es schützt vor allem Bösen und gilt als Gerechtigkeits-Siegel. Zusätzlich stärkt es das Herz, die Lebenskraft, bringt Gedankenklarheit und große Sicherheit beim Reden. Es eignet sich auch zu Meditieren.

### Donnerstag zu einer Jupiterstunde

Dies ist die beste Zeit, um alles Notwendige für Gesundheit, Reichtum, Ehre und Freundschaft in die Wege zu leiten. Wenn Du Deine Aktivitäten jetzt richtig kanalisierst und mental vorbereitest, kannst Du alles erreichen, was auch immer Du Dir wünschen magst. Dies gilt besonders, wenn der Mond im Schützen oder im letzten Fische-Tag steht.

Arbeite am Donnerstag mit magischen Quadraten, schreibe Schutzgebete auf hellblauem Untergrund mit blauer Schrift (oder auf Papier, Seide, Stoff oder Porzellan).

Bei Liebesbriefen kannst Du einen Zusatz mit unsichtbarer Tinte (Urin für Beeinflussungen) schreiben. Bei Briefen an Gläubiger ist

Zwiebelsaft zu verwenden. Starke Wärme macht diese Geheimschrift sichtbar.

Jupiterstunden eignen sich insgesamt besonders für magische Handlungen.

### Freitag zu einer Venusstunde

Dieser Zeitpunkt ist optimal um negative Schicksalsschläge zum Besseren zu wenden. Besonders Traurigkeit, die durch den Verlust eines lieben Wesens (Mensch oder Tier) entstanden ist, verschwindet, wenn eine Steinkette aus Amethyst umgelegt wird. Ein Korallenbäumchen ist ein wirkungsvolles Schutzzeichen für Frauen und Kinder sowie für Reisende auf dem Meer. Kaufe oder schenke es an einem Freitag zu einer Venusstunde oder bringe es zu diesem Zeitpunkt erstmals in Hautkontakt mit Dir oder dem Beschenkten.

Diese Zeit ist gut, um Liebespulver und Sympathiemittel herzustellen und außergewöhnliche Operationen sowie mentale Heilungen zu unternehmen.

In dieser Zeit beginne alles, was Liebe und Zärtlichkeit festigt. Reise zu Deinem Vergnügen und unternimm alles, was Deinen Körper schöner macht und wohltuende Wirkung erzeugt. Pflege und beginne Freundschaften oder Liebesbeziehungen, bringe 7 Rosen, Flieder, Veilchen, Nelken oder auch deren Düfte als Geschenk. Esse mit Deinen Lieben Kastanien, Erdbeeren, Birnen oder Kirschen. Dies fördert die Liebe.

Öffne Dein drittes Auge, übe Dich im Auralesen. Frauen haben zu dieser Stunde außerordentliche Magnetkräfte, sei es zum Heilen oder auch zum Betören von Männern.

Ein zu dieser Zeit gekaufter Venusstein, der auch an einem Freitag zur Venusstunde im zunehmenden Mond mit dem Sekret der Frau benetzt wird, macht den Auserkorenen verliebt (siehe auch Seite 125ff: Freundschaft, Liebe und Ehe).

### Samstag zu einer Saturnstunde

Diese Zeit ist geeignet, um Unglück und Mißerfolg aus der Menschlichen Seele, aus Gebäuden, Geschäften, Besitztümern, Stallungen, von Feldern und aus Wäldern zu vertreiben. Ein negativer Mensch kann jedoch das Gegenteil bewirken.

Meide in dieser Zeit böse Menschen, Schwätzer und unsichere Gegenden. Laß Dich auf keine aggressiven Handlungen ein; sie bringen Haß, Streit und Verlust mit sich, besonders wenn der Mond im Skorpion oder Krebs steht. Meide jede öffentliche Menschenansammlung. Es kann zu Aufruhr oder, wenn es um Neumond geschieht, zu noch Schlimmerem kommen. Öffentlich Bedienstete, Taxifahrer, Wachleute und Nachtschwestern sollten sich zu diesen Stunden in acht nehmen.

Ein reines Seidentuch in Form eines gleichschenkligen Dreiecks, schwarz oder dunkelgrün, schützt vor negativen Einflüssen, wenn es um den Kopf oder auch um den Hals gebunden wird. Auch das Tragen eines Rauchtopas verhindern den Kontakt mit Negativem.

# Kapitel 3

# Der Mondumlauf

## Der synodische Mondumlauf und seine Wirkungen

Als „*synodischen Mondumlauf*" bezeichnet man den Umlauf des Mondes um die Erde unter Berücksichtigung des Erdumlaufs um die Sonne. Wegen des wechselnden Strahlungswinkels der Sonne erscheinen von der Erde aus zu verschiedenen Zeitpunkten verschiedene Teile der Mondoberfläche beleuchtet – die uns allen bekannten Mondphasen.

Der synodische Mondumlauf dauert 29 Tage, 12 Stunden, 44 Minuten und 2,8 Sekunden. Er umfaßt die Zeit zwischen den Neumondphasen, also einen vollständigen Phasenzyklus des Mondes. Der Zyklus beginnt mit dem Kippmoment, in dem der Mond vom 28. Haus in das 1. Haus wechselt. Der Wechsel vom 14. in das 15. Haus markiert den Moment des Vollmonds, in dem er seine stärkste Kraft entwickelt. Diese Mondzeiteinteilung ist immerwährend, denn sie ist über die Jahrtausende sekundengenau geblieben.

Die synodische Mondkraft bewegt die Meere mit Ebbe und Flut sowie die Flüssigkeiten aller Lebewesen, beim Menschen insbesondere das Blut, die Lymph-, Gehirn- und Gewebeflüssigkeit (mehr als 70 Prozent des menschlichen Körpers). Wegen seiner Nähe zur Erde hat der Mond 2,8 mal mehr Einfluß auf unsere Nerven, unser Gemüt und unsere Flüssigkeitsbewegung als die Sonne.

### Die Häuser

Traditionell wird der synodische Mondumlauf in 28 Häuser eingeteilt. Sein Aufenthalt in jedem dieser Häuser dauert jeweils ca. 24 Stunden. Auf seiner Kreisbahn um die Erde (insgesamt 360°) durchläuft er durchschnittlich etwa 12° 8'. Bis zur „Halbzeit" (Ende des 14. Hauses) berechnet man die Mondposition von 0° bis 180° vorwärts; ab dem „Kippunkt" zum 15. Haus wird von 180° wieder bis 0° rückwärts gerechnet. Jedes dieser Häuser kennzeichnet eine

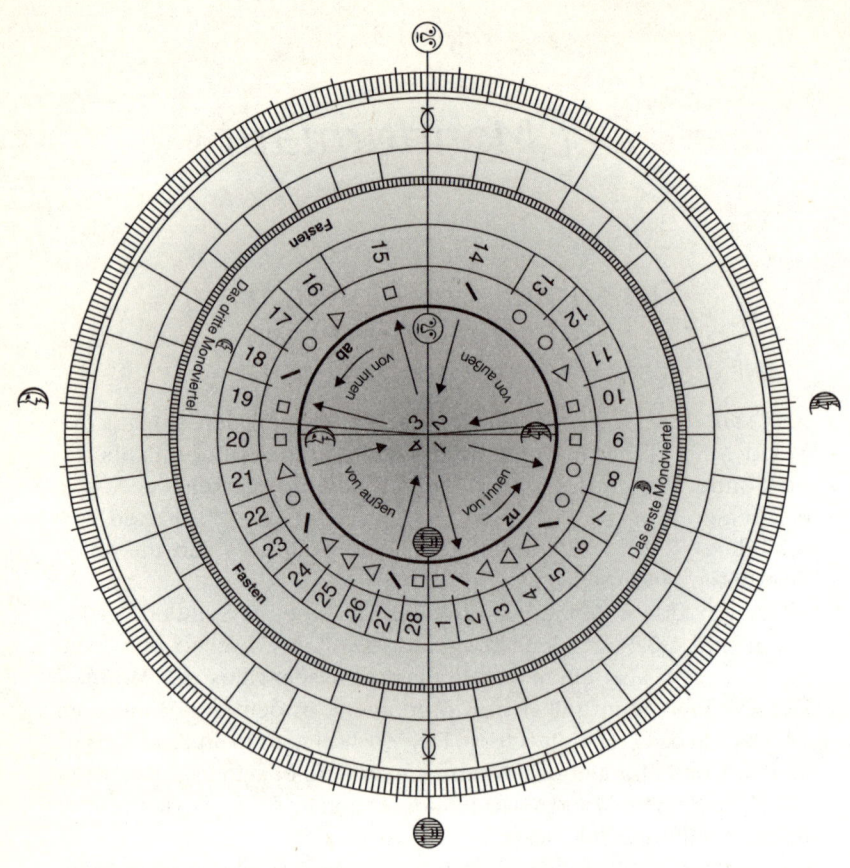

*Der synodische Mondumlauf*

besondere Energie, die es dafür prädestiniert, bestimmte Dinge zu beginnen, andere besser zu unterlassen. Die nachfolgende Aufstellung zeichnet kurze „Porträts" der 28 Mondhäuser, jeweils mit genauer Gradangabe. An welchem Tag sich der Mond in welchem Haus befindet, entnimmst Du bitte dem Mondkalender, Seite 195ff. Der zeitliche Ablauf eines Hauses ist jedoch nicht mit dem Ablauf eines Tages von 0 Uhr bis zur nächsten Mitternacht zu verwechseln. Es ergeben sich diesbezüglich stets Verschiebungen.

## Zeichenerklärung für den synodischen Rundkalender

Der Rundkalender beginnt unten bei „Neumond" mit dem 1. Haus.
Hier die Erklärung der Zeichen und Kreise von innen nach außen:

I. Kreis      1., 2., 3. und 4. Viertel. Pfeil von innen nach außen
bedeutet: Eingenommenes (z. B. Medikamente) wirkt
von innen her. Pfeil von außen nach innen bedeutet:
alles, was von außen (von der Haut, z. B. durch Bestrahlung) kommt, wirkt.

II. Kreis      Die Qualität der Häuser:
     O      vorzüglich
     △      gut
     ⌒      schlecht, meide Wichtiges
     ☐      Vorsicht!

III. Kreis      Die Mondhäuser und die Länge des Aufenthalts

IV. Kreis      Verschiedene Angaben

V. Kreis      Angabe der 10°-Abschnitte. Es sind insgesamt 36 Abschnitte, ergibt 360°. (Diese Abschnitte stimmen mit
den Mondhäusern nicht überein.)

VI. Kreis      Nochmals die Länge der Aufenthalte (identisch mit dem
Kreis III) sowie Angabe von Kippunkten (die Zeit der
Aufenthalte in hh:mm entnehmen Sie bitte der Tabelle
auf S. 191).

VII. Kreis      Die Einteilung in 360° im Detail. 1° entspricht ungefähr 2 Stunden Aufenthalt; 12° entspricht einem Tag;
0,508° entspricht einer Stunde.

Allgemein werden die Mondhäuser in „männliche" und „weibliche"
Häuser unterteilt. Als „männlich" gelten das 1., 3., 5., 10., 11., 12.,
13., 15., 18., 20., 21., 22., 23. und 28. Haus, als „weiblich" das 2., 4.,
6., 7., 8., 9., 14., 16., 17., 19., 24., 25., 26. und 27. Haus. Dies zu
wissen, ist für Eltern wichtig, die sich für ihr Wunschkind ein bestimmtes Geschlecht in den Kopf gesetzt haben. Während des Mondaufenthalts in „männlichen" Häusern ist die Wahrscheinlichkeit, einen Jungen zu zeugen, etwas größer; für „weibliche" Häuser gilt das
Gegenteil. Eine Garantie kann es hierfür aber nicht geben.

## Das 1. Haus – 0° bis 8° 30'

*Gut*      für Einnahme von Arzneien und für das Anziehen neuer
Kleider

*Schlecht:* hier gibt es Streit, Fehlentscheidungen, Verluste. Am besten beginnt man nichts Neues

### Das 2. Haus – 8° 30' bis 17° 30'

*Gut:*      zum Suchen von Verlorenem und Verborgenem (beispielsweise von Wertgegenständen), zum Vollenden von Plä-
nen und Geschäftlichem, zum Pflanzen und Ernten, zum
Kauf von zahmen Tieren, zum Verarbeiten von Stahl, für
den Start einer Reise und eines Neubaus

*Schlecht:* nichts Wichtiges, auf keinen Fall Amtliches beginnen oder
erledigen. An diesem Tag über die Vorhaben schweigen.
Ungünstig für die Freiheit. Negativ für die Schiffahrt.

### Das 3. Haus – 17° 30' bis 27°

*Gut:*      für Jäger, Schiffahrt und Magie, noch besser für das Privatleben. Sehr gut für die Empfängnis am Vormittag.

*Schlecht:* nicht günstig für Amtliches

### Das 4. Haus – 27° bis 37°

*Gut:*      für Routineangelegenheiten und freundschaftliche Besuche. Ein guter Zeitpunkt, um sich neu einzukleiden

*Schlecht:* für alles, was in den Boden gebaut oder gebohrt wird.
An diesem Tag nicht heiraten. Du solltest vorsichtig sein,
wenn Du an diesem Tag krank wirst; diesen Zustand
mußt Du ernst nehmen.

### Das 5. Haus – 37° bis 47° 30'

*Gut:*      sehr günstig für das Ende von Reisen (Urlaub), gut für
Schulungen, die Gesundheit, Heilung und Sympathie.
Besonders günstig für den Handel, für Konstruktionen,
Unternehmungen und Reisen. Du kannst in diesem Haus
auch etwas Verlorenes wiederfinden. Es ist ein guter Ter-
min zum Einnehmen von Arznei und zum Heiraten.

*Schlecht:* Du solltest vorsichtig sein, wenn Du an diesem Tag krank
wirst; diesen Zustand mußt Du ernst nehmen.

### Das 6. Haus – 47° 30' bis 58° 30'

*Gut:*      für die Jagd. Ausdauer zahlt sich aus.

*Schlecht:* für Heilung, Kräuter, Obst und Landwirtschaftsprodukte.
Beginne nichts Wichtiges und sei auf der Hut vor Verrat.

## Das 7. Haus – 58° 30' bis 70°

*Gut:* für Geschäft, Freundschaft und Liebe. Es gibt Erfolge im Spiel und Unterstützung im Geschäftsleben. Gut für Pflügen und Säen, für die Mode und den Kleiderhandel.

*Schlecht:* Du solltest vorsichtig sein, wenn Du an diesem Tag krank wirst; diesen Zustand mußt Du ernst nehmen. Ungünstig für den Körper, nichts übertreiben. Schlecht für alle staatlich Bediensteten und ihre Tätigkeit, auch für Verbesserungen.

## Das 8. Haus – 70° bis 82°

*Gut:* ein Tag des Erfolges: sei es in der Liebe, Freundschaft oder im Beruf. Gut für Familie und Gesundheit, zum Einnehmen von Arznei, für Wasserreisen und zum Vertreiben von Nagetieren.

*Schlecht:* für den Umgang mit weißen Metallen. Unternimm nichts für Gefangene und Bedrängte.

## Das 9. Haus – 82° bis 94° 30'

*Gut:* begünstigt Heilungen, die Gesundheit und Lebenskraft. Gut zum Kauf von Getreide, zum Jagen und für die Überführung von Gewalttätern.

*Schlecht:* Vorsicht bei Streit. Der Tag tendiert zu Gewalt. Sehr schlecht für Reisen und das Einbringen von Ernte, Erfolg und Geld.

## Das 10. Haus – 93° 30' - 107° 30'

*Gut:* sehr günstig für Reisen und für Hilfesuchende bei Höhergestellten und Frauen.

*Schlecht:* unternimm nichts Wichtiges, denn der Erfolg bleibt aus. Nicht gut für das Familienleben, für Schönheitspflege und Heilungen. Keine neuen Kleider kaufen!

## Das 11. Haus – 107° 30' bis 121°

*Gut:* sehr gut für Reisen und für den Handel mit Waren. Vorzüglich zum Intervenieren für Gefangene und Bedrängte. Gut zum Säen und Pflanzen.

*Schlecht:* Vorsicht bei Streit mit Partner(in) und Eltern. An diesem Tag begonnene Krankheiten verlangen voll Aufmerksamkeit.

### Das 12. Haus – 121° bis 135°

*Gut:* eines der positivsten Häuser: Alles, was vom Glück abhängt, ist begünstigt. Wenn der Mond hier steht, kannst Du die größten Probleme meistern und aus schwierigsten Umständen wieder herauskommen. Gut für die Pflege von Pflanzungen, für das Säen und Pflanzen. Der Tag ist auch gut zum Heiraten.

*Schlecht:* für Geschäfte im Zusammenhang mit Schiffen.

### Das 13. Haus – 135° bis 149° 30'

*Gut:* zum Heilen und für die Gesundheit (weniger bei Frauenkrankheiten). Gewinn- und Sympathietag. Bringt Glück im Liebesleben. Der Tag ist gut, um eine Reise ins Ausland zu beginnen, die Region, das Land zu wechseln oder auch auszuwandern. Achte ganz besonders auf Deine Träume. Gut für das Ernten, Pflügen, Säen, für das Lösen von Problemen, die Freilassung von Gefangenen. Auch zum Heiraten.

### Das 14. Haus – 149° bis 180°

*Gut:* Versöhnungstag: Neubeginn für die Liebe in der Ehe. Sehr gut für Heilung, gut für Reisen zu Wasser. Das Einnehmen von Arzneien, Heiraten, Kauf neuer Kleider, Säen und Pflanzen – all dies wird begünstigt.

*Schlecht:* nichts Geschäftliches anfangen. Krankheiten und Geburten, die an diesem Tag beginnen, erfordern die höchste Aufmerksamkeit. Schlecht für Reisen zu Lande.

### Das 15. Haus – 180° bis 149° 30'

*Gut:* sehr gut für das Bohren und Graben in die Tiefe (Brunnen, Röhren) und zum Finden von Bodenschätzen (Wasser, Öl, Metall).

*Schlecht:* zum Heiraten und zum Reisen. Bringt Trennung und Streit. Schlecht für alles, was mit Häusern zu tun hat (Verkauf, Pacht, Immobilien).

*Merke:* normalerweise gehören der 15., 16. und 17. Tag nach Neumond zum 15. Haus. Der 15. Tag liegt manchmal auch im 14. Haus. Eine genauere Unterscheidung der spezifischen Tagesqualitäten und -Wirkungen ist daher sinnvoll. So werden am *15. Tag nach Neumond* Aktionen mit bescheidenen Mitteln begünstigt. An diesem Tag

Erkrankte brauchen sich kaum Sorgen zu machen. Sie gesunden rasch. Der *16. Tag nach Neumond* ist besonders geeignet für Nahrungsmittelhändler. Er ist auch gut dafür, eine Kur zu beginnen. Träume erfüllen sich.

### Das 16. Haus – 149° 30' bis 135°

*Gut:* günstig für die Befreiung von Gefangenen und für Kündigungen

*Schlecht:* für Handel, Verträge und Gewinn. Achte auf Krankheiten, die heute beginnen.

### Das 17. Haus – 135° bis 121°

*Gut:* bringt Erfolg bei Produktionen. Bestens geeignet, um Probleme und Pechsträhnen zu lösen. Gut für Schiffe, Liegeplätze und Wasserbauten. Gut zum Festigen von Partnerschaft und dauerhafter Liebe.

*Schlecht:* für den Neubeginn bei Geschäften.

### Das 18. Haus – 121° bis 107° 30'

*Gut:* sehr gut für alle Arten von Unternehmungen, die jetzt begonnen werden. Gut für die Bewerbung um Ämter, Bautätigkeit, Seereisen, für Säen und Pflanzen.

*Schlecht:* bösartig für Krankheiten. Dickköpfigkeit bringt enorme Nachteile, da sie Aggressionen hervorruft. Nicht heiraten und nicht mit Feuer arbeiten.

### Das 19. Haus – 107° 30' bis 94° 30'

*Gut:* vorzüglich, um mit Ausdauer und Strategie Hindernisse zu überwinden. Gut, um Feinde anzugreifen. Gut zum Säen und Pflanzen.

*Schlecht:* borge kein Geld; es bringt noch mehr Schulden. Beginne keine Spiele und riskiere bei solchen Aktionen nicht auch noch einen höheren Einsatz. Krankheiten, die jetzt beginnen, tendieren zur Verschlechterung. Negativ für Abhängige. Der Handel vom und im Schiff ist mit Verlust verbunden. Schlecht für Land- und Wasserreisen.

### Das 20. Haus – 94° 30' bis 82°

*Gut:* für Hof und Stall, zum Jagen und für den Kauf von Tieren.

*Schlecht:* absolut schlecht für einen Neubeginn. Er führt zu Mißerfolg. Achte auf Deine Worte und lasse auf jeden Fall alte

Feindschaften ruhen. Sehr schlecht für Abhängige. Verheerend für die Finanzen von Clubs, Gesellschaften, Banken und Börsen. Schütze Kinder und Schwache gegen Verführung. Nicht heiraten.

### Das 21. Haus – 82° bis 70°

*Gut:* für Haus und Hof, Einnahmen und Scheidungen. Gut für den Beginn einer längeren Wanderung, für das Kaufen von Land und dafür, Kinder von der Brust zu entwöhnen.

*Schlecht:* meide heute falsche Freunde, sie können einen negativen Einfluß haben. Nicht heiraten. In diesem Haus begonnene Krankheiten sind ungefährlich, können jedoch chronisch werden.

### Das 22. Haus – 70° bis 58° 30'

*Gut:* positiv für gute Vermögensanlagen und geschäftlichen Erfolg. Große Chancen bei der Bewerbung um eine staatliche Anstellung und Aussicht auf Erfüllung einer Bitte. Sehr geeignet für alle Heiler. Begünstigt ist die Auflösung von Geschwüren, Verengungen, Stauungen im Körper sowie von Verträgen und Bindungen. Heute solltest Du neue Kleider anziehen. Gut für die Anwendung von Arzneien. Positiv für Schiffsreisen.

### Das 23. Haus – 58° 30' bis 47° 30'

*Gut:* für Heilungen, Scheidungen, für Loslösung vom Ego und zur Befreiung von bedrückenden und beklemmenden Gefühlen. Günstig auch für die Auflösung von Verträgen und Bindungen. Gut für die Anwendung von Arzneien.

*Schlecht:* Vorsicht! Paß auf, daß Du nicht bestohlen oder betrogen wirst. Nicht heiraten und nichts verleihen!

### Das 24. Haus – 47° 30' bis 37°

*Gut:* vorzüglich für die Harmonie in Paarbeziehungen. Gut für Militärisches, für das Anwenden von Arzneien, für das Heiraten und Säen.

*Schlecht:* achte auf Kranke. Es herrscht ein starker Trend zur Verschlechterung, zu Herzinfarkten und Todesfällen. Äußerst ungünstig für die Politik und für Amtshandlungen. Schlecht für Reisen.

### Das 25. Haus – 37° bis 27°

*Gut:*  bestens geeignet für einen Wohnungswechsel und Geschäftsumzüge, auch zur Gründung eines kleinen Betriebes. Sehr gut zum Schutz gegen alle ausbeuterischen Kräfte in der Gesellschaft. An diesem Tag siegt das Licht gegen das Dunkel. Bestens geeignet für Gesuche, Briefe, für Schriftsteller und alles Schriftliche. Gut für das Bauen, Reisen und Heiraten.

### Das 26. Haus – 27° bis 17° 30'

*Gut:*  außerordentlich gut für Seele und Körper. Die Verschmelzung in inniger Liebe ist begünstigt. Gut zum Lösen aller Fesseln, zur Verbesserung negativer Lebensumstände. Gut für die Anwendung von Arzneien.

*Schlecht:* es ist besser, zu schweigen, sonst besteht die Gefahr, Vermögen, Erbschaft oder Gewonnenes zu verlieren oder bestohlen zu werden.

### Das 27. Haus – 17° 30' bis 8° 30'

*Gut:*  sehr gut für Ernte, Ertrag und Gewinn. Ebenfalls für Heilungen und Anwendung von Arzneien sowie zum Heiraten.

*Schlecht:* für Wasserarbeiten. Beginne keinen Ehestreit und auf keinen Fall ein neues Unternehmen. Äußerste Vorsicht vor negativen Menschen. Verleihe kein Geld.

### Das 28. Haus – 8° 30' bis 0°

*Gut:*  für Ehe und Partnerschaft. Sehr gut für Reisen oder Fahrten, die mit einem Risiko verbunden sind. Gut für die Anwendung von Arzneien.

*Schlecht:* überstürze nichts und sei überall vorsichtig. Schütze alles Kostbare vor Einbruch, Diebstahl, Verlust. Alles, was mit Wasser zu tun hat, ist ungünstig.

# Der siderische Mondumlauf
## und seine Wirkungen

Unabhängig vom soeben beschriebenen synodischen Zyklus kann man die Position des Mondes auch danach bestimmen, welche Tierkreisabschnitte er auf seiner Bahn durchläuft. Es handelt sich um jene 12 Sternbilder, die wir als „Sternzeichen" aus unserem Geburtshoroskop kennen: Beginnend mit dem Widder, über Stier, Zwillinge, Krebs, Löwe, Jungfrau, Waage, Skorpion, Schütze, Steinbock, Wassermann bis hin zu den Fischen. Dieser Umlauf wird als „siderischer Monat" bezeichnet und ist etwas kürzer als der synodische Zyklus: 27 Tage, 7 Stunden, 43 Minuten und 11 Sekunden. In sogenannten astrologischen Mondkalendern wird immer der siderische Mondumlauf verwendet. In jedem Tierkreiszeichen hält sich der Mond ungefähr 2,5 Tage lang auf – mit Ausnahme von Widder, Krebs, Waage und Steinbock, die jeweils 3 Tage dauern. Diese Einteilung hängt mit der Sonnenastrologie zusammen. Auf der gegenüberliegenden Seite ist der siderische Mondumlauf detailliert dargestellt. Eine Erklärung der verschiedenen Kreisebenen findest Du auf S. 192ff.

Somit gibt es auch beim siderischen Mondumlauf 28 Stationen. Jedes Tierkreiszeichen nimmt 30° ein. Jede dieser 28 Stationen hat wiederum ihre spezielle Qualität. Diese ist prägend für den günstigen oder ungünstigen Verlauf bestimmter menschlicher Vorhaben. Besondere Aufmerksamkeit verdient bei allen Menschen der Tag der Geburt. Wir alle „sind" ja nicht nur Widder, Stiere oder Steinböcke (wie wir uns nach dem Kalenderdatum unserer Geburt, dem sogenannten Sonnenzeichen) gern bezeichnen; wir sind auch – völlig unabhängig davon – an einem Krebs-, Schütze- oder Wassermanntag geboren und somit von der besonderen Energie dieses Tages für das ganze Leben geprägt. Es lohnt sich, nachzuforschen, welche Position im siderischen Zyklus der Mond zum Zeitpunkt unserer Geburt einnahm. In der folgenden Beschreibung der 28 Mondaufenthalte im Tierkreis wirst Du dann viel Interessantes über Deinen Charakter erfahren können.

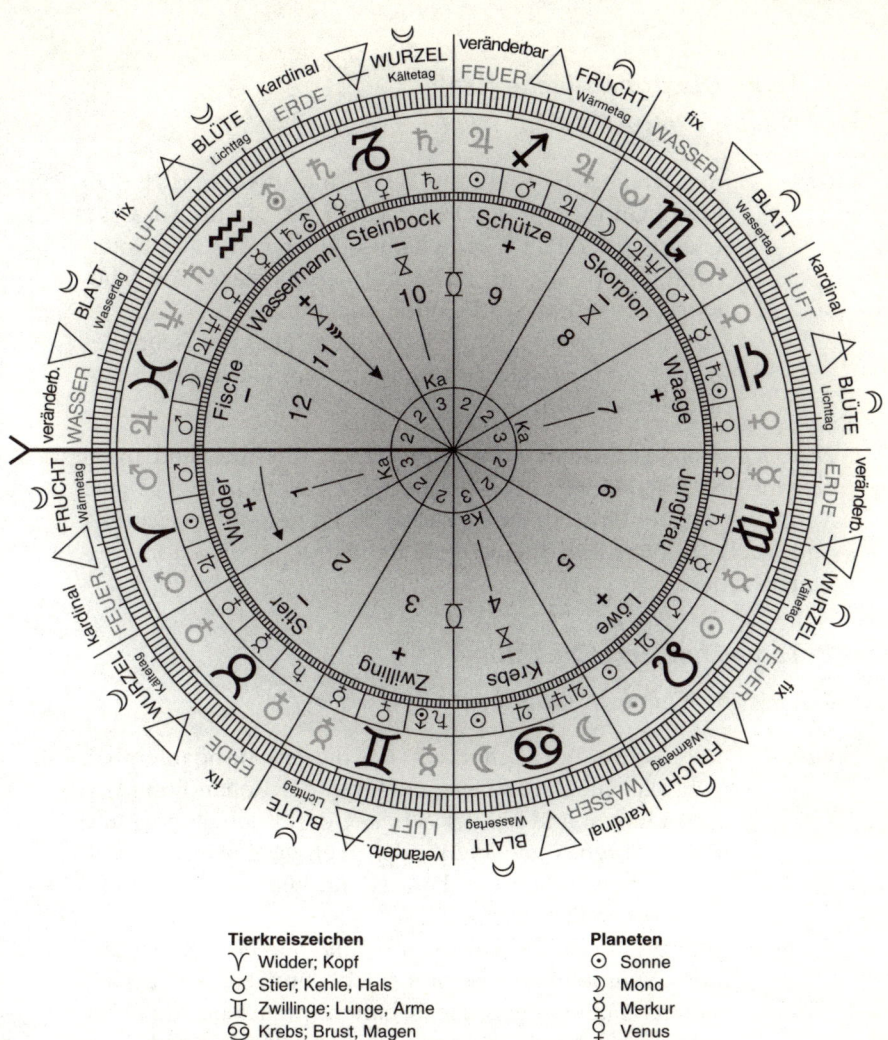

### Tierkreiszeichen

- ♈ Widder; Kopf
- ♉ Stier; Kehle, Hals
- ♊ Zwillinge; Lunge, Arme
- ♋ Krebs; Brust, Magen
- ♌ Löwe; Herz
- ♍ Jungfrau; Darm
- ♎ Waage; Nieren, Harnleiter
- ♏ Skorpion; Geschlechtsorgane
- ♐ Schütze; Oberschenkel
- ♑ Steinbock; Knie
- ♒ Wassermann; Waden
- ♓ Fische; Füße

### Planeten

- ☉ Sonne
- ☽ Mond
- ☿ Merkur
- ♀ Venus
- ♂ Mars
- ♃ Jupiter
- ♄ Saturn
- ♅ Uranus
- ♆ Neptun
- ♇ Pluto

*Der siderische Mondumlauf*

49

## 1. Tag – Die dynamische Kraft

*0° Widder ♈ bis 12° 51' 26" Widder ♈*

*Gut:* die dynamische Kraft, um Liebe zu festigen und Haß zu lösen. Günstig für den Handel aller Art, gut für Autorität. Dieser Aufenthalt gibt dynamische Kraft für alle Unternehmungen. Gut, um Talismane, Reisepentakel und Amulette zum Schutz vor Feinden anzufertigen.

*Schlecht:* zu viel Phantasie, Rachegedanken, Haß, zu schnelles Fahren, unüberlegte Zustimmung führen zu außerordentlichem Schaden.

*Die in diesem Aufenthalt Geborenen* haben Charme, sind meist elegant und begeisterte Sammler. Sie haben Autorität, eine gute Auffassungsgabe, eine lebhafte Phantasie. Sie neigen zur Esoterik und wechseln öfter ihre Tätigkeit. Sie tendieren zu einem interessanten Leben.

## 2. Tag – Das Netz/Die Falle

*12° 51' 26" Widder ♈ bis 25° 42' 52" Widder ♈*

*Gut:* fülle Lotto-/Toto-Zettel aus. Bei diesem Mondaufenthalt geht das Glück ans Netz, auch bei der Behandlung von Krankheiten und bei der Arbeit. Gut für den Handel und um Verlorenes wiederzufinden. Fertige gewinnbringende Zeichen, Talismane, Pendel und Ruten an, um Schätze und Quellen zu finden.

*Schlecht:* sehr ungünstig für den Beginn einer Seereise, Kreuzfahrt oder Vergnügungsreise, für Diebe und Lügner. Unvorsichtige Handlungen, Liebschaften, politische Aktionen, Schmuggel, Flüchten und Straftaten sollten unterbleiben, denn Negatives geht in die Falle.

*Die in diesem Aufenthalt Geborenen* haben kreative Phantasie und eine Eignung für Okkultes, beschäftigen sich mit vielen Dingen und führen ein interessantes Leben. Sie sollten nicht zu See fahren, sind in der Liebe wankelmütig, suchen den Weg zur Weisheit.

### 3. Tag – Das Gefühl

*25° 42' 53" Widder ♈ bis 8° 34' 18" Stier ♉*

*Gut:*      dieser Mondaufenthalt ist bestens geeignet, um alchimistische Arbeiten und Experimente sowie alles, was die Liebe fördert, durchzuführen (Liebeswerbung, Briefe usw.). Dieser Aufenthalt steigert die Gefühlsstärke, Entschlußkraft und Ausdauer. Gut für Camping. Dieser Tag ist auch für wissenschaftliche und intellektuelle Arbeit und alles, was logisches Denken verlangt, geeignet, insbesondere für Mathematik, Buchhaltung, Strategie und angewandte Wissenschaft.

*Schlecht:* nicht heiraten und auf keinen Fall eine Schiffsreise oder eine längere Fahrt zu Wasser antreten.

*Die in diesem Aufenthalt Geborenen* verfügen über Gefühlsstärke, Arbeitsausdauer und Wagemut, sind Praktiker im Denken und Handeln. Sie lassen nicht locker.

### 4. Tag – Überwinden

*8° 34' 19" Stier ♉ bis 21° 25' 44" Stier ♉*

*Gut:*      sehr gut für magische Arbeiten und für Einzelhandel sowie für Industrieprojekte und zum Arbeitsantritt.

*Schlecht:* für An- und Verkauf von Häusern und Land. Vorsicht in Bergwerken und mit deren Geräten sowie der Ausbeute.

*Die in diesem Aufenthalt Geborenen* sind zuvorkommend, geduldig und ausdauernd. Sie kommen langsam, aber sicher zum Erfolg und scheuen keine Hindernisse. Siegen ist ihre Devise. Sie sind Taktiker.

### 5. Tag – Das Wohlwollen

*21° 25' 45" Stier ♉ bis 4° 17' 10" Zwillinge ♊*

*Gut:*      ein sehr guter Tag, um seine Talente und Fähigkeiten zu entwickeln. Gut für künstlerisch Begabte und Poeten. Bestens für den Beginn eines Studiums geeignet. Außerordentlich gut, um eine Reise zu beginnen. Gut für Gesundheit und Privatleben. Stelle Talismane zum erfolgreichen Gelingen und für Reisen und Ausbildungen her.

*Schlecht:* für humanitäre und soziale Arbeiten. Ansprüche werden abschlägig beschieden.

*Die in diesem Aufenthalt Geborenen* sind redegewandt und überzeugen geschickt. Sie sind Verführer, Dramatiker, Poeten und erreichen langsam, aber sicher ihre Ziele, ebenso wie ein gesichertes Einkommen.

## 6. Tag – Die Vorsehung

*4° 17' 11" Zwillinge Ⅱ bis 17° 8' 36" Zwillinge Ⅱ*

*Gut:*       Schutzbestrebungen beginne an diesem Tag. Er ist sehr gut geeignet für die Gründung von Unternehmungen. Heute ist es möglich, einen Fanatiker oder Süchtigen zu bekehren. Fertige Amulette für Soldaten an; im Falle eines Krieges auch für Zivilisten.

*Schlecht:* Krankheiten, die an diesem Tag beginnen, heilen langsam. Auf landwirtschaftliche Arbeiten, finanzielle Aktionen und Krankheiten wirkt ein negativer Einfluß.

*Die in diesem Aufenthalt Geborenen* überschätzen die Dinge, sind meist unbelehrbar und können sehr böse werden (deswegen suche die Harmonie mit ihnen). Sie nehmen in ihrem Lebensumfeld jedoch meist eine Vorreiterrolle ein.

## 7. Tag – Das Gedeihen

*17° 8' 37" Zwillinge Ⅱ bis 30° Zwillinge Ⅱ*

*Gut:*       ein guter Mondaufenthalt für geistige und intuitive Forschung. Möchtest Du reich werden, etwas erreichen, etwas erfinden oder verbessern – es wird gedeihen. Für Liebe, Freundschaften und das Erreichen von Gunst und Einfluß bei Höhergestellten ist diese Mondstation bestens geeignet. Sehr gut auch für Heilzwecke, für das Familienleben und für Parties. Fertige Talismane für Handel, Schiffahrt und bestimmte Tätigkeiten (z. B. Musik, Skifahren, Seiltanzen) an sowie, um bei Menschen mit Einfluß gut angesehen zu sein.

*Schlecht:* Rechts- und Gesetzesangelegenheiten

*Die in diesem Aufenthalt Geborenen* sind zurückgezogen, liebenswürdig, ausgesprochene Familienmenschen, anhänglich und reiselustig. Sie brauchen jedoch ihr Nest: Dort fühlen sie sich wohl. Diese Menschen arbeiten gern.

## 8. Tag – Die Barmherzigkeit

*0° Krebs ♋ bis 12° 51' 26" Krebs ♋*

*Gut:*     an diesem Tag solltest Du für die Familie, für eigene und anvertraute Kinder, Schutzbedürftige und auch Tiere alles tun, um sie zu fördern und zu schützen. Wende Dich ihnen in Liebe zu. Jetzt begonnene Reisen führen zu liebevollen Bekanntschaften. Gut ist der Tag für jene, die sich für obengenannte Menschen einsetzen. Du kannst jetzt wirksam Deine Probleme lösen. Schutztalismane für die Familie und die Kinder kannst Du heute anfertigen. Auch für Landreisen und Freundschaften angefertigte Talismane bringen Glück.

*Schlecht:* beginne heute nichts gegen das Los Inhaftierter. Lasse Dich zu nichts überreden, Du wirst sonst zum Opfer.

*Die in diesem Aufenthalt Geborenen* sind friedliebend, zielstrebig und in wirtschaftlichen Dingen vernünftig. Eingeschlagene Wege verfolgen sie hartnäckig.

## 9. Tag – Der Unfrieden

*12° 51' 27" Krebs ♋ bis 25° 42' 52" Krebs ♋*

*Schlecht:* vermeide es unbedingt, eine Reise anzutreten. Sie führt zu Schwierigkeiten. An diesem Tag werden Unfrieden gesät und negative magische Beeinflussungen vorgenommen.

*Die in diesem Aufenthalt Geborenen* sind leichtgläubig. So gibt es Kummer und Enttäuschung. Frauen haben Sinn für Schönheit, Mode und Romantik.

## 10. Tag – Die Konsequenz

*25° 42' 53" Krebs ♋ bis 8° 34' 18" Löwe ♌*

*Gut:*     sehr günstig für alle Angelegenheiten der Liebe, des Wohlwollens, der Hilfe, der Studien. Erfolg im Beruf und bei geistigen, mentalen Tätigkeiten. Meditationen führen zu einer positiven Wandlung. Man ist in gefühlsbetonter Stimmung. Talismane für alle obengenannten Angelegenheiten, die in diesem Mondaufenthalt begonnen werden, sind außerordentlich wirksam.

*Schlecht:* meide die Einnahme von starken Medikamenten und speziell von Drogen, sonst kannst Du süchtig werden.

*Die in diesem Aufenthalt Geborenen* werden durch eigenes Geschick reich und einflußreich. Sie haben viel Ehrgeiz.

## 11. Tag – Die Begünstigung

*8° 34' 19" Löwe ♌ bis 21° 25' 44" Löwe ♌*

*Gut:*    der Aufenthalt bringt Erfolg im Handel, bei Erbschaften, gibt Redegewandtheit und klare Zielvorstellungen. Zu Gunsten von Inhaftierten können jetzt Gesuche aufgesetzt oder eingereicht werden. Der richtige Tag für Menschen, die genau wissen, was sie wollen. Sie sollten jetzt mit Ihrem Vorhaben beginnen. Talismane und Amulette, die jetzt angefertigt werden, unterstützen den Träger in obengenannten Lebensbereichen.

*Schlecht:* für Rechts- und Gesetzesangelegenheiten

*Die in diesem Aufenthalt Geborenen* sind idealistisch, redegewandt, stolz. Sie sollten sich jedoch vor Zornesausbrüchen hüten.

## 12. Tag – Die Transzendenz

*21° 25' 45" Löwe ♌ bis 4° 17' 10" Jungfrau ♍*

*Gut:*    sehr gut für Landwirte, gut für Soziales, Studium und Reichtum durch menschliche Bindungen. Der Tag macht sinnlich, fördert Verliebtheit, Sexualität und Wollust, aber auch echte Liebesbeziehungen und Liebesglück. Gut für Angestellte im Fremdenverkehr. Aufstiegsbestrebungen werden gefördert. Talismane und Amulette für gute Erträge (Verdienst und Ernte) kannst Du heute anfertigen. Um das Leben von Inhaftierten, unterdrückten Frauen und unglücklichen Freunden zu erleichtern, fertige Amulette und Talismane an oder unterstütze sie auf andere Weise positiv.

*Schlecht:* Vorsicht vor Übertreibungen und leichtfertiger Bindung, dies kann zu Krankheit, Liebeskummer oder sozialem Abstieg führen. Schlecht für Schiffe.

*Die in diesem Aufenthalt Geborenen* sind weise, erfolgreich und sozial eingestellt. Frauen neigen zur Entsagung.

## 13. Tag – Die Mystik

*4° 17' 11" Jungfrau ♍ bis 17° 8' 36" Jungfrau ♍*

*Gut:* für Handel und Erringen von Gunst und Sympathie. Auch Talismane für die genannten Bereiche kannst Du heute anfertigen. Gefangene können mit geeigneten PSI-Techniken freibekommen werden, Interventionen wirken nicht.
*Schlecht:* Sitte und Moral sind in diesem Mondaufenthalt locker.

*Die in diesem Aufenthalt Geborenen* sind „Finanzgenies" mit guter Urteilskraft, Gutmütigkeit und Fleiß. Diese Menschen sollten auf gute Rückversicherung achten, sonst drohen Verluste. Sie müssen in punkto Sinnlichkeit vorsichtig sein und sich vor unmäßigem Schlemmen hüten.

## 14. Tag – Die Erleuchtung

*17° 8' 37" Jungfrau ♍ bis 30° Jungfrau ♍*

*Gut:* bringt hohen Politikern und deren Freunden Unterstützung und Glück. Begünstigt Vergnügens- und Handelsschiffahrten. Segne Pflanzen und die Ernte, indem Du ein Schutzgebet sprichst oder Deine mentalen Kräfte anwendest. Krankheiten sprechen auf alle Behandlungen mit Stagnation oder Heilung an. Jetzt kannst Du Liebe erreichen und festigen. Falls Du eine Ehe ohne Liebe eingehen mußt, so ist dieser Tag gut, denn er garantiert mit der Zeit ehrliche Liebe. Dieser Tag ist gut für der Beginn eines Fernstudiums geeignet.
*Schlecht:* negativ für Reisen aller Art.

*Die in diesem Aufenthalt Geborenen* sind klug, haben analytische Fähigkeiten, sind zum Studieren geeignet und sehr beherrscht. Sie haben außerordentliche Fähigkeiten zum Wahrsagen und Zukunftsschauen und erreichen Achtung und Ansehen, sind aber oft unentschlossen.

## 15. Tag – Die Suche

*0° Waage ♎ bis 12° 51' 25" Waage ♎*

*Gut:*   um Freunden zu helfen und für Menschen, die in Not sind. Heute kannst Du die Not wenden, indem Du an die notwendigen Stellen schreibst oder direkt dort hingehst. Dieser Tag ist auch gut für die Schatz- und Quellensuche. Kaufe auch die Werkzeuge dazu, wenn der Mond in dieser Position steht. Außerdem kannst Du jetzt die Talismane anfertigen, die das Glück bei der Schatz- und Quellensuche steigern.

*Schlecht:* sehr ungünstig für alle Aktivitäten, besonders für familiäre und andere Kontakte. Heirate an diesem Tag nicht, gehe auf keinen Fall einen ersten Intimkontakt ein, denn dieser wirkt sich unheilvoll aus.

*Die in diesem Aufenthalt Geborenen* haben Aussicht auf guten Verdienst. Sie sind gesellig und auch tüchtig im Handel.

## 16. Tag – Das gute Aussehen

*12° 51' 26" Waage ♎ bis 25° 42' 52" ♎*

*Gut:*   sehr gut zum Ein- und Verkaufen von Tieren und deren Züchtung. Auch Spekulationen sind heute begünstigt. Jetzt kannst Du Dich selbst optimal schützen (bitte tue es auch!). Dieser Tag ist günstig, um die neueste Mode zu tragen.

*Schlecht:* große Gefahr für Ruf und Stellung seitens rachsüchtiger, haßerfüllter und eifersüchtiger Personen.

*Die in diesem Aufenthalt Geborenen* sind bestrebt, unabhängig zu bleiben. Sie haben es schwer im Leben, besitzen jedoch die außerordentliche Fähigkeit, jedes Schicksal zu meistern. Andererseits neigen sie dazu, leichtfertig Versprechen zu geben.

## 17. Tag – Die Dauer

*25° 42' 53" Waage ♎ bis 8° 34' 18" Skorpion ♏*

*Gut:*   bestens für Faktionen mit und auf Grundbesitz, gut für alle Unternehmungen und dafür, eine befriedigende Anstellung zu bekommen. Außerordentlich günstig zum

Anfertigen von Talisman und Amulett, um Unglückliche glücklich zu machen, um Glück und Freundschaft zu erreichen und zu festigen. Fertige heute auch einen Talisman für Reisen an.

*Schlecht:* ungünstig für das Eheleben und die Eheschließung.

*Die in diesem Aufenthalt Geborenen* sind vom Leben begünstigt, reisen oft jedoch weniger zu ihrer Erholung und verbringen ihr Leben meistens in der Fremde. Sie werden von Menschen ihrer Umwelt zu streng beurteilt.

## 18. Tag – Das Einengen

*8° 34' 19" Skorpion ♏ bis 21° 25' 44" Skorpion ♏*

*Gut:* für Detektive und Kundschafter. Alles, was gegen Kriegsgefahr schützt, soll an diesem Tag begonnen und getan werden. Schütze das Haus und den Stall. Dies ist auch der beste Zeitpunkt, um sich mit Gebeten und Zeichen gegen Verschwörungen zu schützen und Schutztalismane gegen Feinde anzufertigen.

*Schlecht:* ein Tag der Unstimmigkeiten, des Aufruhrs und der Verschwörung gegen die Obrigkeit. Vorsicht vor Mißstimmungen, besonders im Familienkreis. Beginne keinen Prozeß, sonst ist ein ungerechter Ausgang zu erwarten.

*Die in diesem Aufenthalt Geborenen* müssen durchhalten und die Kunst des Loslassens beherrschen. Frauen neigen dazu, sich mit älteren Männern zu verbinden.

## 19. Tag – Die Trockenheit

*21° 25' 45" Skorpion ♏ bis 4° 17' 10" Schütze ♐*

*Gut:* für militärische Angelegenheiten, für die Jagd und, um Gefangene freizubekommen. Ideal für Menschen, die Ideen entwickeln und kreativ arbeiten wollen. Günstig auch für Angestellte, insbesondere, wenn es um Gehaltsforderungen geht.

*Schlecht:* negativ für Schiffe und für Vermögensangelegenheiten. Meide brennbare Flüssigkeiten, denn an diesem Tag ist es besonders gefährlich, damit umzugehen. Sehr ungünstig für Geschäft und Handel, besonders schlecht, um einen festen Wohnsitz zu kaufen, zu beziehen oder einzurichten. Ungünstig wirkt sich diese Mondposition auch auf Freundschaft und Kinder aus.

*Die in diesem Aufenthalt Geborenen* haben eine Neigung zur Politik, jedoch eine unruhig verlaufende Karriere. Sie lieben die Bequemlichkeit, erreichen aber trotzdem eine erfolgreiche berufliche Stellung.

## 20. Tag – Die Mondkraft

*4° 17' 11" Schütze ♐ bis 17° 8' 36" Schütze ♐*

*Gut:*     außerordentlich gut für den Beginn einer schriftstellerischen Arbeit. Gut für Schriftsteller und Redner. Politiker können sich na diesem Tag profilieren. Es ist vorteilhaft, an diesem Tag mit der Dressur von Tieren zu beginnen. Die Position des Mondes begünstigt die Liebe, den Erfolg und die freie Bindung. Wähle sie für die Grundsteinlegung eines Neubaus, sie ist für alle Bautätigkeiten förderlich. Gut für Handelsgeschäfte.

*Schlecht:* das Kapital- und Anlagenvermögen von Geschäften soll an diesem Tag nicht bewegt werden, sonst drohen Verluste

*Die in diesem Aufenthalt Geborenen* sind stolz, ehrgeizig, gute Rhetoriker und treu in der Liebe. Sie erlangen oft ein gutes Einkommen.

## 21. Tag – Die Frau

*17° 8' 37" Schütze ♐ bis 30° Schütze ♐*

*Gut:*     bestens geeignet für alle Arten von Heilung. Der Körper ist außerordentlich in Harmonie. Ein Tag für Reisen und finanzielle Aktivitäten. Gut für die Jagd und militärische Angelegenheiten. Beginn und Ende von Liebesverbindungen. Jetzt kannst Du Schutzsiegel für Haus und Hof, Erträge der Landwirtschaft und für Anlagen und Vermögen anfertigen.

*Schlecht:* diese Mondposition birgt die Gefahr sexueller Ausschreitung in sich

*Die in diesem Aufenthalt Geborenen* sind graziöse Menschen mit guten Manieren. Sie können sich gut anpassen.

## 22. Tag – Die Diktatur

*0° Steinbock ♑ bis 12° 51' 26" Steinbock ♑*

*Gut:*         außerordentlich gut für Gebet und Mentalheilung
*Schlecht:* negativ für Handelsgeschäfte und Spekulationen. Verleihe und leihe kein Geld und keine Wertgegenstände. Wirkt negativ auf das Eheleben.

*Die in diesem Aufenthalt Geborenen* sind willensstark, schöpferisch und eigenmächtig.

## 23. Tag – Die aktive Tat

*12° 51' 27" Steinbock ♑ bis 12° 51' 26" Steinbock ♑*

*Gut:*         sehr gut geeignet für die Heilung von Krankheiten. Sehr positiver Einfluß auf Mediziner, Politiker, Polizisten und Soldaten. Der Mond in dieser Position erleichtert es, die Gunst Höhergestellter zu erlangen. Auch die Sympathie anderer Menschen, insbesondere die Liebe von Frauen kann an diesem Tag leichter gewonnen werden.
*Schlecht:* kann dazu beitragen, daß Liebesverhältnisse gelöst werden. In vielen Bereichen besteht die Gefahr einer Trennung und Auflösung: bei Verträgen, bei Eltern-Kind-Beziehungen und bei Ehen. Unterschreibe an diesem Tag keine Verpflichtungen oder Verträge.

*Die in diesem Aufenthalt Geborenen* durchlaufen eine Karriere mit vielen Hindernissen, werden jedoch den Erfolg mit Unterstützung Außenstehender erreichen. Sie werden von den Umständen begünstigt.

## 24. Tag – Die Kraft

*25° 42' 53" Steinbock ♑ bis 8° 34' 18" Wassermann ♒*

*Gut:*         sehr gut für alle Bautätigkeiten, besonders für den Beginn eines Hausbaus. Gut, um zu heiraten, neue Unternehmungen zu beginnen und Freundschaften zu schließen. Fertige in diesem Mondaufenthalt Talismane und Amulette an, die Erfolg im Geschäft und in der Liebe geben, sowie solche, die Dich vor Feinden schützen.

*Schlecht:* Aktien und Vermögen können durch den Einfluß anderer beeinträchtigt werden. Unglücklich ist dieser Tag vor allem für solche Menschen, die Vorsteher größerer Systeme (Firma, Krankenhaus, Kaserne, Bezirks-, Stadt- oder Landesverwaltung) sind. Je höher diese Persönlichkeiten stehen, desto negativer ist der Einfluß. Vermeide Reisen zu Wasser.

*Die in diesem Aufenthalt Geborenen* sind klug. Sie können jedoch oft nicht die richtigen Worte finden, um ihre Gefühle auszudrücken. Sie sollten bei allen Unternehmungen Vorsicht walten lassen.

## 25. Tag – Die Rache

*8° 34' 19" Wassermann ≈ bis 21° 25' 44" Wassermann ≈*

*Gut:* Polizei- und Militäraktionen, die in dieser Mondposition begonnen haben, sind erfolgreich. Gute Erfolgsaussichten auch für Kuriere und Geldboten. Erfolg in der Liebe, Verlobungen, Studien, Erfindungen und Wissenschaft sind vom Glück begünstigt. Erbschaftsangelegenheiten sollte man jetzt regeln. Ärzte können jetzt mit guten Erfolgsaussichten etwas Neues erforschen, erproben und erreichen. Um Impotenz zu beheben, ist dieser Aufenthalt bestens geeignet.

*Schlecht:* negativ für Prostitution, Verbrecher und Diebe. Krankheiten, die heute ausbrechen, sind nur schwer mit normalen Mitteln zu beheben. Schwangere sollten besonders vorsichtig sein. Die Beeinflussung von Frauen solltest Du vermeiden.

*Die in diesem Aufenthalt Geborenen* sind mutig, eigensinnig, haben geschäftlich Erfolg, jedoch behindern sie sich oft selbst durch ihre rauhen Manieren.

## 26. Tag – Die Mondkraft

*21° 25' 45" Wassermann ≈ bis 4° 17' 10" Fische ✕*

*Gut:* für Landwirte ist diese Position glückbringend. Auch der Handel mit Waren aller Art bringt Erfolg. Der Mond in diesem Aufenthalt ist für alle Ehe- und Liebesvorhaben bestens geeignet. Durch Vermittlung ist eine Anstellung zu erreichen. Höre Dich einmal in Deinem Bekanntenkreis um. Sehr gut für alle Menschen, die beruflich viel mit Rhetorik zu tun haben (Politiker, Redner, Vortragende). Wo Gewinne zu erwarten sind, solltest Du jetzt aktiv werden. Talismane zur Festigung der Liebe und Amulette zum Schutz gegen alle Gefahren, die an diesem Tag angefertigt werden, wirken optimal.

*Schlecht:* negativ für Seereisen und den Handel mit Meeresfrüchten (beispielsweise Fischen, Korallen, Muscheln).

*Die in diesem Aufenthalt Geborenen* sind geduldig und haben die Begabung, reich zu werden. Sie werden jedoch mit ihrem Geld nicht glücklich. Daher sollten Sie des Loslassens erlernen.

## 27. Tag – Der Verdienst

*4° 17' 11" Fische ⟩( bis 17° 8' 36" Fische ⟩(*

*Gut:* ein guter Tag für die Meditation und besonders für Esoteriker. Sehr gut für den Handel; er bringt Gewinn, insbesondere mit landwirtschaftlichen Produkten. Wenn Du heute heiratest, bringt Dir das Glück. Trage vorwiegend weiß. Sorge für die Instandsetzung und Wartung von Jagdhütten, Lebensmittellagern, Kanälen, Grenzanlagen und Waffenlagern. Beginne mit der Herstellung von Talismanen für das Geschäft, für Freundschaften, für Kranke, für Landwirschaft und das Glück im allgemeinen.

*Schlecht:* Inhaftierte und Seeleute müssen besonders auf Schutz achten. Verlasse an diesem Tag weder Deinen Partner noch Deine Heimat. Leihe und verleihe auf keinen Fall Geld. Beginne keine Reise. Kaufe und verkaufe keinen Grundbesitz. Starte auf keinen Fall irgendeine neue Unternehmung.

*Die in diesem Aufenthalt Geborenen* lieben die Freiheit und das Leben in der Natur. Sie können sich jedoch mit Geld wenig anfreunden und sind sehr aktiv darin, Neuerungen in die Wege zu leiten.

## 28. Tag – Die Verführung/Hilfe

17° 8' 37" Fische ♓ bis 30° Fische ♓

*Gut:* für das Eheglück kannst Du jetzt aktiv sein. Handel bringt Segen. Arme sollten um Hilfe bitten; sie werden erhört werden und ihr Leben verbessern können. Während dieser Mondposition angefertigte Talismane für den Handel, gute Ernte, für guten Ausgang bei Prozessen, für Treue und Liebe zwischen zwei Menschen werden Erfolg und Glück bringen.

*Schlecht:* Vorsicht bei Seereisen, Vermögensanlagen und bei Krankheit. Wer Kostbarkeiten und Reichtümer bewacht, ist gefährdet. Verwalte Deine Güter sorgfältig. Es besteht Gefahr für Dein Vermögen.

*Die in diesem Aufenthalt Geborenen* haben Mut, sind beliebt und reiselustig. Frauen, die in diesem Mondaufenthalt geboren sind, sollten sich vor Verführungen in acht nehmen.

# Kapitel 4

# Die vier Elemente im Zusammenwirken mit dem Mond

Auf den folgenden Seiten wirst Du lernen, den siderischen Zeitqualitätskalender – in seiner manchmal verwirrenden Vielfalt an symbolisch vermittelten Informationen – ein wenig besser zu verstehen. Die Begriffe „Elemente", „Kraftzeichen", „Nahrungsqualitäten", „Floralzeichen" sowie „männliche und weibliche Zeichen" werden Dir vertraut werden. Dies ermöglicht es Dir, hinter den zahllosen Detailinformationen, die im Kapitel über die Mondstationen des siderischen Zyklus zu lesen waren, eine bestimmte natürliche Ordnung zu erkennen. Die Geheimnisse der Natur und ihrer Rhythmen enthüllen sich dem, der bereit ist, aufmerksam zu sein, zu forschen und zu vergleichen. Um die Sprache der Mondastrologie verstehen zu können, gilt es jedoch zunächst, ihre „Vokabeln" zu lernen.

Du wirst bemerkt haben, daß den einzelnen aus der Astrologie bekannten Tierkreiszeichen jeweils abwechselnd die Begriffe „Feuer", „Erde", „Luft" und „Wasser" zugeordnet sind. Dazu gehört jeweils ein Dreieckssymbol mit unterschiedlicher Ausrichtung, teilweise auch in zwei Flächen unterteilt.

Die vier Elemente repräsentieren Urprinzipien des materiellen und geistigen Lebens, mit deren Hilfe der Mensch schon seit Urzeiten versuchte, die Wirklichkeit zu unterteilen und besser zu verstehen. Erde, Wasser und Luft existieren analog zu den drei aus der Physik bekannten Aggregatszuständen fest, flüssig und gasförmig. Als Viertes wurde das Feuer in seiner flüchtigen, rasch veränderlichen Form hinzugenommen.

Symbol aller vier Elemente ist das gleichseitige Dreieck, das das Prinzip der Harmonie repräsentiert. Je nachdem, wohin die Spitze zeigt, ergibt sich eine verschiedene Bedeutung. Ein mit der Spitze nach unten weisendes Dreieck deutet im allgemeinen auf ein Herabsteigen, ein Von-oben-Kommen und In-die-Tiefe-Gehen hin. Dies

paßt gut zu den noch stark dem Einfluß der Schwerkraft ausgelie-
ferten Elementen Erde und Wasser. Ein solches Dreieck gilt als
Schutzzeichen für alle materiell-irdischen Belange. Dagegen deutet
ein mit der Spitze nach oben weisendes Dreieck auf ein Hinauf-
steigen und In-die-Höhe-Streben – analog zu dem in dreidimensio-
nale Räume greifenden, sich verflüchtigenden Charakter von Luft
und Feuer. Diese Dreiecke können daher als Schutzzeichen für
alle geistig-seelischen Belange gelten.

Hier die vollständige Beschreibung der Vier-Elemente-Symbole:

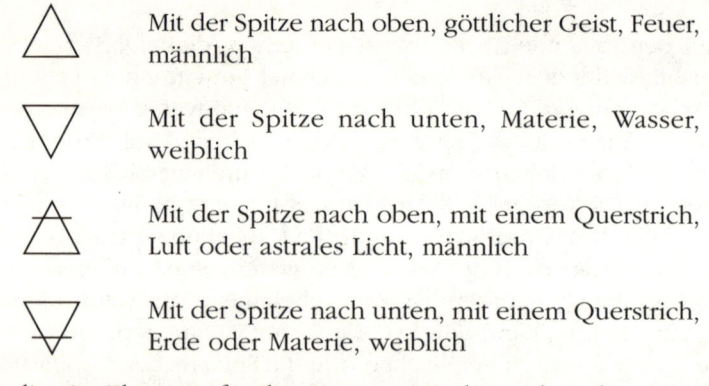

△ Mit der Spitze nach oben, göttlicher Geist, Feuer, männlich

▽ Mit der Spitze nach unten, Materie, Wasser, weiblich

△̵ Mit der Spitze nach oben, mit einem Querstrich, Luft oder astrales Licht, männlich

▽̵ Mit der Spitze nach unten, mit einem Querstrich, Erde oder Materie, weiblich

Um die vier Elemente für den Umgang mit dem siderischen Mondkalender nutzbar zu machen, muß man zunächst wissen, welche
Tierkreiszeichen den einzelnen Elementen zugeordnet sind. Hier-
bei ergibt sich ein klarer Rhythmus, eine Einteilung, die uns auch
helfen kann, das „Wesen", den spezifischen Charakter des einzelnen Tierkreiszeichens zu erkennen:

| | | | |
|---|---|---|---|
| △ Feuerzeichen | ♈ Widder | ♌ Löwe | ♐ Schütze |
| ▽ Wasserzeichen | ♋ Krebs | ♏ Skorpion | ♓ Fische |
| △̵ Luftzeichen | ♊ Zwillinge | ♎ Waage | ♒ Wassermann |
| ▽̵ Erdzeichen | ♉ Stier | ♍ Jungfrau | ♑ Steinbock |

Um die vier Elemente etwas besser kennenzulernen, soll nun klar
gemacht werden, wie sich diese Urprinzipien auf den einzelnen
Ebenen der Wirklichkeit manifestieren. Mit welchen menschlichen
Qualitäten ist das Prinzip „Feuer" verbunden? Welche Charakterei-
genschaften sind also bei einem „Feuer-Typ" zu erwarten? Welche
Heilmethoden bedienen sich der Kraft des Feuers? Welche Geister

und Engel soll man in Angelegenheiten, die mit Feuer zu tun haben, anrufen? Einige dieser Zuordnung leuchten unmittelbar ein: etwa, die Verbindung von Feuer mit dem Planeten Sonne, der Himmelsrichtung Süden, der Farbe rot, der Charaktereigenschaft „tatkräftig und aggressiv" (man denke an die aktive, selbsttätige Kraft des Feuers und seine oftmals zerstörerische Gewalt). Andere Zuordnungen beruhen auf uraltem Geheimwissen der Menschheit und werden nur Lesern mit einiger Vorbildung auf Anhieb verständlich sein. Versuche, Dich unvoreingenommen auf dieses System einzulassen und seine Richtigkeit intuitiv zu erspüren.

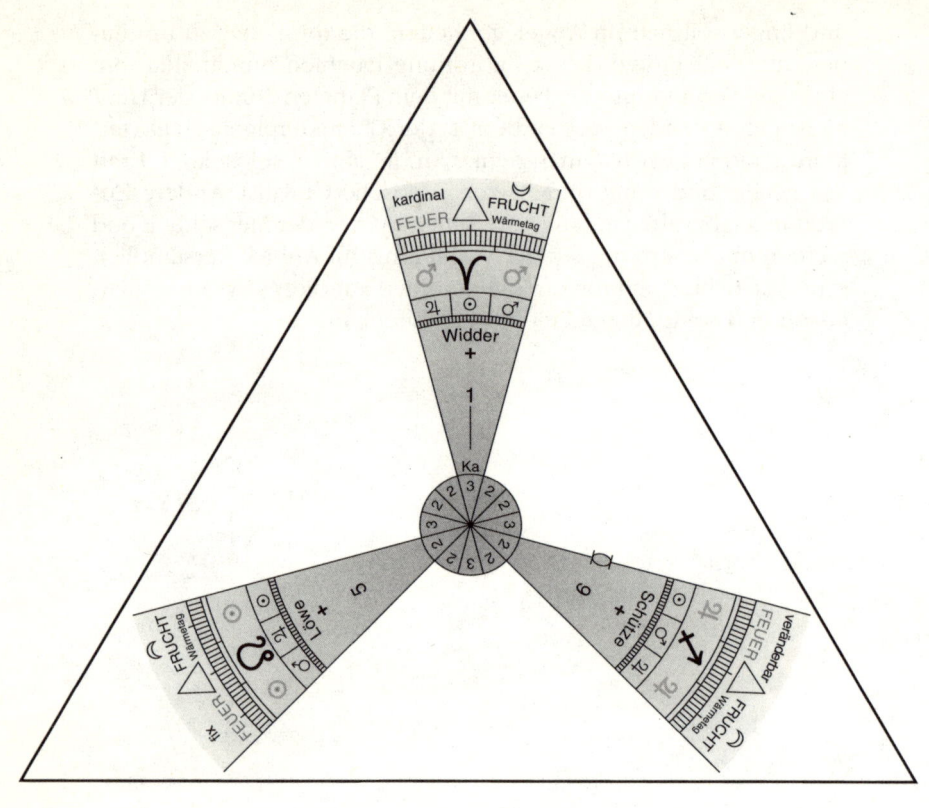

*Die Feuer-Zeichen*

## Feuer △

*Himmelsrichtung:* Süden
*Jahreszeit:* Sommer
*Tageszeit:* Licht
*Geschlecht:* männlich
*Farbe:* gelb
*Zahl:* 9
*Feuerzeichen:* Widder ♈, Löwe ♌, Schütze ♐
*Bedeutung:* Durchsetzungsvermögen, Trieb, Energie, Sexualität, Motorik, Vitalität, Wille, Kreativität
*Menschentyp:* Persönlichkeiten, mit Durchsetzungswillen, Aggression, Tatkraft, Unternehmungslust und der Fähigkeit zur Selbstbehauptung
*Persönlich:* Bewußtsein, Hingabe und Kraft
*Eigenschaft:* Der Wille
*Feuer-Geister:* Salamander
*Engel:* Michael
*Gestirn:* Sonne ☉, Jupiter ♃
*Körperteil:* Kopf
*Ton:* Ra
*Nahrungsqualität:* Eiweiß, besondere Auswirkungen auf den physischen Leib, die Sinnesorgane
*Heilen durch:* die Kraft des Feuers: Wärme, Moxen, Farbstrahlung, Licht, elektrische Schwingungen
*Pyramidenkraft:* die Bewahrer der Ordnung, das Recht, die Zahl, das Maß, die Zeit. An der Südseite der Pyramide fließt ein elektrischer Strom hinein. Die Südseite steht für Wissen. Das lineare Symbol entspricht dem Feuer und ist die astrale Sphäre, wollend, dynamisch.
*Symbolik:* Die erschaffende Welt, das Maß, die Zeit, das Sein
*Heilsteine:* Feueropal, Nephrit-Jade, Zoisit mit Rubin, Chalzedon

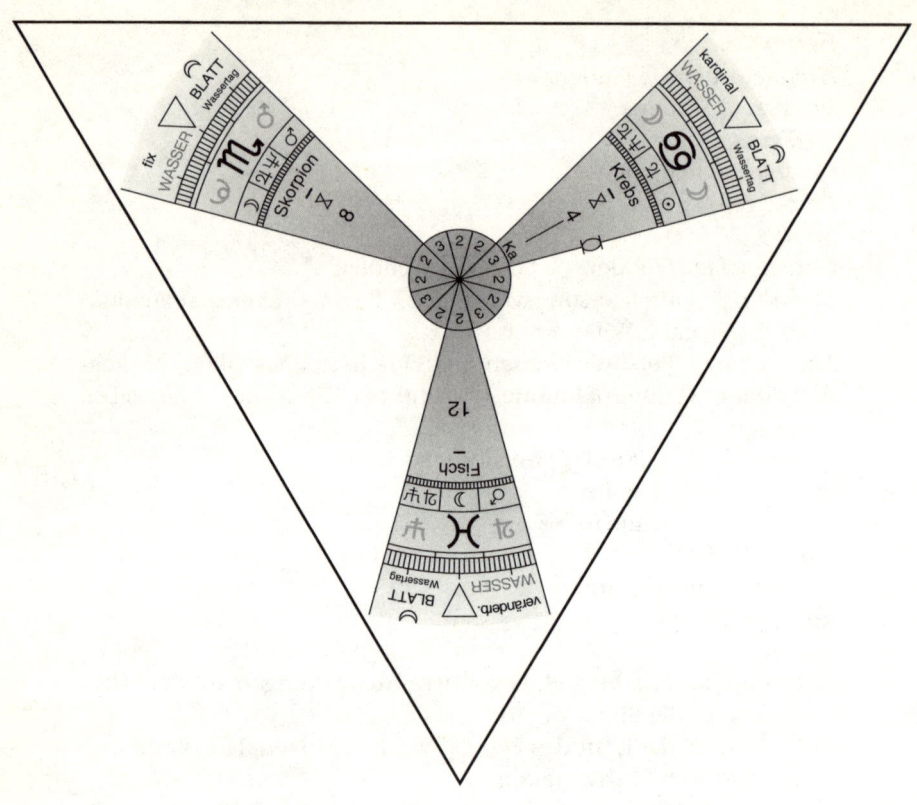

*Die Wasser-Zeichen*

## Wasser ▽

*Himmelsrichtung:* Norden
*Jahreszeit:* Winter
*Tageszeit:* dunkel
*Geschlecht:* weiblich
*Farbe:* grün
*Zahl:* 8
*Wasserzeichen:* Krebs ♋, Skorpion ♏, Fische ♓
*Bedeutung:* Fluß, Weichheit, Rhythmus, Sensibilität, Intuition, Wandel, Visionen, Hellsichtigkeit, Reinigung
*Menschentyp:* Friedfertig, anpassungsbedürftig, seelenbetont, wechselhaftes Leben
*Persönlich:* Seelisch, gefühlvoll, der Geist
*Eigenschaft:* Das Gesetz
*Wasser-Geister:* Undinen/Nymphen
*Engel:* Ariel
*Gestirn:* Mond ☾, Neptun ♆
*Körperteil:* Bauch
*Ton:* Ra
*Nahrungsqualität:* Kohlenhydrate, günstig für das Nervensystem
*Heilen durch:* Beachtung des Natur-Rhythmus, der Mond-Rhythmen
*Pyramidenkraft:* Das Schwert, das Gesetz zum Schutz aller. An der Nordseite fließt die Kraft der Sterne in die Pyramide. Die Nordseite ist Wollen. Bio-kybernetisches Symbol, weiblich, negativ, links, entspricht dem Wasser und ist die lunare Sphäre.
*Symbolik:* Die hervorbringende, kreative Welt, das Gefühl
*Heilstein:* Sarder, Gold, Perlmut, Opalmuschel, Tigerauge, Jade, Chiastolith, Charoit, Amethyst

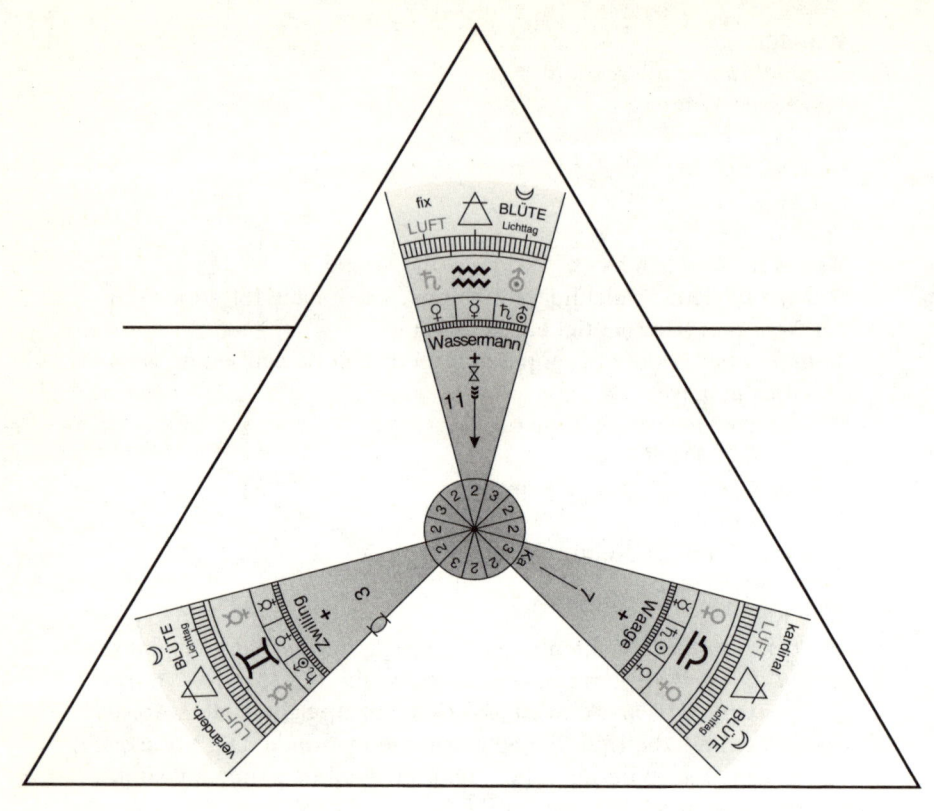

*Die Luft-Zeichen*

## Luft △

*Himmelsrichtung:* Osten
*Jahreszeit:* Frühling
*Tageszeit:* hell
*Geschlecht:* männlich
*Farbe:* blau
*Zahl:* 7
*Luftzeichen:* Zwillinge ♊, Waage ♎, Wassermann ♒
*Bedeutung:* Gleichgewicht, Toleranz, Erkenntnis, Verbindung, Verstand, Sprache, Ausdruck, Unterscheidung, rationales Denken
*Menschentyp:* Geistig beweglich, anpassungsfähig, vielseitig
*Persönlich:* Die Weisen, der Wunsch
*Eigenschaft:* Der Geist
*Luft-Geister:* Sylphen
*Engel:* Raphael
*Gestirn:* Merkur ☿, Uranus ♅
*Körperteil:* Brust
*Ton:* Ha
*Nahrungsqualität:* Fette und Öle, gut für das Drüsensystem
*Heilen durch:* Magnet, Pyramidenenergie, Öle und Düfte
*Pyramidenkraft:* Der Kelch des Lebens. An der Ostseite fließt der Lebensodem in die Pyramide. Die Ostseite ist Wagen. Positiv, männlich, ganzheitlich, mystisches Symbol.
*Symbolik:* Die gestaltende Welt, das Denken
*Heilsteine:* Blauer Edeltopas, Euklas, Lepidolith, Sugilith, Silber, Azurit, Chiastolith, Sarder

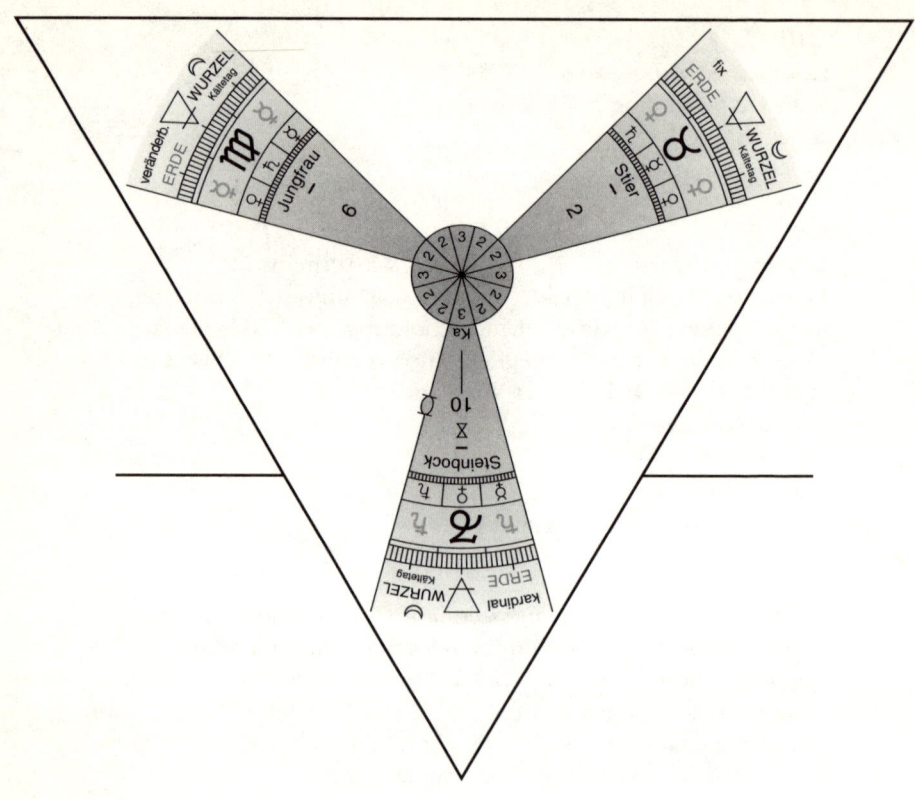

*Die Erde-Zeichen*

## Erde ▽

*Himmelsrichtung:* Westen
*Jahreszeit:* Herbst
*Tageszeit:* Dämmerung
*Geschlecht:* weiblich
*Farbe:* gelb
*Zahl:* 4
*Erdzeichen:* Stier ♉, Jungfrau ♍, Steinbock ♑
*Bedeutung:* Beständigkeit, Karma, Struktur, Muster, Schutz, Natur, Gerechtigkeit, Geborgenheit, YIN, Wiedergeburt
*Menschentyp:* Ordnungssinn, zäh und gründlich, praktische Vernunft
*Persönlich:* Die Klugen, die Sprache
*Eigenschaft:* Der Stoff (die Materie)
*Erd-Geister:* Gnomen
*Engel:* Gabriel
*Gestirn:* Venus ♀, Merkur ☿
*Körperteil:* Füße
*Ton:* A
*Nahrungsqualität:* Salz, gut für die Bluternährung
*Heilen durch:* die Kraft des Wortes, des Klanges, der Musik
*Pyramidenkraft:* Die Münze, die Fülle, um die Bedürfnisse des Menschen zu erfüllen. Auf der Westseite fließt die Magnetkraft in die Pyramide. Die Westseite ist das Schweigen. Positives, duales, komplementäres Symbol.
*Symbolik:* Die ausdrückende Welt, das Schild.
*Heilsteine:* Amethyst, Amazonit, Turmalin, Sugilith, Opal, Bergkristall, Lapislazuli, Bandachat, Mondstein.

# Die Kälte-, Wärme-, Wasser- und Lichttage

Neben der Einteilung der einzelnen Tierkreiszeichen (und der dazugehörigen Tage laut siderischem Mondzyklus) in den Einflußbereich der vier Elemente, ist noch eine weitere Unterteilung gebräuchlich: Das System der Kälte-, Wärme-, Wasser- und Lichttage. Man spricht auch von den Tagesqualitäten „warm", „kühl – kalt", „hell – luftig" und „wäßrig". Sie sind im Zeitqualitätskalender des siderischen Mondlaufs (S. 49) ganz außen angegeben.

Diese Eigenschaften sind durchaus in einem buchstäblichen Sinn zu verstehen. Ist zum Beispiel der Mondaufenthalt im Löwen, einem „Feuer- und Wärmtag", so ist damit zu rechnen, daß die Temperatur für 2,5 Tage um einiges wärmer ist als an den vorangegangenen „Krebs"-(Wasser-)Tagen. Bei einem Mondaufenthalt im Steinbock (einem „Kältetag", Element: „Erde") ist anzuraten, bei Wanderungen vorsichtshalber einen Pullover oder einen Überzieher mitzunehmen – dies ganz unabhängig von der jeweiligen Jahreszeit. An „Wassertagen" (Krebs, Skorpion oder Fische) ist Nebel oder Feuchtigkeit zu erwarten; fällt ein solcher Tag in den Winter, kann es zu Glatteisbildung oder rutschiger Fahrbahn kommen.

Hier die vollständige Auflistung:

| | | | |
|---|---|---|---|
| ♈ | Widder | warm | Feuer |
| ♉ | Stier | kühl-kalt | Erde |
| ♊ | Zwillinge | hell-luftig | Luft |
| ♋ | Krebs | wäßrig | Wasser |
| ♌ | Löwe | warm | Feuer |
| ♍ | Jungfrau | kühl-kalt | Erde |
| ♎ | Waage | hell-luftig | Luft |
| ♏ | Skorpion | wäßrig | Wasser |
| ♐ | Schütze | warm | Feuer |
| ♑ | Steinbock | kühl-kalt | Erde |
| ♒ | Wassermann | hell-luftig | Luft |
| ♓ | Fische | wäßrig | Wasser |

# Nahrungsqualitäten nach den Elementen

Ebenfalls ganz außen im Zeitqualitätskalender angegeben sind die Nahrungsqualitäten nach den vier Elementen. Es handelt sich dabei um unverzichtbare Nahrungsbestandteile, die ihrerseits Einfluß auf bestimmte lebenswichtige Körperfunktionen haben. Hier die entsprechende Zuordnung:

| | | |
|---|---|---|
| *Feuer* | Widder, Löwe, | |
| | Schütze | Nahrungsqualität: *Eiweiß* |
| *Erde* | Stier, Jungfrau, | |
| | Steinbock | Nahrungsqualität: *Salz* |
| *Luft* | Zwillinge, Waage, | |
| | Wassermann | Nahrungsqualität: *Fett* |
| *Wasser* | Krebs, Skorpion, | |
| | Fische | Nahrungsqualität: *Kohlenhydrate* |

☺ Die Tage der Eiweißqualität haben besondere Auswirkungen auf den physischen Leib und auf die Sinnesorgane.

☺ Die Tage der Salzqualität sind für die Bluternährung günstig.

☺ Die Tage der Fett- und Ölqualität sind gut für die Versorgung der Drüsensysteme.

☺ Die Tage der Kohlenhydratqualität beeinflussen das Nervensystem.

# Die Floralzeichen

Den vier Elementen sind ferner die sogenannten Floralzeichen zugeordnet, die vier Hauptbestandteile der Pflanze symbolisieren: Blüte, Blatt, Früchte und Samen, Wurzel und Knollen. Der Sinn dieser Zuordnung leuchtet ein: Die Wurzel gehört zum Element „Erde", in dem sie verankert ist und aus dem sie ihre Kraft saugt; dagegen ragt die Blüte weit nach oben, in das Element „Luft" hinein. Die Blätter, die der Pflanze als Wasserspeicher dienen, werden folgerichtig dem Element „Wasser" zugeordnet. Die Frucht und der daraus hervorgehende Samen gibt den Anstoß zum Pflanzenwachstum, enthält also den zur Entwicklung einer Pflanze notwendigen „Ideenfunken" – entsprechend dem Geist- und Energieprinzip Feuer.

Die Zuordnung der zwölf Tierkreiszeichen zu den vier Floralzeichen erfolgt hier allerdings nicht in der gewohnten harmonischen Symmetrie. Zu „Blüte" gehören vier Zeichen, zu „Blatt" und „Wurzel" je drei, zu „Früchte" nur noch zwei Tierkreiszeichen. Entnehmen Sie der nachfolgenden Aufstellung einige praktische Anwendungen des Wissens von den vier Floralzeichen:

### Blüte (Luft)

*Zwillinge* ♊, *Löwe* ♌, *Waage* ♎, *Wassermann* ♒

Alle Blumen, Baumblüten und Fruchtblüten, sowie auch Blüten der Heilkräuter.

Blüten sammle bei zunehmendem Mond und Vollmond von 10 bis 12 Uhr. Die Blüte sollte jedoch trocken sein.

### Blatt (Wasser)

*Krebs* ♋, *Skorpion* ♏, *Fische* ♓

Alle Blattgemüse, alle Salatsorten und alle Blattkräuter wie Rosmarin, Basilikum, Lorbeerblatt.

Blätter sammle bei zunehmendem Mond. Die Blätter sollten trocken sein.

### Früchte und Samen (Feuer)

*Widder* ♈, *Schütze* ♐

Alles, was oberhalb der Erde wächst: Obst, Tomaten, Beeren, Bohnen, alle oberirdisch wachsenden Samen wie Korn und Mais, Kümmel, auch Kürbisse, Gurken und Melonen.

Sammle bei zunehmendem Mond reife Früchte und Samen, die zum sofortigen Gebrauch bestimmt sind. Früchte und Samen zum Einlagern sollen bei abnehmendem Mond, jedoch unter Vermeidung der Mittagshitze, eingesammelt werden.

### Wurzel und Knollen (Erde)

*Stier* ♉, *Jungfrau* ♍, *Steinbock* ♑

Knollen: Kartoffeln, Sellerie, Zwiebeln, Knoblauch, Radieschen, Rote Beete sowie Wurzeln: Möhren, Zuckerrüben, Spargel, Schwarzwurzel. Auch alle Kräuterwurzeln wie Angelikawurzel, Meisterwurzel, Enzianwurzel usw.

Wurzeln sammle in der Dämmerung morgens und abends und schütze Gesammeltes gegen Sonnenbestrahlung.

# Die drei Kraftzeichen

Neben der zuvor beschriebenen Vierteilung des Tierkreises (in die vier Elemente, die vier Nahrungsqualitäten und Floralzeichen) existiert in der Astrologie traditionell eine Dreiteilung: in die drei Kraftzeichen fix, kardinal und veränderlich. Die drei Zeichen bilden, wenn man sie graphisch aus dem Zeitqualitätskalender herauslöst, ein Kreuz, das sich aus jeweils vier Tierkreiszeichen mit den dazugehörigen Tagen des Mondaufenthalts zusammensetzt. Ist Widder ein Kardinalzeichen, so ist jeweils jedes dritte darauffolgende Zeichen ebenfalls kardinal: also Krebs, Waage und Steinbock.

Jedes Kraftzeichen enthält jeweils ein Tierkreiszeichen aus jedem der vier Elemente. Repräsentieren die Elemente die vier verschiedenen Energieformen (und damit symbolisch auch Formen, in denen sich Bewußtsein ausdrücken kann), so markieren die Kraftzeichen drei Stadien der Manifestation dieser Energieformen. Am Anfang jeder Entwicklung steht die „Initialzündung", der Aufbruch zu Neuem, die ursprüngliche, zielgerichtete Aktion (Kardinalzeichen). Im nächsten Stadium mündet die Aktion in einen Zustand der Kontinuität und Verläßlichkeit; zuvor noch ungebundenes Potential gerinnt zur festen Form; Energie sammelt sich um ein Kraftzentrum (Fixe Zeichen). In der dritten Phase schließlich werden Auswege aus der erstarrten Form gesucht; eine Synthese wird hergestellt, die die Vorzüge beider vorausgegangenen Kraftzeichen auf sich vereinigt (Veränderliche Zeichen). Diese „Synthese" ist Ausgangspunkt für eine neue „These": das nächste kardinale Zeichen – diesmal allerdings auf einer höheren Stufe der Entwicklung, so daß der rhythmische Wechsel zwischen den drei Kraftzeichen als Spirale zu denken ist, in deren Verlauf man jeweils auf höherer Ebene zu seinem Ausgangspunkt zurückgelangt.

Eine ausführliche Beschreibung der drei Kraftzeichen wird zahlreiche praktische Ratschläge für die Mondaufenthalte in den einzelnen Sternzeichen geben. Um noch detailliertere Informationen über die negativen oder positiven Energien in den einzelnen Häusern zu bekommen, beachte bitte die Darstellung des siderischen Zyklus, S. 48ff.

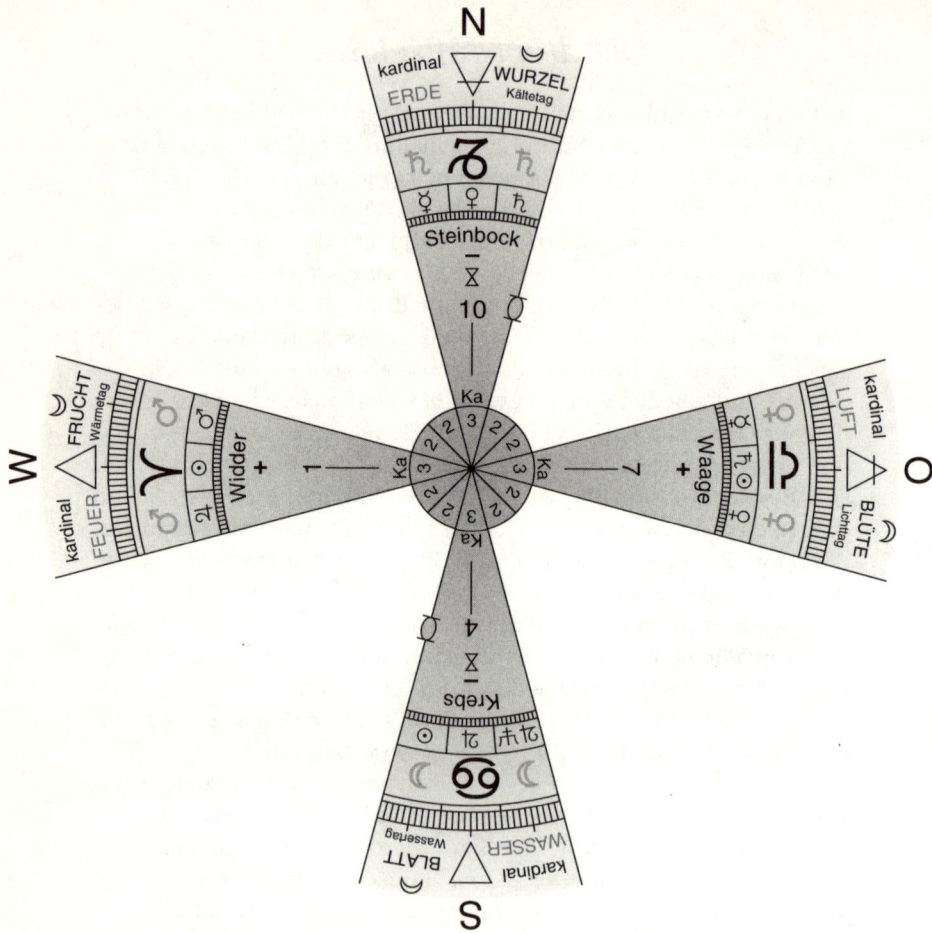

## Kardinale Zeichen

Das Hauptzeichen wird Kardinalzeichen oder kardinales Kreuz
genannt. Es besteht aus den vier astrologischen Zeichen *Widder,
Krebs, Waage* und *Steinbock.* Kardinale Mondzeichen sind voll
kosmischer Energie. Die beste Zeit, um Projekte und Ziele erfolgreich zu verwirklichen. Probleme und Hindernisse privater oder
geschäftlicher Art können schnell beseitigt werden. Tätigkeiten führen zu einer richtigen Einschätzung der Situation. Aufwärtsentwick-
lung, schnelles Handeln und Aktivität sind kennzeichnend für diese
Phasen. In einem Kardinalzeichen Geborene werden führend im
Denken und Handeln. Es ist *Jagdzeit.*

## ♈ **Widder**

Feuerzeichen, gelb, Wärmetag, Frucht, Süden, positiv
Der Widder wird vom Planeten Mars regiert.

*Positiv:*

☺ Das „heißeste" Zeichen überhaupt. Gut um Feuer zu machen, zum Schmelzen von Eisen, vorzüglich, um mit allem, was mit Eisen oder Stahl in Verbindung steht, zu handeln.

☺ Widder ist Trockenzeit. Farben, Kräuter, Wäsche trocknen bestens. Es gedeiht alles, was viel Wärme braucht.

*Negativ:*

☺ Keinesfalls Kapital anlegen

☺ nicht mit Feuer spielen, es herrscht Brandgefahr

☺ Vorsicht vor Heuüberhitzung und hitzigen Menschen. Besonders zu beachten in den Marsjahren 1995 und 2007. Marsjahre sind Gewitter- und Erdbebenträchtig.

☺ Keinen Feuerlauf im Zeichen Widder. Dies führt zu Verbrennungen. Keine ausgedehnten Sonnenbäder. Hartlacke, Beton mit Schnellhärter bekommt Sprünge.

Eine zusätzliche Steigerung ergibt sich an einem Marstag (Dienstag) oder in einer Marsstunde.

## ♋ **Krebs**

Wasserzeichen, grün, Blatt, Norden, Negativ
Der Krebs wird vom Mond regiert.

*Positiv:*

☺ Bester Tag für überseeische Verbindungen, ob Reisen, Telefon, Telegramme, Briefe oder Telex. Krebs-Tage eignen sich sehr gut, um sich mit Wasser, Wasserbauten, Wasserprodukten, Wasseranlagen zu beschäftigen. Neuanlagen von Wasserbauten oder Rohrableitungen können am besten an diesen Tagen begonnen werden.

☺ Sehr gut für Silberarbeiten, speziell esoterischer Art.

☺ Die Krebszeit ist eine der besten Zeiten, um Medizin einzunehmen und Alternativ-Heilungen zu beginnen. Speziell dann, wenn der Krebs in die Zeit des abnehmenden Mondes fällt, sollte alles, was auflösbar ist und jede Krankheit, die schwinden sollte, behandelt werden. Die Krebszeit eignet sich für Liebende, für Zärtlichkeiten und für die Verbindung zu unserem Seelenpartner. Harmonie und alle „weichen" Gefühle sind jetzt begünstigt. Für ein gemeinsames Essen ist es die besten Zeit, denn ein gutes Mahl fördert jegliche Verbindung („Liebe geht durch den Magen").

*Negativ:*

☻ Bindungen, die lange halten sollen, oder Verträge, die von langer Dauer sein sollten, sind nicht begünstigt.

☻ Vorsicht vor Übertreibungs- und Überredungskünstlern. Achte bei Verträgen auf das Kleingeschriebene.

## ♎ **Waage**

Luftzeichen, blau, Blüte, Osten, Positiv
Die Waage wird vom Planeten Venus regiert.

*Positiv:*

☺ Gut geeignet für Ehe- und Liebespartner, für Freundschaft und Vergnügen.

☺ Kaufe Schmuck, Kleider, Musikinstrumente, Accessoires und benutze diese Gegenstände zum ersten Mal.

☺ Gut für Aussprachen, kontroverse Diskussionen, und Schlichtungsgespräche. Diese Tage verleihen geistige Beweglichkeit.

*Negativ:*

☻ Neubeginn eines Hausbaus oder Beziehen einer neuen Wohnung besser vermeiden.

☻ Keine neue Stellung/kein neues Amt antreten.

☻ Die Inbetriebnahme eines neuen Fahrzeugs bringt nur Nachteile.

☻ In der Liebe brauchen Sie einen verträglichen, ausgeglichenen Partner.

## ♑ **Steinbock**

Erdzeichen, rot, Wurzel, Westen, Negativ
Der Steinbock wird vom Planeten Saturn regiert.

*Positiv:*

☺ Gut für den Hausverkauf

☻ Einkauf von Waren aus Leder

☺ Verkehr mit Handwerkern, Landwirten und mit Menschen, die mit Stollenbau, Tunnel-, Brunnen- und Bergbau beschäftigt sind.

☺ Manuelle Arbeiter. Arbeite auf festen Grundlagen.

*Negativ:*

☹ Keine Liebesbeziehung eingehen.

☹ Beginnen keine neuen Arbeiten und treten keine neue Stelle an. Stelle zu dieser Zeit und zu einer Saturnstunde niemanden neu ein.

☹ Beginne keine Arbeit an künstlichen Arbeitsplätzen und mit Werkzeugen die schwerer als Dein Körpergewicht sind (Gerüste, Schiffe). Sollte dies unvermeidlich sein, lasse äußerste Vorsicht walten.

Saturnstunden an Steinbocktagen sind doppelt unheilbringend. Verschiebe Deine Vorhaben auf die nächste Glücksstunde.

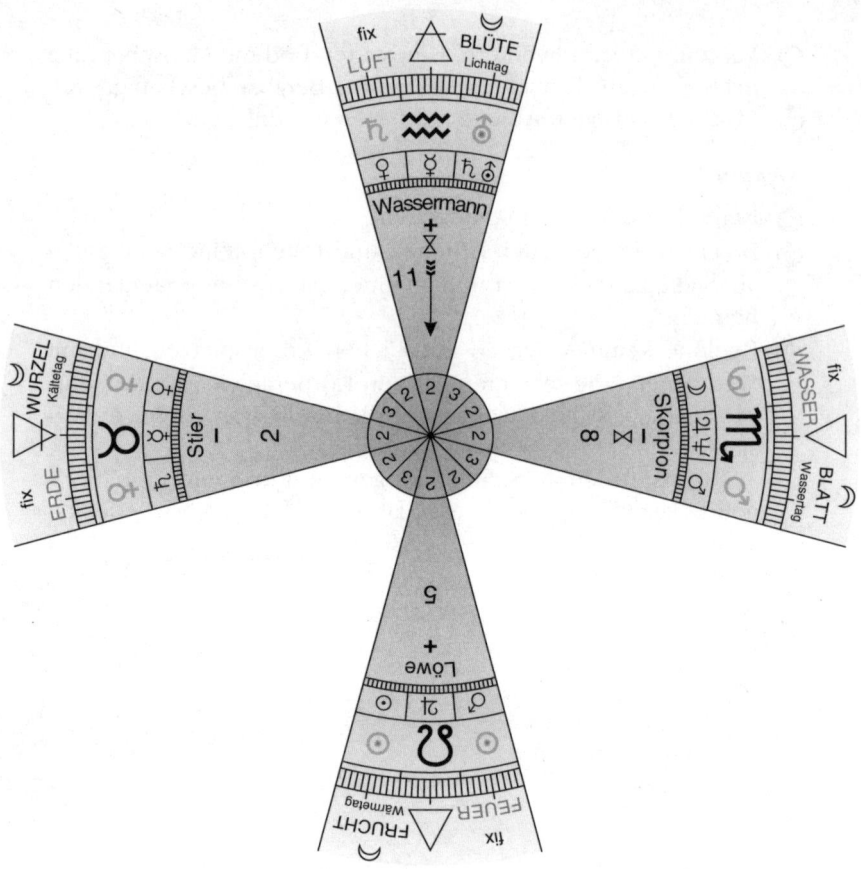

### Fixe Zeichen

Das fixe Mondkreuz wird aus den Zeichen *Stier, Löwe, Skorpion* und *Wassermann* gebildet. Sie stehen für Ausdauer, Fleiß und erhöhte Leistungsfähigkeit. Im fixen Mondzeichen sind die magnetischen Kräfte außerordentlich stark, somit das beste Zeichen für Magnet-Behandlungen, aber auch für Farblicht-Bestrahlungen. Animistische (starke seelische) Kräfte verleihen Erfolg mit Gebeten und Fernbehandlungen. Rituelles Arbeiten führt zu gutem, beständigem Erfolg. Die Kräfte fließen zwar langsam, aber stetig. Überlege dir jeden Schritt genau. Konzentriere Dich darauf, alles Wichtige zu erhalten und zu schützen. Es ist die *Bindezeit*. Zugleich ist es eine schlechte Zeit für Veränderungen. Meide Starrköpfigkeit. Im fixen Zeichen sollte die Einnahme von Medizin unterbleiben.

## ♉ Stier

Erdzeichen, rot, Wurzel, Westen, Negativ
Der Stier wird von Venus regiert.

*Positiv:*

☺ Eignet sich für harmonische Dauerbindungen, für Freundschaft und Liebe. Pflege und festige Beziehungen, mache kleine Reisen und Besuche.

☺ Fange alles an, was lange dauern soll. Beginne mit Bauen, mit dem Aufbau von Handels- und Gewerbebetrieben. Stelle Angestellte oder Arbeiter ein.

☺ Arbeiten in Garten und Feld bringen gute Ernte.

☺ Kauf von Tieren, Pflanzen und Futter.

*Negativ:*

☺ Keine Auseinandersetzungen und Prozesse anfangen. Sie führen zu Verlusten.

☺ Keine Risiken, Wetten und Spiele.

## ♌ Löwe

Feuerzeichen, gelb, Blüte, Süden, Positiv.
Der Löwe wird von der Sonne beherrscht.

*Positiv:*

☺ Verkehre mit sozial Höheren, mit Vorgesetzten und Beamten, am besten in einer Sonnenstunden.

☺ Beginne, was lange dauern soll. Beginne eine körperliche Beziehung.

☺ Handle mit allen Edel- und Buntmetallen, mit Waren, die rot oder gelb sind.

☺ Kaufe oder verkaufe Rubine, rote Autos, rote Rosen, Kupfer, Johanniskrautöl, gelbe Steine, Gold, Messing, Sonnenblumenöl, gelbe oder rote Wäsche aus Wolle, Leinen oder Seide, Bananen, rote Beeren oder rotes Obst usw.

☺ Vorteilhaft ist es, mit Feuer zu arbeiten, Bunt- und Edelmetalle zu schmelzen. Es ist auch das beste Zeichen zum Gießen in Edel- und Buntmetallen.

☺ Es gedeiht alles, was viel Licht braucht.

*Negativ:*

☺ Vermeide es, mit alten Leuten oder Bauern zu verhandeln.

☺ Vermeide es, neue Kleider zum ersten Mal zu tragen.

## ♏ *Skorpion*

Wasserzeichen, grün, Blatt, Norden, Negativ.
Der Skorpion wird vom Mars beherrscht.

*Positiv:*

☺ Mars in einem fixen Zeichen (Stier, Löwe, Skorpion, Wassermann), speziell, wenn er auf einen Dienstag (Mars-Tag) fällt.

*Negativ:*

☺ Zur Marsstunde begonnene Unternehmungen und Bekanntschaften bringen Verluste und große Unannehmlichkeiten mit sich.

☺ Verträge und Abschlüsse werden Probleme bringen.

☺ Operationen unterhalb des Nabels bergen große Risiken und sind mit großem Blutverlust verbunden. Ist eine Operation dringend notwendig, gib dem Patienten alle 9 Minuten 9 Tropfen oder 9 Globuli von Arnika D1 bis D6 oder lege Hirtentäschelkraut auf die Fußsohlen oder in die Armbeugen und auf den Nacken, um größeren Blutverlust zu vermeiden.

## ♒ *Wassermann*

Luftzeichen, blau, Blüte, Osten, Positiv.
Der Wassermann wird von den Planeten Saturn und Uranus regiert.

*Positiv:*

☺ Dieses Zeichen ist geeignet für alles, was lange währen soll.

☺ Der erfolgreichste Tag, um mit Grenzwissenschaften, Magie, Studium, Erfindungen und Erneuerungen zu beginnen.

☺ Schreibe an diesen Tagen Briefe.

☺ Ziehst Du in in dieser Zeit in ein neues Haus, eine neue Wohnung oder trittst Du eine neue Stellung an, so bleibst Du lange am selben Ort.

*Negativ:*

☺ Beginne keine Reise

☺ Verleihe kein Geld, keine Bücher oder Waren. Es wird nicht oder erst sehr spät zurückkommen.

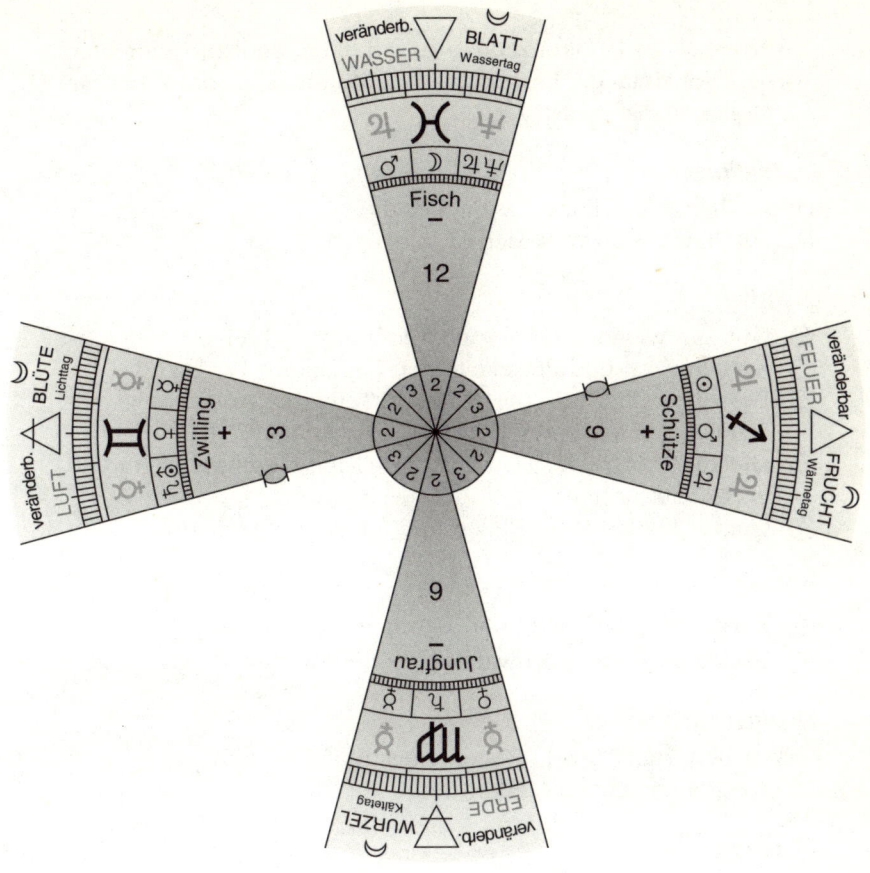

### Veränderliche Zeichen

Veränderliche, bewegliche Zeichen, auch das gemeinschaftliche Kreuz mit den Zeichen *Zwillinge, Jungfrau, Schütze und Fisch*, werden von flexiblen, intellektuell fließenden Schwingungen getragen. Das Streben nach Frieden und Anpassung wird erleichtert. Nur soll man sich nicht festlegen, binden oder Verträge schließen. Veränderliche Zeichen sind gut zum Lösen von Bindungen, für Entlassungen, Kündigungen für Scheidungen, auch zum Auflösen von Verträgen. Festsitzendes, ob es sich nun um Schmutz, Schrauben, körperliche Verstopfung oder verfahrene Situationen handelt, ist gut zu lösen. Es ist die *Loslaßzeit*.

Nervosität und unkonzentriertes Arbeiten sind zu befürchten. Vorsicht vor Unfällen. Besonders im 2. Mondviertel vom 1. bis zum 14. Mondhaus ist „Crash-Zeit".

### ♊ *Zwillinge*

Luftzeichen, blau, Blüte, Osten, Positiv
Der Zwillinge wird vom Merkur beherrscht.

*Positiv:*

☺ Gut, um wichtige Briefe und Verträge zu schreiben.
☺ Konferenzen und Präsentationen beginnen.
☺ Besuche alles, was mit Handel, Gewerbe, Ausbildung oder Schulung in Verbindung steht.
☺ Gut für Transporte. Handle speziell mit Geschriebenem (Bücher, Zeitschriften).
☺ Gut für Reklame, für Reden und für Zukunftsschau.

*Negativ:*

☺ Vorsicht vor Diebstahl und Betrügern.
☺ Überlasse keinem Schwarzseher oder Miesmacher das Wort.

### ♍ *Jungfrau*

Erdzeichen, rot, Wurzel, Westen, negativ.
Die Jungfrau wird von Merkur regiert.

*Positiv:*

☺ Außerordentlicher Tag für Kaufleute, Künstler, Buchhändler, Schriftsteller, Schnelläufer, Diplomaten und Diebe.
☺ Begünstigt Studium, Referate, Politik.
☺ Gut, um Mitarbeiter einzustellen.
☺ Günstig für Vertragsabschlüsse und Geschäftskorrespondenz.
☺ Bestens geeignet für Land- und Gartenarbeit sowie für jede Art, mit Erde zu arbeiten (z. B. für Töpfer und Gartengestalter).

### ♐ *Schütze*

Feuerzeichen, gelb, Frucht, Süden, Positiv.
Der Schütze wird vom Jupiter regiert

*Positiv:*

☺ Begünstigt Sport und Spiele.

☺ Für Gespräche mit Richtern, Ärzten und Seelsorgern.

☺ Geld- und Rechtsgeschäfte, Kapitalanlagen, Spekulationen, die an diesen Tagen begonnen werden, bringen gute Gewinne und Vorteile.

*Negativ:*

☹ Kaufe keine Maschinen, Motorfahrzeuge und Waren aus Eisen.

☹ Sehr schlecht für Landwirtschaft und Tierzucht.

☹ Kauf von und Handel mit Nutz- und Zuchttieren ist nicht günstig.

### ♓ Fische

Wasserzeichen, grün, Blatt, Norden, Negativ.
Die Fische werden von den Planeten Jupiter und Neptun regiert.

*Positiv:*

☺ Sehr gut, um Friedensangelegenheiten, Vereinigungen und Bündnisse, sei es geschäftlich oder privat, dauerhaft zu besiegeln.

☺ Verwende Stunde und Tag für Tätigkeiten, die mit Wassergewächsen, mit Brunnen, Kanälen, Wasserleitungen, Feuchtausleitung, Gräben, Teichen und Gartenbädern zu tun haben.

☺ Gut, um Verträge zu unterzeichnen, Bewerbungen und Testamente zu schreiben oder Manager einzustellen.

☺ Amulette, Talismane oder auch Geschenke und Liebesbeweise können jetzt mit guten Erfolgsaussichten angelegt werden.

*Negativ:*

☹ Meide an diesem Tag das Einkaufen. Man gibt im Fischezeichen mehr Geld aus als gut ist. Besuche deshalb auch keine Verkaufsausstellungen. Du wirst übervorteilt werden.

☹ Säe keine Körner; es werden wenige treiben.

## Männliche und weibliche Zeichen

Ordnet man die *vier* Elemente im Tierkreis nochmals zu höheren Einheiten zusammen, erhält man die *Zwei*teilung von *plus* und *minus*, *Yang* und *Yin*, *männlich* und *weiblich*. Dabei sind Feuer- und Luftzeichen mit allen dazugehörigen Tierkreiszeichen dem männlichen Pol zuzuordnen; Erd- und Wasserzeichen entsprechend dem weiblichen Pol. Eine weitere Analogie besteht zwischen männlich und Farbe *rot* (man denke an Feuer) sowie weiblich und der Farbe *blau* (man denke an Wasser). Diese Farben sind im Zeitqualitätskalender des siderischen Mondlaufs (S. 49) mit einem „**+**" (männlich) und einem „**–**" (weiblich) markiert.

Es gibt somit männliche Tage (Widder, Zwillinge, Löwe, Waage, Schütze, Wassermann) und weibliche Tage (Stier, Krebs, Jungfrau, Skorpion, Steinbock, Fische), was sich auch auf die Geschlechtsbestimmung von Lebewesen auswirken kann, die an diesen Tagen gezeugt wurden. Zeugung an „männlichen Tagen" ergibt mit größerer Wahrscheinlichkeit männliche Nachkommen; an „weiblichen Tagen" entstehen eher weibliche Nachkommen.

## Planeten und Aspekte

Planeten und Aspekte sind wesentliche „Vokabeln", die man beherrschen muß, um die „Sprache" von Horoskopen und astrologischen Kalendern zu verstehen. Die sieben Hauptplaneten unseres Sonnensystems – Sonne, Mond, Mars, Merkur, Jupiter, Venus und Saturn – wurden schon genannt. *Aspekte* sind die Winkelabstände der Gestirne zueinander, die sich zu einem bestimmten Zeitpunkt am Sternenhimmel zeigen. Für unser Buch ist insbesondere der Winkel interessant, in dem der Mond jeweils zu den anderen Planeten steht. Die verschiedenen möglichen Aspekte haben unterschiedliches energetisches Potential, das auch unser Alltagsleben auf der Erde beeinflussen kann.

### ♂ Konjunktion oder Zusammenschein

Die Gestirne stehen an einem Punkt des Himmels von der Erde aus gesehen zusammen (d. h. hintereinander). Die Konjunktion wirkt nachteilig zwischen Mars und Saturn. Günstig ist eine Konjunktion zwischen Jupiter, Venus, Mond und Sonne.

### ☍ Opposition

Zwei Planeten stehen einander im Winkel von 180° gegenüber. Ungünstig wirkt sich vor allem eine Opposition zwischen Mars, Saturn, Sonne und Mond aus. Sie erzeugt Spannungen, Gegensätze, Trennungen, Katastrophen.

## ☐ Quadrat

Zwei Planeten stehen im Winkel von 90° zueinander. Stehen die Planeten in günstigen Zeichen, wirkt sich ein Quadrat zwischen Jupiter, Sonne, Saturn, Mars und Merkur oft positiv aus und regt zu hohen Leistungen an. In ungünstigen Zeichen kann derselbe Aspekt zu Mißgeschicken, Streit, Verwundungen usw. führen.

## △ Trigon

Winkel: 120°. Sehr günstiger Aspekt für Glück, Erfolg und Wohlergehen.

## ✳ Sextil

Winkel: 60°. Ein sehr günstiger Aspekt für Glück, Erfolg und Wohlergehen.

### Sympathische und antipathische Planetenaspekte

Die folgende Aufstellung klärt Dich über die günstige oder ungünstige Energie von Konjunktionen zwischen bestimmten Planeten auf.

Wichtig dabei ist, zu wissen, welche Planeten von gegensätzlichen, miteinander unvereinbaren Energien geprägt sind. Es sind dies:

| | |
|---|---|
| Sonne ☉ | Saturn ♄, Uranus ♅ |
| Mond ☾ | Saturn ♄ |
| Mars ♂ | Venus ♀ |
| Merkur ☿ | Jupiter ♃, Neptun ♆ |
| Jupiter ♃ | Merkur ☿ |
| Venus ♀ | Mars ♂ |
| Saturn ♄ | Sonne ☉, Mond ☾ |

#### Sympathische Konjunktion

Alle anderen Konjunktionen gelten als sympathisch (miteinander vereinbar, einander positiv verstärkend).

| | |
|---|---|
| *Sonne und Mars* | gut für Durchsetzungsfähigkeit und Selbstverteidigung für eine positive Sache |
| *Sonne und Jupiter* | gut für Gebete, Segnungen, heilige Zeremonien |
| *Mond und Jupiter* | gut für rituelle Arbeiten, für das Aufstellen von Pyramiden, Anfertigen und Kau- |

| | fen ritueller Gebrauchsgegenstände, Be-schwörungen für materielle Bedürfnisse |
|---|---|
| *Merkur und Mars* | gut für Mentalsuggestion, Hypnose, den Einsatz geistiger Kräfte |
| *Merkur und Saturn* | gut für Meditation, Inspiration für den Intellekt |
| *Venus und Mond* | gut für alle Angelegenheiten, die Liebe festigen |
| *Venus und Jupiter* | gut für Zeugung und Befruchtung |
| *Saturn und Jupiter* | gut für Erleuchtung und Gebete sowie heilige Rituale |
| *Saturn und Mond* | gut für alle magischen Arbeiten |
| *Uranus und Merkur* | gut für Erfinder, Schriftsteller und Geistesarbeiter |

### Antipathische Konjunktion

| | |
|---|---|
| *Sonne und Saturn* | erzeugen Spannungen, Verschlechterung für das Immunsystem und die Gesundheit insgesamt |
| *Mond und Saturn* | man wird sehr empfänglich für seelische, mentale Beeinflussungen, Spannungen des Gemüts |
| *Mond und Mars* | ausgefallene Wünsche und Taten können zum Durchbruch kommen |
| *Merkur und Jupiter* | überreiztes Denken und die Gefahr von Streit |
| *Venus und Mars* | erotisch sehr beeinflußbar (für Sexualmagie) |
| *Mars und Saturn* | sehr negativ, schütze Dich vor allem, was schwarz ist (Schwarzmagie) |
| *Venus und Saturn* | Nerven- und Seelenkraft sind gefährdet |
| *Neptun und Mond* | Vorsicht vor sexueller und seelischer Beeinflussung |
| *Neptun und Mars* | Homosexuelle Beeinflussung möglich |

## Positive und negative Konstellationen

Diesen positiven und negativen Aspekten analog existieren in der Astrologie positive und negative Konstellationen. Dies ist folgendermaßen zu verstehen. Jedem Tierkreiszeichen ist bekanntlich ein

Planet als „Regent" zugeordnet. Sind nun die Energien von Venus und Mars antipathisch (einander entgegengesetzt, wesensfremd), so werden sich die Venus unterstellten Zeichen (Stier und Waage) mit Mars ebenfalls nicht „vertragen". Umgekehrt werden die Marszeichen (Widder und Skorpion) mit Venus nicht gut zurechtkommen. Steht nun ein Planet in einem der von ihm beherrschten Zeichen (also z. B. Jupiter im Schützen), so wird die Kraft beider enorm verstärkt. Steht jedoch ein Gestirn in einem seiner Natur entgegengesetzten Zeichen, so wird die Kraft des jeweiligen Planeten zunichte gemacht. Es entsteht eine schwächende Energie.

Hier ein Überblick über günstige und ungünstige Konstellationen:

| Planet | günstige Konstellation | ungünstige Konstellation |
|--------|------------------------|--------------------------|
| Sonne | im Löwen | im Wassermann, im Steinbock |
| Mond | im Krebs | im Wassermann, im Steinbock |
| Mars | im Widder, im Skorpion | im Stier, in der Waage |
| Merkur | in den Zwillingen, in der Jungfrau | im Schützen, in den Fischen |
| Jupiter | im Schützen, in den Fischen | in den Zwillingen, in der Jungfrau |
| Venus | im Stier, in der Waage | im Widder, im Skorpion |
| Saturn | im Wassermann, im Steinbock | im Krebs, im Löwen |

## Gestirne als Wohl- und Übeltäter

Unabhängig von ihrer Stellung innerhalb von Aspekten und Konstellationen werden den Planeten an sich positive oder negative Einflüsse zugeschrieben.

Sogenannte *Wohltäter* sind: ⊙ Sonne, ♀ Venus, ♃ Jupiter und ♆ Neptun.

Sogenannte *Übeltäter* sind: ♄ Saturn, ♂ Mars, ⛢ Uranus und ♇ Pluto.

*Neutral*, bzw. in ihren Wirkung von der Aspektierung abhängig sind ☽ Mond und ☿ Merkur.

# Astrologische Jahresregenten

Die Astrologie teilt jedem Jahr einen Planeten, den *Jahresregenten*, zu, dessen spezifische Qualität diesen Zeitraum als Grundenergie prägt. Die Herrschaft eines Planeten beginnt aber nicht am 1. Januar, sondern jeweils zum astronomischen Frühlingsanfang (um dem 20. März). Sie endet folgerichtig mit dem Ende des Winters. Ein Sonnenjahr hat eine eher fröhliche, sonnige Schwingung, ein Mondjahr ist für eher feuchtes Wetter und Reisen prädestiniert usw.

Hier die astrologischen Jahresregenten der nächsten sieben Jahre. Alle weiteren (und vergangenen Jahre) können Sie sich anhand dieser Tabelle selbst errechnen. Alle sieben Jahre (ähnlich der bekannten Wochenstruktur) kehrt derselbe Planetenregent wieder. Die Reihenfolge ist allerdings nicht dieselbe wie bei den Wochentagen.

| | |
|---|---|
| 1997 | Venusjahr |
| 1998 | Merkurjahr |
| 1999 | Mondjahr |
| 2000 | Saturnjahr |
| 2001 | Jupiterjahr |
| 2002 | Marsjahr |
| 2003 | Sonnenjahr |

Für uns Menschen haben sowohl die Jahres- als auch die Tagesregenten eine besondere Bedeutung. Jedes Tierkreiszeichen ist bekanntlich einem bestimmten Planetenregenten untergeordnet. So z. B. der Widder dem Mars, der Stier der Venus usw. Widder-Geborene sind somit an Mars-Tagen und in Mars-Jahren besonders von den herrschenden kosmischen Schwingungen begünstigt, die mit ihnen wesensverwandt sind. Das gleiche gilt für Stier und Venus, für Zwillinge und Merkur usw.

Die folgende Tabelle sagt Ihnen, welche Tage bzw. Jahre ihnen besonders gewogen sind:

| | | |
|---|---|---|
| *Sonne* | Sonntag, Sonnenjahr | Löwe |
| *Mond* | Montag, Mondjahr | Krebs |
| *Mars* | Dienstag, Marsjahr | Widder, Skorpion |
| *Merkur* | Mittwoch, Merkurjahr | Zwillinge, Jungfrau |
| *Jupiter* | Donnerstag, Jupiterjahr | Schütze, Fische |
| *Venus* | Freitag, Venusjahr | Stier, Waage |
| *Saturn* | Samstag, Saturnjahr | Steinbock, Wassermann |

Ein Anwendungsbeispiel: Im Sonnenjahr 1996 hat ein Löwe-Geborener beste Erfolgschancen. Um sich von einem glücksbringenden Zeitstrom erfassen zu lassen, sollte er bei wichtigen Unternehmungen zunächst die anderen Zeitqualitätsfaktoren in Betracht ziehen. Gelingt es ihm z. B., seine Hochzeit auf eine Sonnenstunde zu legen, womöglich noch auf einem Sonntag und auf den Löwemonat (Ende Juli bis Ende August), so hat er sich mit seiner Partnerin in einen für alle Zeiten anhaltenden Götterstrom des Erfolgs begeben.

Im Jahr 2000 mußt der Löwe dagegen besonders vorsichtig sein, denn dieses Jahr ist dem Saturn untergeordnet; Saturn ist aber (neben Uranus) der Planetenregent des „Gegenspielers" von Löwe: Wassermann (das im Tierkreis gegenüberliegende Zeichen). Auch gelten Sonne und Saturn als antipathische (in ihrem Wesen unvereinbare) Zeichen. Bei wichtigen Unternehmungen in diesem Jahr muß der Löwe besonders darauf achten, daß sie nicht auch noch auf einen Samstag (Saturn-Tag) oder eine Saturnstunde fällt.

Nach diesem Schema kann jeder die positiven Energien in seinem Glücksjahr verstärken und die negativen Kräfte in seinem „Unglücksjahr" in Grenzen halten.

| Planeten als Regenten der einzelnen Jahre | | | | | | | | | | | | | |
|---|---|---|---|---|---|---|---|---|---|---|---|---|---|
| ♂ Mars | 1911 | 1918 | 1925 | 1932 | 1939 | 1946 | 1953 | 1960 | 1967 | 1974 | 1981 | 1988 | 1995 |
| ☉ Sonne | 1912 | 1919 | 1926 | 1933 | 1940 | 1947 | 1954 | 1961 | 1968 | 1975 | 1982 | 1989 | 1996 |
| ♀ Venus | 1913 | 1920 | 1927 | 1934 | 1941 | 1948 | 1955 | 1962 | 1969 | 1976 | 1983 | 1990 | 1997 |
| ☿ Merkur | 1914 | 1921 | 1928 | 1935 | 1942 | 1949 | 1956 | 1963 | 1970 | 1977 | 1984 | 1991 | 1998 |
| ☽ Mond | 1915 | 1922 | 1929 | 1936 | 1943 | 1950 | 1957 | 1964 | 1971 | 1978 | 1985 | 1992 | 1999 |
| ♄ Saturn | 1916 | 1923 | 1930 | 1937 | 1944 | 1951 | 1958 | 1965 | 1972 | 1979 | 1986 | 1993 | 2000 |
| ♃ Jupiter | 1917 | 1924 | 1931 | 1938 | 1945 | 1952 | 1959 | 1966 | 1973 | 1980 | 1987 | 1994 | 2001 |

Teil II

# Praktische Tips für viele Gelegenheiten

# Kapitel 5

# Gesundheit

## Der Tierkreis und unser Körper

Der Einfluß der Mondrhythmen auf Gesundheit und Wohlbefinden des Menschen wird immer noch vielfach unterschätzt. Dabei besteht der Körper, wie schon erwähnt, zu 70 Prozent aus Flüssigkeit und unterliegt daher in besonderem Maße der Gravitationskraft des Mondes.

So sind bei Vollmond besonders viele Migräneanfälle zu verzeichnen (Blut wird durch die Anziehungskraft des Mondes nach oben, in den Kopf, gezogen). Bei Operationen und Verletzungen kann es aus dem selben Grund, wie schon erwähnt, zu starken Blutungen kommen. Vom zunehmenden Mond wird gesagt, daß er „an die Oberfläche bringt", „Inneres nach außen kehrt" und „die Säfte steigen läßt". Das Prinzip „Inneres kommt nach außen" manifestiert sich auf der Ebene der menschlichen Körperlichkeit z. B. in Form der Ausscheidung. Bei zunehmendem Mond empfiehlt es sich daher, Nahrungsmittel, Medikamente und Heilanwendungen zuzuführen, die die Ausscheidung fördern sowie zur Stärkung und Reinigung des Körpers beitragen.

Im 1. Viertel des synodischen Mondumlaufs zu empfehlen: Tee, Honig, aufbauende Mineralsalze, Atemtechniken, Infusionen, Duftheilungen.

Im 2. Viertel zu empfehlen: Wickel, Umschläge, Pflaster, Einreibungen, Trainingsbeginn, positive Bestrahlungen, Heilberührung, stärkende Massagen, Eisen/Magnetauflagen.

Im Rahmen dieses Buches können von den zahlreichen möglichen Anwendungen leider nur wenige, verdeutlichende Beispiele genannt werden. Zum Thema „zunehmender Mond" sei im folgenden noch ein magisches „Mondgebet" genannt, das sich in vielen Lebenslagen als nützlich erwiesen hat. Nicht umsonst wird dem zunehmenden Mond auch eine Zunahme magnetischer Kräfte nachgesagt. Dies bedeutet für das praktische Leben: Was wünschenswert ist, kann magnetisiert (herbeigezogen) werden; was wachsen und zunehmen soll, ist jetzt begünstigt.

Halte Deine Handflächen bei erhobenen Armen dem wachsenden Mond entgegen. Tue dies so oft wie möglich zwischen dem 3. Tag und dem 9. Tag nach Neumond (1. Viertel des synodischen Mondumlaufs). Sprich dabei die Formel: *„Mond, Mond, Mond, ich schließe mich an Deine wachsenden, reinigenden, magnetischen Wachstumskräfte an. Danke."* Deine magnetischen Wachstumskräfte, ob es sich nun um Haare, Muskeln, Gesundheit, Potenz, Heilkräfte, Schönheit oder auch Geld handelt, werden zunehmen.

Vom abnehmenden Mond wird gesagt, daß er „Krankheiten wegzieht". Im folgenden noch ein Beispiel wie Du die „magische" Wirkung des abnehmenden Mondes nutzen kannst:

Tauche die Hände bei abnehmendem Mond bis zum Ellbogen in fließendes Wasser. Achte dabei darauf, daß Du in Flußrichtung schaust, also mit dem Rücken zur Quelle stehst. Deine Krankheit wird dann vom Wasser übernommen werden. Schüttle dann die Hände dreimal ab und trockne dann zuerst die rechte Hand ab.

Neben der Stärke der Mondanziehung, die den Körper und die Seele des Menschen zu verschiedenen Mondphasen verschieden reagieren läßt, spielt jedoch auch die Lehre von den Planetenkräften und den Tierkreiszeichen eine große Rolle. Eine wissenschaftliche Disziplin, die sich schon seit jeher mit den geheimnisvollen Zusammenhängen zwischen Tierkreis, Körper und Krankheit befaßt, ist die Astromedizin. Sie untersucht beispielsweise die verschiedene Krankheitsanfälligkeit von Menschen, die in unterschiedlichen Zeichen geboren sind. Um es an einem besonders einfachen Beispiel zu verdeutlichen, wird ein Stier-Geborener wegen der Vorliebe dieses Zeichens für behaglichen Lebensgenuß eher zu Übergewicht neigen als beispielsweise der bewegliche Zwilling. Dies sind Veranlagungen, die in der grundlegenden Charakterstruktur des einzelnen verankert sind – unabhängig von der jeweiligen Tagesstimmung.

Feinere Schwankungen der Gemütsstimmung und Krankheitsan-
fälligkeiten sind häufig durch den Mondaufenthalt in den jeweiligen Tierkreiszeichen (siderischer Zyklus) zu erklären. Menschen
fühlen sich dann am wohlsten, wenn der Mond sich in dem Zeichen befindet, in dem er zum Zeitpunkt der Geburt stand. Stand
bei Deiner Geburt beispielsweise der Mond im Schützen, einem
Feuerzeichen, so fühlst Du Dich an Schütze-Tagen besonders wohl,
an den Tagen der beiden anderen Feuerzeichen (Widder und Löwe)
ebenfalls recht gut. Am schlechtesten fühlst Du Dich in den kon-
trären Wasserzeichen: Krebs, Skorpion und Fische. Umgekehrt fühlen sich Wasserzeichen an „Feuer-Tagen" schlecht. In ähnlicher Weise
sind Luft- und Erd-Zeichen einander gegenübergestellt.

Vorsicht: Gemeint ist nicht das im Tierkreis genau gegenüberliegende Zeichen. Für Menschen, bei denen zum Zeitpunkt
der Geburt der Mond im Schützen stand, ist also der Anti-Tag
nicht Zwillinge (ein Luftzeichen), sondern Krebs, Skorpion oder
Fische. Man beachte auch folgendes: Das jedem Menschen
normalerweise zugeordnete „Sternzeichen" ist das Sonnenzeichen. Die Aussagen ich *bin* „Schütze" oder ich *bin* „Löwe" beziehen sich in der Regel auf den Stand der Sonne im Tierkreis
zum Zeitpunkt der Geburt. Für Dein positives oder negatives
Grundgefühl an bestimmten Tagen ist aber nicht das Sonnenzeichen, sondern der Stand des *Mondes* zur Geburtsstunde
ausschlaggebend (z. B. „Mond im Schützen, Mond im Löwen").
Über ihr „Mondzeichen" sind nur die wenigsten Menschen informiert. Lasse Dir am besten von einem vertrauenswürdigen
Astrologen Dein Geburtshoroskop erstellen und achte dabei
auf den Stand des Mondes.

Steht der Mond in demjenigen Tierkreiszeichen, das Deinem As-
zendenten entspricht, so steigt Dein Mondselbstwert. Dies ist die
beste Gelegenheit, sich nach außen hin gut darzustellen und zu
profilieren.

Wichtig ist das Mondhoroskop auch für das Zusammenleben der
Menschen. Ein im Feuerzeichen Geborener (gemeint ist hier wiederum nicht das Sonnenzeichen) wird sich mit einem im Wasserzeichen Geborenen schwerlich in Harmonie befinden, wenn er
längere Zeit mit diesem in Kontakt ist. Das konträre Verhältnis bestimmter Zeichen zueinander wirkt sich in jedem Lebensbereich
negativ aus. Eine Ehe oder Lebensgemeinschaft zwischen zwei

kontraren Zeichen würde zuviele Spannungen und Unverträglich-
keiten ans Tageslicht bringen.

Traditionell ordnet die Astromedizin jedem Tierkreiszeichen bestimmte Organe des Körpers zu. Diese Zuordnung erfolgt, wenn
ein Organ das gleiche Urprinzip vertritt, für das auch das betreffen-
de Tierkreiszeichen steht. Ein besonders einleuchtende Analogie-
reihe ist z. B. „Löwe – Sonne – Herz". Ein Löwe-Geborener wird in
seinem persönlichen Umfeld gern – wie die Sonne im Planetensy-
stem – eine zentrale Stellung einnehmen – dies aber durchaus in
einer positiven und für andere Menschen „erwärmenden" Weise.
Seine Natur ist Aus sich heraus strahlende „Lebens- und Gefühls-
Kraft." Der Löwe ist auch bekannt für seine „Herzlichkeit". Das
Herz nimmt im menschlichen Körper eine ähnlich zentrale, lebens-
spendende Stellung ein wie die Sonne für die sie umgebenden
Planeten. Um die Analogie noch etwas weiterzuführen, wird der
Löwe am Herzen zugleich seinen „wunden Punkt" haben. Er wird
anfälliger für Herzkrankheiten sein als andere Menschen, sofern er
– in negativer Übersteigerung seines Wesens – ein von Gefühlen
„überquellender" Choleriker mit Bluthochdruck und Herzinfarkt-
neigung ist. Bei Skorpionen gilt ähnliches für die Genitalien, bei
Zwillingen für die Lunge usw. Wer dies noch ein wenig besser
verstehen möchte, der kaufe sich Bücher über die geistige und
spirituelle Bedeutung der Körperorgane und der Krankheitsbilder.

Hier in übersichtlicher Form die Zuordnung der Organe zu den
Tierkreiszeichen:

### ♈ **Widder**
Kopf

### ♉ **Stier**
Bronchien
Gaumen
Hals
Hals- und Nackenmuskel
Halswirbel
Kehlkopf
Mandeln
Nacken
Ohrspeicheldrüsen
Rachen

Schilddrüse
Schilddrüsenvenen
Schlund
Schlund-Kehlkopf
Stimmbänder
Zäpfchen

### ♊ **Zwillinge**
Arme
Armvenen
Brustkapillaren
Brust
Brustganglien des Sympathikus
Hände

Handmuskeln
Handskelett
Luftröhre
Lungenarterie
Lungenspitzen
Lungenvenen
Ober und Unterarmknochen
Pulsarterien
Rippen, obere 1–4
Rückenwirbel
Schlüsselbein
Schulter
Schulterblatt
Thymusdrüse
Thymusvenen

### ♋ *Krebs*

Bauchspeicheldrüse
Brustbein
Brustfell
Brustkasten
Lungenflügel, untere
Magen
Rippen, mittlere
Schleimhäute
Schwertfortsatz
Speiseröhre
Sympathikus-System
Verdauungsapparat
Zwerchfellarterie
Zwerchfellmuskulatur
Zwischenrippen

### ♌ *Löwe*

Aorta
Arterien
Herz
Muskeln
Rücken
Rückenmark
Rückenmark, Nervenver-

ästelung, Blutgefäße
Rückenmuskulatur
Rückenwirbel 5–9
Spinalnerven
Venen
Wirbelsäule

### ♍ *Jungfrau*

Bauch
Bauchfell
Bauchmuskeln
Bauchspeicheldrüse
Eingeweide
Gerkösganglien des Sympathikus
Leber
Magenpförtner
Milz
Nabel
Sonnengeflecht
Sympathisches Nervengeflecht
Zwölffingerdarm

### ♎ *Waage*

Blase
Blutgefäßnerven
Galle
Lenden
Lendenwirbel und Muskulatur
Nervensystem vasomotorisch
Nieren
Nierengeflecht

### ♏ *Skorpion*

After und Darm
Beckenring
Blase
Blasenschließmuskel
Klitoris
Eierstock
Eingeweidegeflecht
Gallenblase

Gebärmutter
Genitalorgane
Grinndarm und Mastdarm
Harnleiter
Harnorgane
Harnröhre
Hoden
Hüftschlagader, innere
Leisten
Nierenbecken
Ovarien
Prostata
Samenleiter
Schambeinfuge

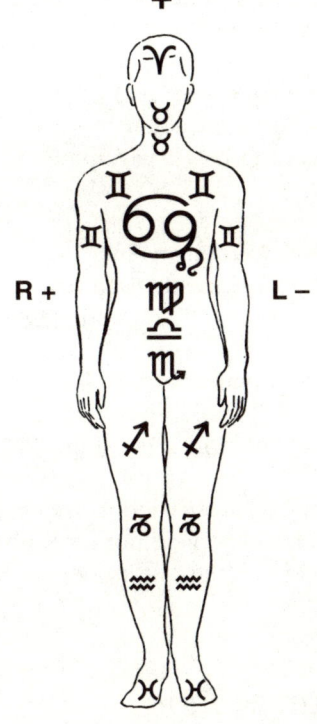

*Zuordnung der Tierkreiszeichen zu den Körperregionen*

Schamgegend
Sitzbein

### ♐ *Schütze*

Gesäß-Muskulatur
Gesäß-Schlagadern
Hüften
Hüftoberschenkel, äußere
Ischiasnerv
Kreuz
Oberschenkelknochen und deren Muskulatur
Schenkel

### ♑ *Steinbock*

Bänder und Gelenke
Haut
Knie
Kniegelenksadern
Kniekehlen
Kniescheiben
Muskeln insgesamt

### ♒ *Wassermann*

Achillessehne
Knöchel
Schienbein
Unterschenkel
Wadenbein
Wadenschlagader

### ♓ *Fische*

Bindegewebe, synoviale
Fuß-Skelett
Füße
Fußnerven
Lunge
Lymphsystem insgesamt
Fußsohlen
Zehen
Zehenmuskulatur

Neben einer Fülle von Detailwissen, das in der oben stehenden Tabelle zum Nachschlagen vermittelt wurde, müssen beim Heilen mit dem Mond ein paar relativ einfache Grundregeln erlernt werden: Es geht, um es kurz zu sagen, darum, dem richtigen Organ das richtige Medikament zum richtigen Zeitpunkt zuzuführen.

> *Regel 1*: Medikamente, Kräuter und deren Verarbeitungen (z. B. Salben, Bachblüten, homöopathisch Mittel, Metalle, Farben, Düfte) wirken dann besonders gut auf ein bestimmte Körperregion oder ein Organ, wenn sich der Mond jeweils in dem Zeichen befindet, das diesem Organ zugeordnet ist. Eine Heilung nach diesem Prinzip wird *positive, sympathische Behandlung"* genannt.

*Ein Anwendungsbeispiel*: Sie haben Kopfschmerzen. Das dem Kopf zugeordnete Zeichen ist Widder. Günstigster Zeitpunkt für die Behandlung von Kopfschmerzen sind also die Widdertage (vergl. Mondkalender, S. 195ff).

> *Regel 2*: Wird ein Organ an einem ihm zugeordneten Tag überlastet, überhitzt oder unterkühlt, so kann es zu gesundheitlichen Problemen kommen.

*Beispiel:* Der Magen gilt als Krebs-Organ. Werden an einem Tag, an dem der Mond im Zeichen Krebs steht, zu heiße Speisen (eventuell noch ergänzt durch zu kalte Getränke) zugeführt, sind Magenprobleme zu erwarten.

An Zwillings-Tagen können giftige Chemiedämpfe besonders gefährlich für die Lungen werden.

Nasse Kleider, Wind oder Zugluft können an Löwe-Tage Rückenschmerzen verursachen, usw.

*Wichtig*: Dies gilt nicht nur für die im jeweiligen Tierkreiszeichen Geborenen (also in den drei letzten Beispielen nicht nur für Krebs, Zwillinge und Löwe), sondern für alle Menschen, sofern der Mond in dem entsprechenden Zeichen steht.

## *Besondere Heilungs-Tage*

Die folgende Beschreibung nennt – ohne Anspruch auf Vollständigkeit – einige für Heilungszwecke herausragender Abschnitte des siderischen Mondumlaufs. Wer sich, wo immer es möglich ist, an die genannten Zeitvorgaben hält, wird mit hoher Wahrscheinlichkeit erstaunliche Wirkungen bei der Behandlung von Krankheiten erzielen bzw. Fehlbehandlungen und Mißerfolge vermeiden können.

### 2. Tag Widder

Ein Glückstag, um Kranke zu behandeln und zu pflegen. Alles, was im eigentlichen Wortsinn „Be-hand-lung" ist (Streicheln, Massieren, Handauflegen), entfaltet jetzt seine Wirkung. Außerdem Wärmebehandlungen und Bestrahlungen. (Bedenke, daß Widder ein „Feuer"- und „Wärme"-Zeichen ist.)

### 2. Tag Stier

Meditative Entspannung ist jetzt die beste Gesundheitspflege. Zieh Dich hinter Deine „Abgrenzungen" zurück und laß die Seele baumeln.

### 1. Tag Zwillinge

Ein guter Tag, um mit der Behandlung von Süchtigen zu beginnen, sich Abhängigkeiten abzugewöhnen oder etwas dagegen zu unternehmen. Keine wie auch immer geartete Behandlung mit den Händen vornehmen. Krankheiten, die an diesem Tag beginnen, heilen nur langsam.

### 2. Tag Zwillinge

Begonnene oder verstärkte Bemühungen um Heilung haben jetzt gute Aussicht auf Erfolg.

### 3. Tag Krebs

Meide an diesem Tag die Einnahme von starken Medikamenten und speziell von Drogen. Es besteht jetzt besondere Gefahr, von Medikamenten süchtig zu werden und durch Drogen einen Zusammenbruch zu erleiden.

### 1. Tag Löwe

Negativ für Frauen. Ihre Gesundheit ist durch Ansteckung gefährdet.

### 2. Tag Jungfrau

Hier sprechen alle Behandlungen an, wenn der Krankheitsverlauf bisher stagnierend war. Jungfrau-Tage sind „Wurzel-Tage". Hier kann man die Ursachen der Krankheit an der Wurzel bekämpfen. Sei es direkt, z. B. bei Warzen, die man mit entsprechenden Methoden speziell bei abnehmendem Mond verschwinden lassen kann; sei es indirekt bei Krankheiten wie Kopfschmerzen, Fieber oder Magenbeschwerden. Mittel gegen Blähungen bei Fäulnis im Verdauungsbereich müssen ohne Rücksicht auf zu- oder abnehmenden Mond eingenommen werden. Vermeide jedoch bei der Behandlung von Beschwerden mit Ursachen im Magenbereich die Mond- und Sonnen- sowie Saturn- und Marsstunden. Die Ausnahme bilden akute Magen- und Darm- oder Blinddarmdurchbrüche, bei denen man natürlich bezüglich des „richtigen Zeitpunkts" nicht wählerisch sein darf.

### 1. Tag Skorpion

An Skorpiontagen nie die Zähne ziehen lassen!

### 2. Tag Schütze

An diesem Tag verfügt der Körper über gute Resonanz gegenüber kosmischen Einflüssen. Bestens geeignet, um Eingriffe in den Körper vorzunehmen. Die Heilungschancen sind in jedem Fall gut.

### 1. Tag Steinbock

Sehr geeignet für die Heilung aller Krankheiten. Dies gilt sowohl für allopathische als auch für homöopathische Arzneimittel. Oral (über den Mund) eingenommene Medizin wirkt am besten im 1. Viertel des synodischen Mondumlaufs; als Einreibung oder Pflaster wirkt sie besser im 2. Viertel.

### 2. Tag Steinbock

Ein Krafttag. Ausgezeichneter Einfluß auf die Wirksamkeit von Medizin und Heilbehandlungen. Auch Mental- oder Gebetsheilungen werden an diesem Tag erfolgreich sein.

### 1. Tag Wassermann

Der Wassermann begünstigt Fortschritt und Neuerungen. Für Ärzte ist es der Tag, an dem sich alles lösen läßt – auch der „Gordische Knoten" verwickelter Probleme. Den zur Heilung Berufenen strömt jetzt kosmische Inspiration zu. Wer an diesem Tag zu einer Merkurstunde meditiert, wird zur Erkenntnis kommen. Diät-Heilmethoden sollte man im Wassermann beginnen. Krankheiten, die an einem solchen Tag erst ausgebrochen sind, können allerdings zu Komplikationen führen. Schwangere sollten besonders auf sich achten und Körperkontakt vermeiden. Kokosnuß (und Produkte aus Kokosnuß) treibt die Frucht ab. In der Schwangerschaft also unbedingt meiden!

### 1. Tag Fische

Ein guter Tag, um für Kranke zu beten, Walfahrten für die Gesundheit zu machen, Pyramiden aufzustellen, in Pyramiden oder an Kraftorten heilende Gedanken zu pflegen und Gruppengebete durchzuführen. Rituelle Meditationen und Gebete für die Gesundheit der Menschen oder der Erde sind jetzt begünstigt. Wenn Du Krankenbesuche abstattest, nimm Dir an diesem Tag Zeit für Deine hilfsbedürftigen Angehörigen.

### 2. Tag Fische

Ein negativer Tag für Kranke. Jetzt keine Risiko-Behandlungen oder Geist-, Mental- und Fern-Behandlungen durchführen. Auch Massagen, Akupressur oder Handauflegen sollten unterbleiben.

## Kleines Symptom-ABC der Mondheilung

Für den Leser sind Informationen über Krankheiten und ihre Heilung am nützlichsten, wenn er weiß, welche Maßnahmen er für sein spezifisches Beschwerdebild ergreifen sollte – und zu welchem Zeitpunkt dies besonders günstig ist. Hier also, zum Nachschlagen, einige häufige Krankheitssymptome und Alltagsbeschwerden und die Möglichkeiten ihrer Heilung im Einklang mit dem Rhythmus des Mondes. Die Gesundheitsratschläge beziehen sich entweder auf den synodischen Mondzyklus mit seinen charakteristischen Mondphasen und Häusern (Siehe S. 39ff) oder auf den siderischen Zyklus und seinen den Tierkreiszeichen zugeordneten Tagen (Siehe S. 48ff). Beide Systeme können sich auch vermischen und einander ergänzen, indem man z. B. eine bestimmte Mondphase mit einem bestimmten Tierkreisaufenthalt kombiniert, um dadurch die Heilungswirkung zu potenzieren.

### Alter (Spuren des Älterwerdens)

Eine Verjüngung Deines Aussehens erreichst Du, indem Du einen Usovit (Kristall) bei Dir trägst. Du solltest im 2. Viertel des zunehmenden Mondes, am besten im 12. oder 13. Haus, mit Deinem Körper in Kontakt bringen.

### Asthma

Beginne im 3. Viertel des Mondumlaufs täglich einen Eßlöffel voll Meerrettichwein einzunehmen. Setze dies bis zum 28. Mondhaus fort. Wenn der Kippmoment gekommen ist und der Mond wieder zunimmt, besorge Dir einen Bernstein und einen Rutilquarz in der Größe von jeweils mindestens 1 cm. Binde diese Steine in ein grünes Leinensäckchen (sofern sie nicht bereits an einer Kette befestigt sind) und trage sie mit einer Lederschnur um den Hals. Ab dem 7. Haus, also 7 Tage nach Neumond, trage diese Beiden Steine mindestens ein Jahr lang. Du wirst jedoch schon früher die wunderbare Heilwirkung dieser Kur bemerken. Den Meerrettichwein sollte man noch zwei weitere Monate, jeweils beginnend mit dem 3. Viertel, einnehmen. Dieses Kombinationsmittel hilft auch bei Heuschnupfen gut.

Auch Teebaumöl in etwas Honig, eingenommen bei abnehmendem Mond, hilft gut.

### Augen

Storchenschnabelkraut roh gepflückt, je drei Pflanzen in der Mitte des Genicks und je drei Stück links und rechts hinter den Ohren aufgelegt, führt dazu daß man besser sehen oder auch besser hören kann. Tue dies bei abnehmendem Mond, wenn der Mond im 22. Haus steht.

### Durst

Gegen den Durst verwende einen Bergkristall, der bei abnehmendem Mond in das Wasser gelegt wurde. Du kannst ihn im Mund behalten, ohne daß Du Durst bekommst.

### Gedächtnisschwäche

Zerstoße getrocknete Petersilienwurzel zu Pulver und gib dieses in Wein. Nimm bei zunehmendem Mond im 1. Viertel, in einer Merkurstunde ein Gläschen voll (10 cl) ein.

### Gewohnheiten (negative)

Schlechte Gewohnheiten fesseln uns – nicht mit dünnen, leicht zerreißbaren „Spinnweben", sondern mit „Eisenklammern", die wir aus eigener Kraft kaum abschütteln können. Um sich solche Gewohnheiten abzugewöhnen, ist der Neumond – insbesondere im Monat März – am günstigsten. Beide – März und Neumond – stehen für Neuanfang und die Überwindung des Althergebrachten.

### Hautunreinheiten

Wasche die betroffenen Stellen bei abnehmendem Mond im 3. Viertel des Mondumlaufs mit Silberdistel-Absud. Bestreiche die Haut außerdem so oft wie möglich mit frischen Erdbeeren. Bestens eignet sich für Hautentzündungen auch Teebaumöl. Allgemein sollten Hautkrankheiten bei abnehmendem Mond sowie Mond geht unter sich (Zwillinge bis Skorpion) behandelt werden.

### Impfungen

Diese sollten drei Tage vor Vollmond und einen Tag nach Vollmond vermieden werden. Geimpfte haben sonst mit Spätfolgen zu rechnen. Um Impfschäden zu vermeiden, sollte man drei Tage vorher und einen Tag bis spätestens drei Tage danach Thuja D 4 in Globuli- oder Tropfenform zu sich nehmen. Am günstigsten wären Impfungen bei abnehmendem Mond im 4. Viertel.

### Jähzorn

Bei abnehmendem Mond im 22. Haus zerreibe getrocknete Rosenblätter und ein wenig Salbei und schnupfe das daraus gewonnene Pulver in die Nase ein. Jähzornigen Menschen, besonders auch Kindern, kannst Du diese Mischung unter die Nase reiben, und ihr Zorn wird verfliegen.

### Kropf

Nimm im 22. Haus bei abnehmendem Mond 9 Tropfen Minzöl mit Zucker, am besten Rohrzucker, und lasse ihn im Mund zergehen. Spitzwegerichblätter (die Seite, die der Sonne zugekehrt war) solltest Du zerpressen und auf den Hals legen. Sodann lege sie auf Hals und binde sie mit einem grünen Tuch fest. Der Kropf wird abnehmenden, wenn Du dies bis zum 28 Mondhaus wiederholt durchführst.

### Nägel

Bei abnehmendem Mond sollten Nägel geschnitten oder hartnäckige Fuß- und Nagelpilze behandelt werden. Meide dabei aber Tage, an denen der Mond in den Fischen steht. Fische sind dagegen das beste Zeichen für Fußbäder. Fußmassagen zur Entspannung sollte man bei abnehmendem Mond durchführen.

### Nervenschmerzen

Nimm einen Jadestein oder einen Jadering bei abnehmendem Mond im letzten Viertel. Wenn der Mond im 28. Haus steht und der Ring an der linken Hand getragen wird (bzw. der Stein in die linke Hand genommen wird), ist die Wirkung optimal.

### Rauchen (abgewöhnen)

Am besten bei abnehmendem Mond im Zeichen Zwillinge, Löwe oder Jungfrau. Hier ein bewährtes Rezept gegen Nikotinsucht:

In einen Liter 90prozentigen Alkohol gibt man drei Handvoll gewöhnliche Haferkerne, läßt diese 14 Tage ziehen, gießt die Flüssigkeit anschließend ab und gibt davon morgens und abends 20 Tropfen in ein Glas oder auf die Zunge. Dieser Auszug ist ein vortreffliches Nervenberuhigungsmittel. Bitte nie mit einem Metallöffel einnehmen. Der Erfolg zeigt sich spätestens nach drei Monaten.

Das Anti-Zigaretten-Mittel sollte im ersten Viertel, am besten im 7. und 8. Mondhaus, angesetzt werden – wenn irgend möglich an einem Mittwoch im Schützen. Beginne die Einnahme bei Neumond, im 28. Haus oder bei abnehmendem Mond im dritten Viertel, am besten im 17. Mondhaus.

### Schuppenflechte (Psoriasis)

Stärke zuerst Deine Nieren, indem Du homöopathische Mittel zu Dir nimmst. Solidago D3 scheidet die Gifte aus. Um die Abwehr zu stärken, sollte man einen Eßlöffel Kirschschnaps, mit Salz gesättigt, in eine Trägerflüssigkeit (Tee oder warmes Wasser) geben. (In einen Viertelliter Schnaps gib einen gehäuften Eßlöffel Salz.) Damit sollte im 1. Viertel des Mondumlaufs begonnen und bis zum 4. Viertel fortgefahren werden. Vom 20. bis zum 28. Mondhaus sollte das Salz-Kirschwasser dann äußerlich angewendet werden, indem Du überall dort, wo die Flechten sind, feuchte Umschläge mit dieser Flüssigkeit auflegst. Auch wenn die Flechten bald nicht mehr zu sehen sind, sollte man diese Kur über drei Mondphase durchhalten. Achte bei Beginn der Kur auf negative Einflüsse. Verschiebe sonst die Kur auf den nächsten Monat.

### Schwäche (Kraftlosigkeit, auch Herzschwäche)

Folgendes Stärkungsmittel hat sich bei kranken und kraftlosen Menschen, insbesondere auch bei Herzschwäche, bewährt: Nimm 9 Eichenblätter bei zunehmendem Mond und lege sie ab dem 10. Mondhaus dem Kranken auf die Herzseite und auf die nackte Haut. Lasse die Blätter 9 Stunden darauf liegen. Sollte der Kranke oder Kraftlose eine unerklärliche Unruhe in ich spüren, sollte man mit der Behandlung aussetzen und sie später wiederholen.

### Tumore

Tumore sollten nicht operiert werden, wenn sich der Mond im ersten Viertel des synodischen Umlaufs befindet (1. bis 9. Mondhaus). Ein schlimmer Rückfall ist sonst sicher.

### Verspannung, Verstopfung

Massiere den Ort der Verspannung, Verstopfung oder Blähung im 22. Mondhaus (abnehmender Mond) neunmal rechtsdrehend und neunmal linksdrehend. Wiederhole den Vorgang dreimal und verwende bei starken Schmerzen Mandelöl zum Einreiben.

### Warzen

Um Warzen und Blutschwämme zu entfernen, meide die Krebstage. Warzen verschwinden, wenn man sie zusätzlich mit frischen Schöllkrautsaft betupft und den Saft eintrocknen läßt. Alternativ kann man Warzen mit echtem Zitronenöl betupfen und mit einem Pflaster bedecken. Hautwarzen verschwinden, wenn bei abnehmendem Mond Thuja D 4 und D 30 gemischt (dreimal täglich drei Globuli) eingenommen wird. Bei sehr großen Warzen (ab ca. 2 cm Durchmesser) kann man ein Brennglas oder einen Hohlspiegel nehmen und damit die Strahlen des Vollmonds auf die Warzen lenken. Es genügen 20 bis 30 Minuten, um bei einer einmaligen Anwendung die Warzen zum Verschwinden zu bringen.

### Zähne

Diese sollten nur bei abnehmendem Mond gezogen werden. Brükken und Kronen lasse bei abnehmendem Mond einsetzen. Kieferoperationen sind sehr ungünstig, wenn der Mond sich im Stier befindet. Beim Zähneziehen meide Skorpion, Zwillinge, Waage und Wassermann. Operiere nur bei abnehmendem Mond, *niemals* bei Vollmond!

*Herzgebet*

Gott, ich danke, daß mein Herz mir Freude macht.
Ich danke für die guten Gefühle,
für seinen kraftvollen Rhythmus.
Ich danke, daß mein Herz die Quelle reiner Liebe ist.
Ich weiß, was man sät, das wird man ernten.
Ich öffne mein Herz der vollkommenen Liebe,
den strömenden Gefühlen
und der innigen Verbundenheit mit Gott.
Ich fühle, daß meine Herzkranzgefäße sich entspannen.
Alle Verkrampfungen und Verhärtungen
lösen sich wunderbar.
Mein Herz schlägt ruhig und kräftig.
Es wird angenehm durchblutet und mit Sauerstoff versorgt.
Liebe verbannt alle Angst, jeden Zweifel,
jedes Wenn und Aber.
Es ist Liebe, die jetzt mein Herz vollkommen erfüllt.
Ich danke Dir, Gott des Lebens, für mein gesundes Herz.
Amen.

## Operationen

Für operative Eingriffe gelten eine Reihe besonderer Regeln. Es ist bedauerlich, daß die wenigsten Ärzte darüber informiert sind und sogar bei Vollmond „business as usual" betreiben. Dabei ist es beileibe keine esoterische Spielerei, wenn Statistiken beweisen, daß es bei Vollmond wegen der größeren Gravitationskräfte zu stärkeren Blutungen kommt. Nicht alle Operationen lassen sich verschieben. Bei Notfällen, z. B. bei akuten Schußverletzungen, stößt das Operieren nach den Mondrhythmen an natürliche Grenzen. Dennoch ließen sich eine Reihe von leichteren und zeitlich nicht festgelegten Eingriffen unter Beachtung der Mondregeln erfolgreicher und gefahrloser durchführen.

*Regel*: Muß eine Operation an bestimmten Organen durchgeführt werden, sollte unbedingt darauf geachtet werden, daß der Mond *nicht* in dem Zeichen verweilt, das dem zu operierenden Organ zugeordnet ist. Auch muß darauf geachtet werden, daß der Mond nicht im gegenüberliegenden Zeichen (Opposition) steht.

Ein Beispiel: Dem Tierkreiszeichen Löwe ist das Herz zugeordnet. Herzoperationen sollten demnach nicht an Löwe-Tagen durchgeführt werden. Das gegenüberliegende Zeichen, also das sechste Zeichen, das im Tierkreis auf den Löwen folgt, ist Wassermann. In beiden Zeichen sollte insbesondere ein Herzeingriff mit Gegenständen (Operationswerkzeugen) aus Metall (Stahl, Gold, Platin usw.) vermieden werden. Im Zeichen Wassermann sind dagegen alle Eingriffe begünstigt, die die Blutgefäße, Arterien und Venen reinigen. Auch Gebete (siehe „Herzgebet", Seite gegenüber) sowie Heilmittel, die feinstoffliche Schwingungen übertragen (z. B. Bachblüten, homöopathische Arzneien) wirken im Wassermannzeichen vorzüglich als Ausscheidungsmittel. Im Löwen eignen sie sich besonders zur Heilung aller diesem Zeichen zugeordneten Organe.

### Weitere Regeln in Kürze

☺ Operiere, wenn möglich, nur bei abnehmendem Mond und *niemals* bei Vollmond.

☺ Ein Tumor sollte nie operiert werden, wenn der Mond sich im ersten Viertel befindet.

☺ Eine Operation, die nicht eilig ist, sollte man nicht für das 9., 10., 19. und 20. Mondhaus ansetzen.

## Das richtige Heilmittel finden

Um das für ein bestimmtes Krankheitssymptom optimale Heilmittel zu finden, ist es wichtig, über zweierlei informiert zu sein:

1. über das dem erkrankten Organ zugeordnete Zeichen (siehe S. 99 bis 102).

2. über das Zeichen, das dem in der Arznei enthaltenen pflanzlichen Hauptbestandteil zugeordnet ist (siehe S. 113 bis 118).

Traditionell werden Pflanzen, aber auch andere Bestandteile der Natur (z. B. Metalle, Mineralien, Tiere) bestimmten Urprinzipien oder Planeten unterstellt. Die Planeten ihrerseits regieren jeweils ein oder zwei Tierkreiszeichen, so Merkur die Zeichen Zwillinge und Jungfrau, Venus den Stier und die Waage usw.

Die Astromedizin kennt zwei grundlegende „Strategien" der Heilanwendung:

1. *Sympathisch*: Ein erkranktes Organ wird mit einem Mittel geheilt, das dem gleichen Urprinzip (Planeten) unterstellt ist.

**2.** *Antipathisch:* Ein erkranktes Organ wird mit einem Mittel gereinigt, das dem antagonistischen (entgegengesetzten) Urprinzip (Planeten) unterstellt ist.

Um herauszufinden, welche Planeten sich antagonistisch gegenüberstehen, betrachte bitte nochmals die Tabelle auf S. 113 bis 118 und den Zeitqualitätskalender des siderischen Mondlaufs auf S. 49.

Sympathische Heilung wird also beispielsweise ein „Venus-Organ" mit „Venus-Kräutern" behandeln; antipathische Heilung wird das selbe Körperteil mit einer dem Planeten Mars zugeordneten Pflanze versorgen.

Um nun herauszufinden, unter welchen Umständen die Anwendung sympathischer bzw. antipathischer Mittel angebracht ist, müssen wir beachten, daß die Astromedizin zwei grundlegend verschiedene Erkrankungsformen kennt, von denen durchgehend jedes Organ oder Körpersystem betroffen sein kann. Ein Organ kann entweder geschwächt und angegriffen (zu wenig aktiv) oder aber übererregt, exaltiert (übermäßig aktiv) sein. Die Traditionelle Chinesische Medizin kennt diesen grundsätzlichen Gegensatz auch als „Chi-Mangel" und „Chi-Überschuß", wobei mit „Chi" der allen Körperfunktionen innewohnende Strom von Lebensenergie gemeint ist. Beispiele, die den Unterschied zwischen diesen beiden Erkrankungsformen deutlich machen, sind Hypotonie (zu niedriger Blutdruck) und Hypertonie (Bluthochdruck) oder Mattigkeit und nervöse Überaktivität. Daraus ergeben sich für die Behandlung folgende Grundregeln:

*Regel:*
🙂 Ist ein Organ *geschwächt*, behandle es mit *sympathischen* Mitteln (Stärkung, Anregung).
🙂 Ist ein Organ *übererregt*, exaltiert oder vergiftet, behandle es mit *antipathischen* Mitteln (Entspannung, Beruhigung, Ausscheidung).

Die folgende ausführliche Tabelle ordnet zahlreiche in der Heilkunde bekannte Kräuter und Pflanzen den entsprechenden Urprinzipien (Planeten) zu. Um die Verbindung zu den mit diesen Pflanzen behandelbaren Körperorganen herzustellen, sind auch die dem jeweiligen Planeten unterstellten Tierkreiszeichen, sowie die Antagonisten angegeben. Die Abkürzung „gem." in manchen Pflanzennamen steht für „gemein" (gewöhnlich, natürlich, unverzüchtet).

## Sonne ☉

*Urprinzip des Lebens*
*Antagonist:* Saturn, Uranus
*Zeichen:* Löwe
*Antagonistische Zeichen:* Steinbock, Wassermann

Alant
Angelika
Arnika
Augentrost
Blutwurz
Buchampfer
Diptan
Eibischwurz
Eisenkraut
Esche, Gem.
Flockenblume, Gem.
Goldblume
Granatapfel
Gundermann
Hartheu
Herbstzeitlose
Johanniskraut
Klee
Königskrone
Lavendel
Lorbeerbaum
Majoran
Mandeln
Melisse
Mistel
Myrrhe
Natterwurz, Gem.
Ölbaum
Orangenbaum
Paeonie
Palme
Pappel
Pestwurz
Pfingstrose
Raute
Ringelblume
Römische Kamille
Rosmarin
Safran
Sauerampfer
Schöllkraut, Gem.
Schwarze Flockenblume
Sonnenblume
Sonnentau
Sonnentau
Sternblume
Tausendgüldenkraut
Thymian
Wacholder, Gem.
Waldengelwurz
Walnuß, Gem.
Weinrebe
Wendel
Zitronenbaum
Zittwer

## Mond ☾

*Urprinzip des Wechselhaften*
*Antagonist:* Saturn
*Zeichen:* Krebs
*Antagonistische Zeichen:* Steinbock

Bärlauch
Bergknöterich
Brunnenkresse
Dunkelfarbige Winde
Echter Bärenklau
Fetthenne
Gänseblümchen
Goldlack
Gurke
Hundszunge
Jähriges Bingelkraut
Kalmus
Kohl

Kohlportulak
Kürbis
Labkraut
Lattich
Lilien
Linde
Mausöhrlein
Mistel
Natternzungen
Pfeilkraut
Rosa Veilchen
Salate
Salbei
Steinbrech
Storchenschnabel
Wacholder
Wasserlilie
Wasserlinse
Wasserpflanzen
Weißer Mohn
Weißweide
Wiesenschaumkraut
Wintergrün

## Mars ♂

*Urprinzip der Aggression*
*Antagonist:* Venus
*Zeichen:* Widder, Skorpion
*Antagonistische Zeichen:* Stier,
   Waage
Ackerginsel
Aloe
Aron
Attichwurz
Baldrian
Basilienkraut
Berberitze
Brennessel
Buchsbaum
Distel
Eisenhut

Färberröte
Fichte
Flachs
Flockenblume
Gefleckter Aronstab
Gelber Enzian
Gem. Sauerdorn
Gem. Weisdorn
Ginster
Gnadenkraut
Hagedorn
Hauhechel
Heildistel
Hopfen
Kapern
Kelerhals
Knoblauch
Koriander
Krapp
Kresse
Lauch
Mariendistel
Meerrettich
Meisterwurz
Mispel
Nessel
Osterlucey
Rettich
Rhabarber
Rotbeerige Zaunrübe
Sadebaum
Scharfer Hahnenfuß
Senf
Springkorn
Stechginster
Stinkender Storchenschnabel
Tabak
Tormentillwurz
Wegerich
Weißdorn
Weißer Nieswurz

Wermut
Windröschen
Zwiebel

## Merkur ☿

*Urprinzip der Kommunikation*
*Antagonist:* Jupiter, Neptun
*Zeichen:* Zwillinge, Jungfrau
*Antagonistische Zeichen:* Schütze, Fische
Akelei
Alant
Alraun
Andorn
Anis
Apostelkraut
Baldrian
Beifuß
Bingelkraut
Breitwegerich
Cubeba
Edelraute
Ehrenpreis
Endivie
Farnkraut
Feldkümmel
Fenchel
Frauenhaar
Fünffingerkraut
Gamander
Garten-Bohnenkraut
Gartendill
Gem. Fenchel
Gem. Haselnuß
Gem. Sellerie
Glaskraut
Holunder
Huflattich
Hundszunge
Kümmel
Lavendel

Lungenkraut
Maiglöckchen
Majoran
Maßliebchen
Maulbeere
Myrte
Nagelkraut
Pastinaka
Pestwurz
Petersilie
Saturney
Skabiose
Spitzwegerich
Stabwurz
Süßholz
Wacholder
Welschnuß
Wilder Thymian
Wolfsmilch
Wurmfarn
Zuckerwurzel

## Jupiter ♃

*Urprinzip des Wachstums*
*Antagonist:* Merkur
*Zeichen:* Schütze, Fische
*Antagonistische Zeichen:* Zwillinge, Jungfrau
Ahorn
Anis
Apfelbaum
Aprikose
Basilienkraut
Beinwell
Benediktinerkraut
Berberisbeere
Betonia, Gem.
Boretsch
Buchsbaum
Distel
Echter Nelkwurz

115

Edelraute
Eiche
Eichenbaum
Endivienzichorie
Erdbeere
Erdrauch
Esche
Eß-Kastanie
Färberröte
Feige, Gem.
Feigenbaum
Fingerkraut, Gem.
Frauenminze
Gartennelke
Gartensalbei
Gelber Steinklee
Haselkraut
Hauswurz
Heidelbeere
Hirschzunge
Hundszungenkraut
Jasmin
Johanniskraut
Kälberkopf
Kerbelkraut
Königskerzen
Krausminze
Leberkraut
Lebermoos
Löwenzahn
Lungenkraut
Lungenkraut
Mandel
Marmorpalme
Matrixkraut
Meerfenchel
Myrrhen
Myrsbalani
Odermenning
Olive
Quecke

Rainfarn
Rainkohl
Rhabarber
Rose
Roßkastanie
Runkelrübe
Salbei
Sauerampfer
Schwalbenkraut
Schwindflechte (Lichen Camimus)
Sorax
Spargel, Gem.
Sperberbaum
Spicanarden
Stechapfel
Süßholz
Viole
Weinstock
Weißer Mangold
Weizen
Ysop
Zitronenmelisse
Zuckerrohr

## Venus ♀

*Urprinzip der Liebe und
    Harmonie*
*Antagonist:* Mars
*Zeichen:* Stier, Waage
*Antagonistische Zeichen:* Wid-
    der, Skorpion
Amaranth
Artischocke
Bärendill
Bärwurz
Bingelkraut
Birke
Birne
Bohnen
Brombeere
Bruchkraut

Eibisch
Eibisch, Gem.
Erdbeere
Erdefeu
Erle
Feigwarzenkraut
Fetthenne
Fieberkraut
Fingerhut (Digitalis)
Flieder
Flöhkraut
Frauenhaar
Frauenmantel
Gänseblümchen
Großer Wegerich
Gundelrebe
Haseklee
Herbstzeitlose
Hollunder
Huflattich
Kamille
Kartoffel
Kastanie
Katzenminze
Kirsche
Klette, Gem.
Klettenkraut
Knabenkraut
Koriander
Kratzdistel
Kreuzkraut
Kriechender Ginsel
Labkraut, Gem.
Männertreu
Maßliebchen
Matricaria
Meerhirse
Mohn
Münze
Mutterkraut
Narzisse

Nelke
Petersilie
Pfefferminze
Pfirsich
Pflaume
Poleiminze
Prunelle, Gem.
Quendel
Reinweide
Ringelblume
Roggen
Rose
Rote Ochsenzunge
Ruhrkraut
Sandelkraut
Sauerampfer
Sauerkirsche
Schafgarbe
Schlüsselblume
Seifenwurzel
Stachelbeere
Steinklee
Stinkende Taubnessel
Storchenschnabel
Sysimbrium Silvestre
Tausendgüldenkraut
Veilchen
Veilchenwurzel
Waldkarde
Waldmeister, Gem.
Wasserlilie
Weizen
Wolfstrap

## Saturn ♄

*Urprinzip der Beschränkung*
*Antagonist:* Sonne, Mond
*Zeichen:* Steinbock, Wasser-
mann
*Antagonistische Zeichen:* Löwe,
Krebs

Alraun
Bambus
Bärlapp
Betäubender Enzian
Buche, Gem.
Deutsche Mispel
Echter Eisenhut
Efeu
Eppich
Farnkraut
Faulholz
Feldblume
Fichte
Flachs
Flockenblume
Gefleckter Schierling
Giftkraut
Goldwurz
Große Klettenwurz
Habichtskraut
Hanf
Hanf, Gem.
Hauswurz
Heckensüßchen
Hirschzunge
Hirtentäschel
Immergrün
Ital. Maiblume
Kapern
Königskerze
Kümmel
Liegender Vogelfuß
Mannstreu
Mate

Maulbeerbaum
Melden
Milzkraut
Moose
Nachtschatten
Quitte, Gem.
Raingras
Rote Eibe
Rote Rübe
Salbei
Samtblume
Schachtelhalm
Schlangenwurz
Schlehdorn
Schlehe
Schwarze Beeren
Schwarzer Nieswurz
Schwarzes Bilsenkraut
Schwarzpappel
Schwarzwurz, Gem.
Schwertlilie
Sennesblätter
Servenbaum
Stechapfel
Stechpalme
Stiefmütterchen
Streifenfarn
Tamariske
Taumellolch
Tollkirsche, Gem.
Wilder Amrath
Wolfskraut
Zypressen

Als Ergänzung sei noch etwas zu den drei äußeren Planeten Uranus, Neptun und Pluto gesagt: Uranus-Kräuter sind identisch mit den Saturn-Kräutern; Neptun werden alle Drogen-Kräuter (Tabak, Hanf, Mohn usw.) zugeordnet; über Pluto-Kräuter kann man zum augenblicklichen Zeitpunkt nur spekulieren. Der Planet wurde von der Astronomie so spät entdeckt, daß sich bezüglich der Pflanzen-Zuordnung keine Tradition herausbilden konnte.

> *Anmerkung*: Vor einer Selbstmedikation, die allein auf dem Studium der oben angeführten Tabellen und Heilungsprinzipien beruht, ist abzuraten. Wir können im Rahmen dieses Buches nur ein Grundwissen der Astro- und Mond-Medizin vermitteln. Jemand, der unter schwerwiegenden gesundheitlichen Beeinträchtigungen leidet, sollte den Rat eines in Naturmedizin, am besten in der Kräuter- und Astromedizin geschulten Arztes in Anspruch nehmen.

## Die chinesische Organuhr

Seit 1.000 Jahren wissen asiatische Ärzte um die Rhythmen unserer Körpervorgänge. Sie schufen eine Organuhr, die anzeigt, welche Organe zu bestimmte Zeiten am aktivsten sind. Das heißt z. B.: Ein Herzmittel bringt nach der Organuhr zwischen 11.00 Uhr und 13.00 Uhr die besten Erfolge. Dasselbe Prinzip kann auch bei allen anderen Organbehandlungen mit großem Nutzen angewendet werden. Zur richtigen Stunde ist das jeweilige Organ am aktivsten und nimmt das Mittel am besten auf. Zu sogenannten passiven Stunden durchläuft ein Organ eher eine Ruhephase. Dies bedeutet aber nicht, daß keinerlei Heilanwendungen sinnvoll sind. Kräutertees, Homöopathie oder Spritzen wirken in passiven Stunden am besten.

| Organ | aktiv | passiv |
|---|---|---|
| Augen | 00.00 – 01.00 Uhr | 01.00 – 03.00 Uhr |
| Leber | 01.00 – 03.00 Uhr | 03.00 – 05.00 Uhr |
| Lunge | 03.00 – 05.00 Uhr | 05.00 – 07.00 Uhr |
| Dickdarm, Bauch | 05.00 – 07.00 Uhr | 07.00 – 09.00 Uhr |
| Magen | 07.00 – 09.00 Uhr | 09.00 – 11.00 Uhr |
| Milz, Pankreas | 09.00 – 11.00 Uhr | 11.00 – 13.00 Uhr |
| Herz | 11.00 – 13.00 Uhr | 13.00 – 15.00 Uhr |
| Dünndarm | 13.00 – 15.00 Uhr | 15.00 – 17.00 Uhr |
| Blase | 15.00 – 17.00 Uhr | 17.00 – 19.00 Uhr |
| Nieren | 17.00 – 19.00 Uhr | 19.00 – 21.00 Uhr |
| Kreislauf | 19.00 – 21.00 Uhr | 21.00 – 23.00 Uhr |
| Dreifacherwärmer | 21.00 – 23.00 Uhr | 23.00 – 01.00 Uhr |
| Gallenblase | 23.00 – 00.00 Uhr | 00.00 – 02.00 Uhr |

Darüber hinaus kann man den Tageszeiten bestimmte psychische und körperliche Grundstimmungen zuordnen. Wer mit dem „Biorhythmus" mitschwingt, statt – wie es im Alltag so oft geschieht – gegen ihn zu arbeiten, kann sein Wohlbefinden erheblich verbessern.

| | |
|---|---|
| 00.00 – 03.00 | Fiebersenkung |
| 03.00 – 04.00 | Geburten, auch Sterbefälle |
| 06.00 | Bettnässen |
| 08.00 – 09.00 | Meditationszeit, Bewußtsein ist sehr hoch, gesteigerter Intellekt |
| 11.00 | Ideen fließen |
| 11.00 – 12.00 | kontaktfreudig, aktiv, tolerant |
| 13.00 – 15.00 | konzentratives Tief |
| 15.00 – 17.00 | Leistung steigt |
| 17.00 | Fieber |
| 19.00 | Entspannung |
| 22.00 | beste Zeit zum Loslassen. |

## Kräuter sammeln mit dem Mond

Wer mit Hilfe eines erfahrenen Arztes das richtige Heilmittel für sein Beschwerdebild gefunden hat, kann versuchen, durch gezieltes Sammeln von Kräutern zum optimalen Mond-Zeitpunkt die Heilwirkung der betreffenden Pflanze um ein Vielfaches zu verstärken. Gute botanische Kenntnisse (auch bezüglich der Wachstums- und Blüteperioden der betreffenden Pflanzen) sind allerdings die Voraussetzung für einen Erfolg. Der aufmerksame Leser wird bemerken, daß auch hier wieder die bekannten Analogien (z. B. Herz – Löwe) eine Rolle spielen.

| | |
|---|---|
| *Widder* | Sammle Kräuter für Kopfschmerzen und Augenleiden |
| *Stier* | Halsschmerzen und Ohrenleiden |
| *Zwillinge* | Verspannung im Schulterbereich, zum Inhalieren bei Lungenleiden |
| *Krebs* | Bronchitis, Magen-, Leber-, Gallenbeschwerden, allgemeine Lungenleiden |
| *Löwe* | Herz- und Kreislaufbeschwerden |
| *Jungfrau* | Bauchspeicheldrüsen, Nervenleiden im Verdauungstrakt |

| Waage | Nieren-, Blasenkrankheiten, Hüftbeschwer-den |
| Skorpion | Geschlechtsorgane und ableitende Organe |
| Schütze | Venenleiden |
| Steinbock | Hautkrankheiten, Gelenksbeschwerden, Knochenleiden |
| Wassermann | Krampfadern, Venen |
| Fisch | Fußbeschwerden |

*Kräuterkissen* fülle bei abnehmendem Mond an Lufttagen (Zwillinge, Waage, Wassermann). Verwende dazu Kräuter, die bei zunehmendem Mond gesammelt wurden.

### Der richtige Zeitpunkt der Einnahme

Auch für die Einnahme von Heilmitteln haben sich eine Reihe günstiger und ungünstiger Mondaufenthalte herauskristallisiert: Die Einhaltung dieser einfachen Regeln (sofern es vom medizinischen Standpunkt aus vertretbar ist, mit der Einnahme von Medikamenten gegebenenfalls ein paar Tag abzuwarten) kann den Heilungserfolg beträchtlich steigern.

☺ *Medizin* sollte nicht eingenommen werden, wenn der Mond sich in einem fixen Zeichen (Stier, Löwe, Skorpion, Wassermann) oder in den Zeichen Widder und Steinbock aufhält. Bestens dazu geeignet sind dagegen die Zeichen Krebs und Fische.

☺ *Abführmittel* nach Möglichkeit bei unter sich gehendem Mondknoten ☊ einnehmen.

☺ *Brechmittel* bei über sich gehendem Mondknoten ☋ einnehmen.

☺ *Blutreinigungen* bei abnehmendem Mond, im ersten Viertel durchführen. Verwende dazu die Zeit zwischen 15 und 19 Uhr. Den dazu notwendigen Tee sammle bei abnehmendem Mond, am besten in einem Erdzeichen (Jungfrau, Stier, Steinbock).

# Kapitel 6

# Privatleben

## Erotik und Empfängnis

Der besondere Einfluß, den der Mondzyklus auf Sexualität und die Zeugung neuen Lebens hat, liegt auf der Hand. Der Menstruationszyklus der Frau umfaßt 29,5 Tage: Dies entspricht genau dem synodischen Mondzyklus. Eine normal lange Schwangerschaft dauert bei Menschen genau 9 Mond-Monate, also 29,5 x 9 = 265,5 Tage. Rechnet man also vom Tag der Geburt 265,5 Tage zurück, kann man genau den Tag seiner Zeugung und die zu diesem Zeitpunkt wirksamen Mond- und Planeten-Einflüsse berechnen.

Ungewollte Kinderlosigkeit ist ein Phänomen, von dem mittlerweile etwa 16 Prozent der Bevölkerung betroffen sind. Gründe könne bei beiden Partnern sowohl körperlicher als auch seelischer Natur sein. Alkohol, Nikotin, aber auch Dauerbelastungen und Überforderung können die Fortpflanzungsfähigkeit vorübergehend, aber auch dauerhaft schädigen.

Besonders bei Männern ist vielfach berufsbedingter Streß maßgeblich. Bei Frauen kann es zu Unfruchtbarkeit kommen, wenn die Seele „nein" zur Empfängnis sagt. Hier wäre es wichtig, zu lernen, loszulassen, die Dinge, wie sie eben sind, geschehenzulassen. Eine Hauptursache für ungewollte Kinderlosigkeit ist aber auch mangelnde Aufklärung über den optimalen Empfängniszeitpunkt nach dem Mondkalender.

*Regel*: Die mit Abstand besten Chancen für eine Empfängnis besteht, wenn die Mondphase dieselbe ist wie bei der eigenen Geburt. Auch das Sexualverlangen steigert sich enorm, wenn der Mond in Deinem Geburtszeichen steht.

Die genauen Zeiten für eine wahrscheinliche Empfängnis sind Monat für Monat aus den Geburtsdaten der Eltern zu errechnen. Auch das Geschlecht des Kindes kann man mit 94prozentigem Erfolg vorausplanen.

Darüber hinaus gibt es allgemeine, für alle Menschen gültige Regeln, die eine Empfängnis begünstigen.

☺ Zeuge Kinder bei zunehmendem Mond und, falls möglich, in den Zwillingen. In einer Marsstunde werden Körper und Geist befruchtet. Sie eignet sich auch für eine Befruchtung von Lebewesen. Sehr gut für eine Empfängnis ist der Mondaufenthalt im 3. Haus, vormittags um 11 Uhr.

☺ Soll die Zeugung kein mühevolles „Pflichtprogramm" werden, so ist eine ausreichende sexuelle Aktivität und Empfindungsfähigkeit der künftigen Eltern die Voraussetzung. Auch hilft die Kenntnis der in verschiedenen Phasen unterschiedlich wirksamen Mondenergien: Der zunehmende Mond bringt wachsende Vitalkraft und steigendes Verlangen nach sexueller Vereinigung mit sich.

☺ Wurden erotische Freundschaften bei zunehmendem Mond begonnen, speziell ab dem 11. Mondaufenthalt, bleiben sie meist beständig. Im 2. Viertel steigert sich das Verlangen noch weiter. Besonders im 12. und 13. Mondaufenthalt ist die Bereitschaft groß, Erotik zuzulassen, Sinnlichkeit und sexuelle Wünsche zu akzeptieren, sich tiefer einzulassen und aus der Leidenschaft in Form von Ehe eine segensreiche Gemeinschaft zu machen. An diesen Tagen geschlossene Bündnisse stehen in Harmonie mit der Natur und bleiben von Dauer. Sie eignen sich bestens, um einen Ehevertrag aufzusetzen und die Ehe zu besiegeln. Im 14. Mondaufenthalt sind die Frauen besonders empfängnisbereit und voller Verlangen, das auch eine Sehnsucht der Seele ist.

☺ Bei Vollmond ist im Zwischenhirn mehr Prolaktin angereichert. Dies steigert das sexuelle Begehren noch einmal. Bekannt ist, daß bei Vollmond der Umsatz im Rotlicht-Milieu steigt. Dauernde Unterdrückung und dogmatische Tabuisierung von sexuellen Trieben führt in Vollmondnächten zu gewaltsamen Ausbrüchen. Auch Liebeszauber führe bei Vollmond durch, sei es ein Gebet, um einen Partner für sich zu gewinnen, oder darum, daß eine Ehe Bestand hat. Achte darauf, daß der Vollmond Dir bei diesen Gebeten über die rechte Schulter scheint, denn über die linke Schulter scheinend wirkt er sich negativ aus. Winke dabei dreimal mit der rechten Hand dem Mond zu und sprich Dein Ritual oder Deine magischen Worte. Hier ein wirksames Liebes-Gebet:

> Herr und Schöpfer,
> Ich bitte Dich, setze meine Wunschkraft gut ein.
> Liebe, innige Liebe suche ich.
> Bringe mir einen schönen Liebsten/eine schöne Liebste,
> der/die Zärtlichkeit, Mut und Leidenschaft besitzt,
> der lieblich, gesund und guten Willens ist.
> Liebe, die dauernd währt, durch Frühling,
> Sommer, Herbst und Winter. Jahr für Jahr.
> Schütze unsere Liebe. Bringe mir erfüllende Liebe.
> Das ist mein Wille, im Namen Jesu Cristi (des Lebens).
> Amen. Danke.

☺ Bezieht man den siderischen Mondzyklus mit ein, so eignen sich für sexuelle Aktivitäten am besten Venusstunden an Widdertagen. Auch Stier-, Löwe-, Waage-, Skorpion- und Schütze- tage sind geeignet.

☺ Neumond ist die Zeit, in der doppelt so viele Frauen ihre Peri- ode haben als an anderen Tagen. Kinder, die bei Neumond geboren werden, sind schwächer, anfälliger und kränklicher, möglicherweise auch nicht überragend anpassungsfähig. Wer- den Kinder zwischen dem 20. und 28. Mondhaus geboren, so sind sie für Krankheiten besonders anfällig.

### Geburt

Die meisten normalen Geburten beginnen nachts und häufen sich ungefähr um 3 Uhr morgens. Bei Vollmond nimmt die Zahl der Geburten sichtlich zu. Vorsicht bei Geburten nach 13 Uhr. Sie ver- laufen erfahrungsgemäß schwieriger.

### Taufe

Vollziehe keine Taufe bei abnehmendem Mond im 15., 19., 20. und 28. Haus.

## Fruchtbarkeitsrezepte

☺ eine einfache Methoden, um die Fruchtbarkeit der Frau zu stei- gern, wäre z. B. das Baden im *Moor*. Moorbäder enthalten das Vehikelhormon, ein Fruchtbarkeitshormon, und steigern die Bereitschaft zum Geschlechtsverkehr sowie zur Empfängnis.

☺ *Karotten* machen fruchtbar und zur Liebe bereit. Kaninchen fressen mit großem Appetit Karotten und vermehren sich rapide. Dieses Kaninchenrezept ist auch ein „Zaubermittel" für müde und scheinbar unfruchtbare Paare. Beginne diese Karottenkur bei zunehmendem Mond im 2. Viertel, am besten im 11. Haus. Halte dann durch, solange Du Lust und Freude daran hast.

☺ Die Fruchtbarkeit wird gefördert, wenn man im Frühjahr 9 braune Knöplein vom *Erlenbaum* pflückt, sie zu Pulver zerstößt und dieses bei zunehmendem Mond, wenn der Mond im 8. Haus steht, einnimmt.

☺ Den Samen der *Ackerklette* zu Pulver zerreiben, davon 4 Gramm mit warmem Wein trinken.

☺ *Kümmel* in ein Säckchen geben, in Wein kochen und warm auf die Scheide legen.

☺ einige Tropfen *Lavendelöl* täglich in gutem Wein trinken.

☺ *Baldriankraut* und Wurzeln mit Wein kochen und damit Sitzbäder machen, so daß die Scheide mit der Flüssigkeit in Berührung kommt.

☺ Sehr zu empfehlen – sowohl für die Frau als auch für den Mann – ist das Trinken von *Storchenschnabelkraut*. Es wird bei vielen Naturvölkern zur Förderung der Fruchtbarkeit mit Erfolg angewendet.

☺ *Meiden Sie alle Dillgerichte*, Dillsamen, Dilltee oder Dillsaucen. Dieses Kraut tötet die Bereitschaft zur Liebe und unterbindet vielfach eine Empfängnisbereitschaft.

Mit allen diesen Kuren sollte am besten gleich nach der Periode begonnen werden. Wer Ausdauer hat, wird hier gewinnen.

## *Freundschaft, Liebe und Ehe*

Hier wird – ohne Anspruch auf Vollständigkeit – der Einfluß bestimmter Mondaufenthalte auf das Liebes- und Eheglück beschrieben. Wegen ihrer Wesensverwandtschaft mit der Liebe soll auch die Freundschaft hier miteinbezogen werden.

| | |
|---|---|
| *1. Tag Widder* | Liebe kann gefestigt werden. Schreibe Briefe, besprich Liebeskassetten oder teile Deine Liebe über Telefon oder sonstige Kontaktmöglichkeiten mit. |
| *3. Tag Widder* | Tue alles, was die Liebe fördert. Beginne Intimkontakte zu einer Venusstunde. |

| | |
|---|---|
| *1. Tag Stier* | Festige Freundschaften |
| *2. Tag Zwillinge* | Gut für Verliebte und Freundschaften |
| *3. Tag Zwillinge* | Negativ für Liebesheiraten |
| *1. Tag Krebs* | Bestens für Kinder und Familie |
| *2. Tag Krebs* | Sehr negativ für die Liebe |
| *3. Tag Krebs* | Sehr günstig für alle Liebesangelegenheiten |
| *2. Tag Löwe* | Ein sinnlicher Tag. Er fördert die Wollust und Verliebtheit. Der Beginn von Intimkontakten sollte hier ebenfalls auf eine Venusstunde verlegt werden. Negativ bestrahlt sind alle Übertreibungen, besonders wenn dies in einer Mars- oder Saturnstunde geschieht |
| *2. Tag Skorpion* | Sehr ungünstig für Kinder und Freundschaften |
| *1. Tag Schütze* | Begünstigt die Liebe |
| *2. Tag Schütze* | Begünstigt Trennung und Scheidung. Negativ für sexuelle Ausschreitungen |
| *1. Tag Steinbock* | Negativ für das Eheleben. Vorsicht vor Streit! |
| *2. Tag Steinbock* | Gut für Männer. Er begünstigt Bekanntschaften. Gefahr droht jedoch für Kinder. Negativ für Bindungen aller Art. |
| *3. Tag Steinbock* | Gut, um zu heiraten oder Freundschaft zu schließen |
| *1. Tag Wassermann* | Hier winkt Erfolg in der Liebe. Gut, um sich zu verloben. Im Wassermannbeginne Dinge, die von Dauer sein sollen. Einer der besten Mondaufenthalte, um Impotenz zu beheben. Negativ jedoch für das Geschäft im Rotlicht-Milieu. |
| *2. Tag Wassermann* | Günstig für alle Ehe- und Liebesvorhaben. Sie sind von Dauer. |
| *1. Tag Fische* | Heiraten bringt Glück. Frauen sollten dabei weiße Kleider tragen. Scheidungen bringen an diesem Tag Unglück. |
| *2. Tag Fische* | Aufrichtige Liebe bringt Glück, Innigkeit und Freuden in der Ehe. |

**Weitere Mondregeln:**

☺ Für *Partnersuche* ist der Mond im Schützen geeignet.

☺ *Verlobungen* sind begünstigt, wenn der Mond in den Zeichen Stier, Waage, Schütze oder Fische steht.

☺ *Heiraten* sollte man am besten bei zunehmendem Mond und über sich gehendem Mond, wenn möglich in einem der folgenden Zeichen: Stier, Waage, Schütze, Fische. Ungünstig sind dagegen abnehmender Mond, Neumond, Skorpion und Steinbock.

☺ Unterzeichne in einer Saturnstunde niemals einen *Ehevertrag.*

☺ *Eheringe* (besonders aus Gold) kaufe man am besten im Löwen und in einer Venusstunde. Kaufe keinen Schmuck und keine Schutzsteine, wenn der Mond in den Zeichen Skorpion, Steinbock oder Wassermann steht.

☺ *Erstkontakte*, die in einer Vollmondnacht stattfinden, erkalten schnell wieder. Vermeide im Schlafzimmer künstliches Licht, das von außen ins Zimmer kommt. Es unterbindet die Fruchtbarkeit und schadet dem Rhythmus natürlicher Empfindung.

☺ Bei *körperlicher Vereinigung*, Liebe, erstem Körperkontakt, Küssen und Intimberührungen ist es wichtig, darauf zu achten, daß das erste Mal eine Venusstunde ist und der Mond in den Zeichen Widder, Stier, Löwe, Waage, Skorpion und Schütze steht.

☺ Die Venusstunde ist auch die beste Stunde für *Frauen*, wenn es um Liebe, Ehe, Freundschaft und Glück geht. Dies beachte man auch, wenn man Vergnügungen, Tanz- und Frauenveranstaltungen besucht. Aber auch Vorsprachen und Besuche in einem Kloster sind zu dieser Stunde begünstigt.

☺ In einer Jupiterstunde wäre es gut, einen priesterlichen *Segen*, Ehe-, Verlobungs- oder Haussegen zu empfangen.

☺ Um gegen *Verhexungen und Impotenz* gefeit zu sein, nimmt man Birkenzweige, flicht einen Kranz daraus und beißt am 1. Tag Wassermann diesen Kranz durch. Dies wird hilfreich sein.

☺ Willst Du in einem bestimmten Personenkreis das Sagen haben oder *Dominanz* erlangen, setze Dich bei zunehmendem Mond, am besten im 7. und 8. Haus, an die Nordseite des Raumes oder des Tisches, wo sich die Gesellschaft versammelt – sei es zu Hause, in einem Büro oder im Vorstand eines Vereins. Du gewinnst mehr Überlegenheit und Dominanz über die vor Dir sitzenden Personen.

☺ *Freundschaften,* die beginnen, wenn sich der Mond im Stier, in den Zwillingen, im Löwen oder im Schützen befindet, sind glücklich und dauerhaft. Haben sie im Widder oder Steinbock ihren Anfang genommen, können sie sehr großen Belastungen unterworfen sein.

☺ *Feste* für Freunde arrangiere am besten, wenn der Mond im Stier, Krebs oder in der Waage steht.

☺ Einen *Privatbesuch* mache bei Mond im Stier, in der Waage und im Schützen.

☺ Besuche *Gesellschaften*, Konzerte, Theater- und Tanzveranstaltungen, wenn der Mond im Stier steht. Auch Waage ist geeignet.

☺ Bist Du ein *Hobbykoch* und willst außerordentliche Ideen und eine gute Hand haben, eignen sich besonders Krebs, Stier, Jungfrau, Löwe und Waage.

☺ *Einkaufen* für den Haushalt am besten im Krebs, in der Jungfrau und im Steinbock eventuell auch noch in der Waage. Willst Du Schuhe oder Ledertaschen kaufen, ist der Steinbock am besten, wenn es sich um Kleider handelt, sind es Waage und Steinbock, auch noch Löwe und Jungfrau.

## Kopfhaarpflege

Auch bei Haaren spricht man von „Wachstum" und „Fülle" oder von einer „Löwenmähne". Eine enge Verbindung zu den Mondrhythmen liegt deshalb nahe. Halte Dich einfach an die unten stehenden Regeln, und Deine Haare, Symbole von Schönheit und Kraft, werden sich in ihrer ganzen Pracht zeigen.

> *Regel*: Bei *Vollmond* ist Haarschneiden absolut zu meiden. Es bilden sich Glatzen. Schon das Abknicken der obersten Baumwipfel oder der Spitzen von Zimmerpflanzen führt zum Absterben der Pflanzen. Genau dasselbe geschieht mit den Haaren.
> Genau das Gegenteil ist bei *Neumond* der Fall. Leidet jemand unter Haarschwund, schneide nur die Haarspitzen ab, und es wird wieder wunderbar wachsen.

☺ *Männer* sollten sich die Haare bei zunehmendem Mond im Löwen schneiden lassen.

☺ Für *Frauen* eignet sich die Zeit kurz vor Vollmond, an Jungfrau-Tagen, am besten Ende Februar bis Anfang März. Löwe-Tage sind für Frauen nicht geeignet. Ihnen gehen dann zu viele Haare aus.

☺ *Kopfmassagen* zur Kräftigung der Haare bei zunehmendem Mond durchführen.

☺ *Lockenhaar:* Will man wieder viele und wallende Locken sowie schönes und gesundes Haar haben, dann schneidet man am Neumondtag kurz nach dem Wendepunkt von den Haarspitzen ca. 3 mm ab. Der Mond muß jedoch im Löwen stehen. Am sichersten ist der zu erwartende Erfolg, wenn das Jahr auch zunimmt. Das wäre von Februar bis August. In dieser Zeit findet man die Löwe-Tage stets im zunehmendem Mond.

☺ *Lockenwickler* werden ihre volle Wirkung entfalten, wenn sie in den Tagen von 22. März bis 20. April im Zeichen Widder oder vom 22. Juli bis 21. August im Zeichen Löwe angewendet werden.

## Haarpflege in den Tierkreiszeichen

### Widder

Keine Haare schneiden und keinen Haarfestiger verwenden. Diese Tage sind jedoch außerordentlich geeignet für mentale und naturmedizinische Pflege-Anwendungen, bei denen das Haar nicht verletzt wird.

### Stier

Sehr gut für Dauerwellen und Haarschnitt, jedoch keinen Bart schneiden.

### Zwillinge

Gut zum Haarefärben, zum Tönen, für Kopfmassagen und Pakkungen. Gut für homöopathische und mentale Heilweisen.

### Krebs

An Krebstagen geht alles zurück. Nicht schneiden. Jedoch vorzüglich geeignet, um kranke Kopfhaut zu behandeln.

### Löwe

Sehr gut, um prächtiges Haar zu bekommen. Man braucht an Löwetagen nur die Spitzen zu schneiden. Meide jedoch jegliche Anwendung von Wärme und Chemie (keine Dauerwellen). Der normale Haarschnitt im Feuerzeichen Löwe ergibt sehr krauses Haar.

### Jungfrau

Gut für Haareschneiden und Dauerwellen. Es verleiht eine lang anhaltende Form und wunderschönen Glanz.

### Waage

Zum Tönen, Pflegen, Färben bestens geeignet. Fassoniertes Haar hält sehr gut.

### Skorpion

Haarpflege nur mit echten Naturmitteln. Meide jedoch Haareschneiden und Dauerwellen.

### Schütze

Wunderbar zum Haareschneiden. Schlecht für Dauerwellen; sie werden spröde. Meide naturfremde Pflegemittel.

### Steinbock

Gut für Dauerwellen und Pflege der Haare. Oft an Steinbocktagen geschnittenes Haar wird grau.

### Wassermann

Vorzüglich zum Tönen und Färben; die Farben wirken gut und strahlend. Ausgezeichneter Tag, um Teepackungen zu machen.

### Fische

Haare nicht einmal waschen; es entstehen Schuppen und sprödes Haar. Fische ist das der Jungfrau gegenüberliegende Zeichen. Es ist also mit dem Gegenteil dessen zu rechnen, was Jungfrau-Tage an positiven Wirkungen erzielen.

## Einige Mittel gegen Haarausfall

Haarwuchsmittel sollte man nur bei zunehmendem Mond anwenden. Bei Haarausfall wähle man den 2. Widder-Tag bei Mond über sich gehend. Zu einer Venus-Stunde die Haare auskämmen und mit der Schere ca. 3 mm abschneiden. Als haarwuchsfördernde Mittel haben sich generell Sonnenblumenprodukte, Bierhefe, Weizenkeime, Lezithin, Kürbiskerne, Vitamin-B-Komplexe, Kelp, Vitamin-E-komplex (1.000 mg täglich) sowie Karottensaft und Cayenne-Pfeffer bewährt. Zudem wäre verringerter Salzverbrauch anzuraten.

Hier noch einige wirksame Mittel gegen Haarausfall:

- ☺ Man zerkleinere *Kapuzinerkresse* oder *Bachkresse* und püriere sie im Mixer. Den Saft auspressen und mit Sonnenblumenöl vermengen. Jeden Morgen damit die Kopfhaut massieren. Die Haare werden wieder nachwachsen. Zubereitung und Einmassieren sollten auf das 2. Mondviertel vom 11. bis zum 14. Mondaufenthalt fallen.

- ☺ Bürste bei Haarausfall täglich die Haare mit einer *Roßhaarbürste*.

- ☺ Zur *Durchblutung der Kopfhaut* eignet sich ein schräges Brett. Man lege sich täglich ca. 3–5 Minuten auf ein Brett, das bei den Füßen um 18 cm erhöht ist.

- ☺ Trinke täglich *Brennesseltee*. Auch die Haare können mit Brennesselwirkstoffen behandelt werden, indem man Blätter, die frisch gepflückt sind, auf die Kopfhaut einreibt. Es brennt zwar sehr, hilft jedoch, die Durchblutung und das Wachstum zu fördern.

- ☺ 3 g *Lorbeerblätter-Öl* und 30 mg reines *Mandelöl* im 2. Mondviertel, also knapp vor Vollmond, in die Kopfhaut einmassieren. Das hilft auch bei Schuppen.

- ☺ Nimm *Knoblauchpillen* ein und reibe das Haar parallel dazu mit Olivenöl und Rosmarin ein. Verwende dazu das 2. Mondviertel.

- ☺ Lege *Baumnußblätter* in Whiskey und verdünne diesen Aufguß mit 4 Teilen Wasser. Reibe die Kopfhaut damit im 2. Mondviertel ein.

- ☺ Lasse 100 g *Kapuzinerkresse* (Blüten, Blätter und Wurzeln) 14 Tage lang in 0,5 Liter Whiskey liegen, drücke das Ganze aus und reibe Dich damit bei zunehmendem Mond im 2. Viertel ein. In diesem Zeitraum ziehen die Kräfte von außen nach innen.

- ☺ *Bestrahlung* mit rotem Farblicht hilft; außerdem das Tragen eines Achat, die Einnahme von Urtica Urens Tinktur (in Null oder D2) sowie Silicea D 12 im 1. Viertel, bei zunehmendem Mond.

- ☺ Wenn sich die *Haare spalten*, dann nimm *Thuja* D 6 und D 60 im 1. Viertel, bei zunehmendem Mond ein. Täglich dreimal drei Globuli oder Tropfen.

- ☺ Wenn *Haare ergrauen*: Nimm, ebenfalls im 1. Viertel, Acidum Phosphoricum D 3 oder D 6 ein.

- ☺ Ein gutes Mittel gegen Haarausfall sind auch *zerstoßene Pfirsichkerne* (der innere Teil der Kerne), die man mit Essig vermischt, zu einer Salbe verrührt und einreibt. Verwende nach jeder Haarwäsche verdünntes Obstessigwasser und spüle damit nach.

☺ Bei Haarausfall und Schuppen könnte *Zinkmangel* die Ursache sein. Nimm täglich 1 bis 2 Zinktabletten. Beginne damit bei zunehmendem Mond im 1. Viertel.

> Gegen Muskel- und Haarschwund sprich zwei Tage nach Neumond im Namen der drei Höchsten: „Gott Vater, Gott Sohn, Gott Heiliger Geist, ich bitte Euch: Haar, hör auf zu schwinden und fange wieder an zu wachsen, das bitte ich Euch aus Gottes Kraft." Mache dreimal das Kreuzzeichen über das Haar.
>
> Du kannst auch 5 Vaterunser und fünfmal das Glaubensbekenntnis am 2. Tag nach Neumond, bei Mond über sich gehend, im Zeichen Widder beten.

## *Bauen*

Beim Hausbauen können die zu einem bestimmten Zeitpunkt herrschenden Kräfteimpulse nutzbringend angewendet werden: Landwirte wissen z. B., daß eine Senkgrube, die nicht im richtigen Zeichen angelegt wurde, schnell überfüllt ist und überläuft. Ein mir bekannter Landwirt pumpte einmal eine Senkgrube im Zeichen Krebs aus und kratze den Grubengrund dabei mit einer langen Stange, an deren Ende eine Art Hackschaufel befestigt war, nur ca. 1 bis 3 cm ab. Das dabei zutage geförderte Material wurde entsorgt. Das Resultat war erstaunlich: Die Senkgrube ging nie mehr über und wurde nur mehr alle fünf Jahre ausgepumpt.

Naturgemäß wirkt sich die Mondkraft besonders auf den vorhandenen Wasservorrat in Baugrund und Baumaterialien aus. Wo Wasser bewahrt bzw. gespeichert werden soll (z. B. in Gartenteichen oder Jauchegruben), ist zunehmender Mond geeignet; wo Wasser leicht versickern und Feuchtigkeit (Schimmelbildung) vermieden werden soll (z. B. beim Bau von Fundamenten), ist abnehmender Mond besser.

*Tabelle rechts:*
*Bauarbeiten zum richtigen Zeitpunkt*

| Tätigkeit | Günstig | Ungünstig |
|---|---|---|
| (Stahl-)Brückenbau | abnehmender Mond | |
| Bau projektieren | 1. oder 9. Tag nach Neumond | |
| Baugruben ausheben | abnehmender Mond, Mond geht unter sich | |
| Baugrund kaufen (für landwirtschaftliche Nutzung) | Zwilling, Fische (sehr gut), Stier, Löwe, Jungfrau | Widder, Krebs, Skorpion, Schütze, Wassermann |
| Baugrund verhandeln/kaufen | Stier, Jungfrau, Waage | Skorpion |
| Bauholz aufschichten | Steinbock | |
| Bauholz fällen | abnehmender Mond, Krebs | |
| Brennholz fällen | 9 Stunden vor Neumond im November | |
| Brennholz stapeln | abnehmener Mond, Steinbock | |
| Brunnen graben | Mond geht über sich | |
| Dach decken | abnehmender Mond, Stier, Löwe, Skorpion, Wassermann | |
| Dachschindeln aufnageln | abnehmender Mond | |
| Dachstühle aufrichten | zunehmender Mond, Mond geht über sich, Waage | |
| Doppel-, Winterfenster einhängen | abnehmender Mond, Mond geht über sich, Luft- oder Feuerzeichen | |
| Einkauf von Bausteinen | Mond geht unter sich | Steinbock, Stier |
| Erstbeheizung von Kaminen | abnehmender Mond | |
| Fenster, Glas, Porzellan, Metall reinigen | abnehmender Mond, Luft- u. Wärmetage | |
| Feuchtarbeiten in Haus, Keller, Stall | zunehmender Mond | |
| Feuerfestes Bauen | Stier, Waage, Fische (sehr gut), Widder, Zwillinge, Löwe, Schütze, Steinbock | Krebs, Jungfrau, Skorpion, Wassermann |
| Fliesen, Platten kleben | abnehmender Mond | |
| Frühjahrsputz | abnehmender Mond, Luftzeichen | |
| Fundamente von Mauerwerken | abnehmender Mond | Krebs, Waage, Skorpion |
| Haus: Rohbau | abnehmender Mond, 4. Viertel, Widder, Jungfrau, Wassermann (sehr gut), Zwilling, Schütze, Steinbock, Fische | |
| Hausbau beginne | Widder, Stier, Jungfrau, Wassermann, Mond über sich gehend, 1. und 2. Viertel | Krebs, Waage, Skorpion |
| Hauskauf | Stier, Krebs, Löwe, Waage, Schütze (sehr gut), Widder, Zwillinge | Jungfrau, Skorpion, Steinbock, Wassermann, Fische |
| Hauskauf (1. Gespräch) | zunehmender Mond, 1. Viertel, Stier, Krebs, Löwe, Waage, Schütze (sehr gut), Widder, Zwillinge | Jungfrau, Skorpion, Steinbock, Wassermann, Fische |
| Hauskauf (Abschlüsse) | Kurz nach Vollmond | |
| Holz für Bau kaufen | 29. September oder Stier, Jungfrau, Waage | |
| Holzböden legen, Holzdecken anbringen | Mond geht über sich, Waaage, Zwilling | |
| Holztüren, -Fenster einbauen | Mond geht über sich | |
| Holztüren, -Fenster herstellen | abnehmender Mond | |
| Jauchegruben, Gartenteiche zubetonieren | Mond geht über sich, zunehmender Mond, Wassermann, Fische | |
| Keller bauen | Mond geht über sich, Zwilling, Wassermann | |
| Lüften und Trocknen | Wärmetage, abnehmender Mond, 4. Viertel | |
| Quellwasser suchen | zunehmender Mond, Mond geht über sich, Löwe, Steinbock, Zwilling | |
| Renovierungen | Widder, Löwe, Schütze, Steinbock, Fische | Stier, Zwillinge, Krebs, Jungfrau, Waage, Skorpion |
| Rinnen, Rohre legen | abnehmender Mond, Krebs | |
| Senkgrube anlegen | Mond geht unter sich, Zwilling, 2. Krebs in Mars-Stunde | |
| Streichen und Imprägnieren | abnehmender Mond, 4. Viertel, Löwe, Widder | |
| Sumpfböden trocken legen | Krebs, Mars-Stunde | |
| Wasserleitungen legen, reparieren | zunehmender Mond | |
| Wege anlegen | abnehmender Mond, 4. Viertel | |

# Umzug

Um in ein neues Heim überzusiedeln, sei es ein eigenes Haus oder eine Wohnung, nutze die Kraft des wachsenden Mondes. Dies wirkt sich fördernd auf den Zusammenhalt der Familie aus und verleiht dem Aufenthalt Dauer. Am günstigsten ist das erste Viertel im Wassermann oder Stier. Auch Löwe und Skorpion sind möglich. Willst Du lange gesund bleiben, vermeide es, an einem Donnerstag einzuziehen. Auch ein Samstag wäre nicht förderlich, denn er bringt Unruhe ins Haus. In einem neu bezogenen Haus sollte man am ersten Abend zu einer Venusstunde ins Bett gehen. So bleiben Harmonie und Liebe in der Wohnung.

☺ Ziehe nie bei abnehmendem Mond aus einem Haus/einer Wohnung aus. Dies bringt Zerfall und Unglück mit sich.

☺ Für die *erste Übernachtung* im neuen Heim gilt:

| | |
|---|---|
| *sehr gut:* | Stier, Löwe, Jungfrau |
| *gut:* | Zwillinge, Waage, Schütze, Wassermann |
| *ungünstig* | Widder, Krebs, Skorpion |

Wenn Du *Tiere* in Dein neues Zuhause mitnimmst oder für sie einen neuen Platz suchst, sollte dies bei zunehmendem Mond im ersten Viertel geschehen. Meide jedoch den Dienstag und unbedingt den Donnerstag, um einem Tier einen Ortswechsel aufzuzwingen.

Um Möbel zusammenzustellen, Holzböden zu legen, Fässer zu binden, Wohnräume, Ställe und Kellerbauten zu waschen, zu verputzen oder zu streichen, wähle den abnehmenden Mond. Feuchtigkeit wird vermieden, wenn für die Arbeiten einer der Wärmetage (Widder, Löwe oder Schütze) oder Lufttage (Zwillinge, Waage, Wassermann) genommen wird.

# Reisen

*Kurze Reisen* gelingen am besten an Stier-, Zwillinge-, Waage- und Schütze-Tagen. Bei Reisebeginn ist absolut darauf zu achten, daß der Aufbruch auf eine Mondstunde fällt. Als Reisebeginn wird der Moment gezählt, in dem Du die Wohnung, das Hotel, die Unterkunft verläßt und die Tür hinter Dir schließt. Bei Vollmond sollten Reisen generell nicht angetreten werden. Dies könnte unterwegs zu viel Verwirrung führen.

| Art/Ziel der Reise | günstig | ungünstig |
|---|---|---|
| Reisen ans Meer | Stier, Krebs, Fische, Löwe, Waage, Skorpion | Venusstunden |
| Reisen ins Gebirge | Schütze (sehr gut), Widder, Stier, Jungfrau, Wassermann, Fische | |
| Reiseverträge unterzeichnen | Merkurstunde | |
| Lange Reisen zu Land | Widder, Waage, Schütze, Steinbock, Wassermann (sehr gut), Stier, Zwillinge, Jungfrau, Fische | Krebs, Löwe, Skorpion |
| Schiffsreisen | Wassermann (sehr gut), Widder, Jungfrau, Waage, Steinbock | Stier, Zwillinge, Krebs, Löwe, Schütze, Fische |
| Flugreisen | Waage, Zwillinge, Wassermann (sehr gut), Stier, Krebs, Venus-, Merkur-, Mondstunde | Widder, Löwe, Schütze, Mars-, Jupiter-, Sonnenstunde |

# Jagd und Fischen

| Tätigkeit | günstig | ungünstig |
|---|---|---|
| Jagen | Stier, Krebs, Löwe, Jungfrau, Schütze, Fische (sehr gut), Widder, Waage, Skorpion, Wassermann | Zwillinge, Steinbock |
| Fischen | Skorpion, Fische (sehr gut), Krebs, Löwe, Schütze | Widder, Stier, Jungfrau, Waage, Steinbock. |

☺ Schrot- und Bleikugeln für Selbstlader sollte man am 24. Juni gießen. Geeignet sind auch alle Schwend- oder Frauentage. Beginne damit in einer Marsstunde. Schleife keine Messer, wenn der Mond im Skorpion steht. Vermeide am 22. Juni die Jagd und Sportarten, die mit Patronen zu tun haben. Ebenso das Abbrennen von Feuerwerk.

☺ Zum Jagen und Fischen eignen sich außerdem die sogenannten Frauentage:

*Maria Lichtmeß*      2. Februar
*Herz Maria Fest*      11. Juni
*Maria Heimsuchung*      12. September
*Maria Empfängnis*      8. Dezember
*Maria Himmelfahrt*      40 Tage nach Ostern

# Beruf und Finanzen

Geld ist eine Form von gespeicherter Energie. Es ist der materielle Ausdruck des geistigen Prinzips Reichtum, ein Symbol der Versorgung des Menschen mit allem, was er zum Leben braucht. Deshalb unterliegt auch Geld den Gesetzen von Wachsen und Schwinden, von Ebbe und Flut. Zahlreiche wohlhabende Geschäftsleute verdanken ihr Vermögen dem „geheimen" Wissen um den richtigen Zeitpunkt von An- und Verkauf, von Vertragsabschluß und Geldverleih.

Die Hexen des Mittelalters pflegten Merkur, den Gott des Handels anzurufen, wenn sie ihr Bankkonto aufbessern wollten. Merkur, dieser äußerst gewitzte Götterbote der alten Griechen, gilt als Schutzpatron des Geldes. Man ruft ihn am besten an einem Merkurtag (Mittwoch) und zu einer Merkurstunde an. Hierzu verwenden Hexen ein Ritual, das folgendermaßen vollzogen wird:

> Nimm Salz in Deine rechte Hand, streue es mit weit ausholenden Gesten (wie ein Sämann) vor Deine Haustüre und sprich dabei:
> *„Geld, Geld, Geld, komm ins Haus; Geld, Geld, Geld, komm zu mir; Geld, Geld, Geld, ich mach mein Glück daraus."*
> Viele Teilnehmer an meinen Seminaren sagten mir, daß es wunderbar hilft.

☺ *Generell ist die beste Zeit für Geld-*, Bank- und Wechselgeschäfte, wenn der Mond im Stier, Krebs, Skorpion oder Steinbock steht. Auch noch relativ gut sind Zwillinge, Jungfrau und Schütze.

☺ *Neuunternehmungen* startet man am besten bei zunehmendem Mond, wenn dieser in den Zwillingen oder im Löwen, eventuell auch noch in den Zeichen Widder, Stier, Skorpion, Schütze oder Wassermann steht.

☺ Steht der Mond im Krebs, solltest Du handeln und für *finanzielle Klarheit* sorgen. In dieser Zeit geht auch (geschäftliche) Sympathie „durch den Magen". Bei *Geschäftsessen* kann ein hartnäckiger „Nein-Sager" zum „Ja" verführt werden.

☺ Feuerzeichen (Widder, Löwe, Schütze) sind gefühlsbetonte Zeichen und eignen sich somit nicht zum *Lösen finanzieller Probleme*. Dagegen sind die Erdzeichen (Stier, Jungfrau, Steinbock außerordentlich gut für Geschäfte geeignet.

☺ *Werbung* sollte in den Zeichen Widder, Zwillinge, Schütze oder Steinbock in die Wege geleitet werden. Diese Zeichen sind auch gut für geschäftliche Erstkontakte.

☺ *Verkäufe* sind am besten im Widder, Zwillinge, Schützen, auch noch im Stier, Krebs, Löwen oder Skorpion zu tätigen.

☺ *Geschäftliche Briefe*, Gesuche oder Bücher beginne am besten in Zwillinge, Jungfrau oder Waage zu schreiben. Möglich sind auch noch Skorpion, Schütze oder Fische, in allen Fällen am besten zu einer Sonnenstunde.

Neben dem optimalen Tag ist auch die richtige Stunde für einen geschäftlichen Erfolg ausschlaggebend:

☺ Die *Merkurstunde* eignet sich für Verkauf und Kauf, Vertrags- und Urkundenunterzeichnung, besonders für Reise- und Bankverträge.

☺ Die *Jupiterstunde* ist gewinnbringend bei Verkauf, Verleih, Vermittlung und für den Geldverkehr. Sie eignet sich außerordentlich für Entschlüsse, die uns im Leben vorwärts bringen sollen.

Hier in einer Übersicht die richtigen Stunden für Bank-, Wechsel- und Geldgeschäfte:

| | | |
|---|---|---|
| *Widder* | Mond geht über sich | Marsstunde |
| *Stier* | Mond geht über sich | Venusstunde |
| *Zwillinge* | Mond geht unter sich | Merkurstunde |
| *Krebs* | Mond geht unter sich | Mondstunde |
| *Jungfrau* | Mond geht über sich | Merkurstunde |
| *Waage* | Mond geht unter sich | Venusstunde |
| *Skorpion* | Mond geht unter sich | Marsstunde |
| *Schütze* | Mond geht über sich | Jupiterstunde |
| *Steinbock* | Mond geht über sich | Saturnstunde |

☺ Um *Schuld einzufordern* sind sehr gut: Widder, Wassermann, Fische; gut: Zwillinge, Löwe, Waage; schlecht: Stier, Krebs, Jungfrau, Skorpion, Schütze, Steinbock.

☺ Um *Schulden zu bezahlen* ist sehr gut: Waage; gut: Zwillinge, Steinbock, Fische; schlecht: Widder, Stier, Krebs, Löwe, Jungfrau, Skorpion, Schütze.

☺ Um *Mitarbeiter zu begeistern* und sie vertraglich an den Betrieb zu binden, sind der 12. und der 13. Mondaufenthalt geeignet. Achte auf negative Aspekte; sie mindern den Erfolg. Um Personal einzustellen, nimm Widder oder Krebs; gut sind auch noch Stier, Zwillinge, Jungfrau und Fische; negativ: Skorpion, Steinbock, Wassermann.

☺ Ein *Studium oder eine Lehre* beginne im Stier, Zwillinge, Krebs oder in der Jungfrau. Möglich sind auch noch Widder, Löwe,

Waage, Skorpion, Wassermann oder Fische; keinesfalls im Schützen oder Steinbock.

☺ *Geschäftliche Angebote* mache im Widder, Zwillinge, im Löwen und in der Jungfrau; relativ gut sind auch noch: Krebs, Skorpion, Schütze, Wassermann und Fische.

☺ *Bewerbungen* um eine Stelle sind in der Waage und im Steinbock aussichtslos.

☺ Bist Du ein *Sammler* von Raritäten, eignen sich zum Ankauf: Widder, Zwillinge, Löwe, Jungfrau, Waage, Schütze; negativ: Krebs und Steinbock.

☺ Für *Pferde-Wetten* sind sehr gut: Zwillinge, Krebs, Waage, Schütze, Steinbock; gut: Widder, Jungfrau, Fische; schlecht: Stier, Skorpion.

Der dritte Tag nach Neumond (synodischer Mondzyklus) dient in besonderem Maße der Geldvermehrung. An diesem Tag kannst Du erfolgreich wachstumsfördernde Rituale durchführen:

Nimm einen Geldschein hochformatig in die Hand. (Auf keinen Fall quer, dies würde die Kraft des Rituals vermindern.) Halte den Schein mit der Zahl (nach Möglichkeit eine hohe Zahl) dem wachsenden Schein des Mondes entgegen und sprich dabei: „Mond, Mond, Mond, ich bitte Dich, mich an Deine wachsende, mehrende Mondenergie anzuschließen. Dafür danke ich von ganzem Herzen. So sei es."

### Geld und Finanzen nach den Mondregeln (Tierkreis)

Folgende Liste gibt Auskunft darüber, welche Mondstationen des Tierkreises Dir „Ebbe" bzw. „Flut" Deines Bankkontos versprechen:

| | |
|---|---|
| *1. Tag Widder* | Gibt dynamische Kraft für alle Unternehmungen und Erstkontakte in Geschäfts- und Bank-Angelegenheiten. |
| *2. Tag Widder* | Gut für Lotto, Toto, sehr gut für den Handel, bringt Glück bei Geldangelegenheiten und Wareneinkauf. |
| *1. Tag Stier* | Negativ für Immobilien-Ein- und Verkauf, gut für Warenverkauf und Bankgeschäfte. |
| *1. Tag Zwillinge* | Gut für Handel und Verkauf, jedoch negativ für Finanzen. |

| | |
|---|---|
| *2. Tag Zwillinge* | Gut für die Handelsschiffahrt. |
| *1. Tag Krebs* | Geschäftsessen sind erfolgreich. |
| *3. Tag Krebs* | Berufs- und Verkaufserfolge, günstig für Bankgeschäfte und Geschäftsessen. |
| *1. Tag Löwe* | Erfolg im Handel, verleiht Redegewandtheit, gut um Waren zu kaufen und zu verkaufen, speziell in der Modebranche. |
| *2. Tag Löwe* | Gut für Geschäftsessen. |
| *3. Tag Löwe* | Negativ für alle Geschäfte. |
| *1. Tag Jungfrau* | Anlagegeschäfte, Grundsteinlegung für Geschäftsgebäude. Gut für die Modebranche, für Banken, um Geld zu leihen und zu verleihen. |
| *2. Tag Waage* | Sehr gut, um mit Tieren zu handeln. Bank- und Tierhandel sind in Harmonie. Günstig für Spekulationen, um Geld zu leihen und zu verleihen, für die Mode. |
| *1. Tag Skorpion* | Verkaufe Waren aus Eisen. Bankgeschäfte, die mit Eisen zu tun haben, sind begünstigt. |
| *2. Tag Skorpion* | Sehr ungünstig für alle Geld- und Handelsgeschäfte. Kaufe keine gefährlichen Flüssigkeiten. Auf keinen Fall einen festen Wohnsitz neu erwerben. |
| *1. Tag Schütze* | Gut für Handelsgeschäfte. Negativ für Banken- und Anlagegeschäfte. |
| *2. Tag Schütze* | Gut für Bank- und Anlagegeschäfte. Negativ, um sich Geld zu leihen. |
| *1. Tag Steinbock* | Ausschließlich ungünstig für alle Geld- und Handelsgeschäfte. Schließe auf keinen Fall Verträge ab. Leihe und verleihe nichts. |
| *2. Tag Steinbock* | Negativ. Unterschreibe keine Verpflichtungen. Kaufe und verkaufe keine Lederwaren oder Modeartikel. |
| *3. Tag Steinbock* | Negativ für öffentliche Geldverwalter und große Kapitalgeschäfte, jedoch gut, um sich Geld zu leihen und zu verkaufen. Banken und Landwirtschaft sind in Harmonie. |
| *1. Tag Wassermann* | Negativ für Geschäfte mit der Liebe. |

| | |
|---|---|
| *2. Tag Wassermann* | Erfolg im Handel, auch mit Glücksspielen. |
| *1. Tag Fische* | Gut für den Handel, besonders mit Ernteprodukten. Leihe und verleihe auf keinen Fall Geld, kaufe und verkaufe keinen Besitz, beginne auch keine neuen Unternehmungen. |
| *2. Tag Fische* | Handel bringt Segen. Kaufe jedoch keine Wertsachen aus Gold. Leihe und verleihe nichts. |

## Umgang mit Behörden

Im „Behördendschungel" kann das Wissen um die Mondrhythmen häufig für überraschenden Durchblick sorgen. Manche scheinbar verschlossene Tür öffnet sich wie von Zauberhand, wenn Du Dich an bestimmte Regeln hältst:

☺ *Behörden* und mit der Rechtspflege betraute Personen besuche am besten im Löwen oder Schützen. Meide hierfür die Zeichen Krebs, Skorpion, Steinbock und Fische.

☺ Einen *Prozeß* beginne, wenn der Mond im Krebs oder Schützen steht. Negativ ist der Mondaufenthalt im Skorpion. Einen Rechtsstreit auf jeden Fall vermeiden, wenn ein „böses" Mondhaus vorliegt: Das 1., 9., 10., 15., 19., 20. und 28. Mondhaus.

Hier ein Überblick über die begünstigten Stunden für bestimmte Behördengänge:

| | |
|---|---|
| *Jupiterstunde* | Gut für den Umgang mit Justizpersonen, für einen Prozeßbeginn, für Rückforderungshinterlegung bei staatlich befugten Personen und Einrichtungen. |
| *Sonnenstunde* | Gut für Kontakte mit Höherstehenden und einflußreichen Menschen, für Beförderungsgesuche und Begünstigungen. |
| *Marsstunde* | Gut für behördliche Bewilligungen für Waffen oder andere Produkte aus Stahl. |
| *Saturnstunde* | Gut für Kontakte mit Vorgesetzten und einflußreichen Menschen, den Erwerb von Liegenschaften und Grundstückserwerb für Land- und Forstwirtschaft sowie Bergbau. |

# Kapitel 7

# Haus, Hof und Garten

Die bäuerliche Lebenswelt war schon sein jeher besonders in den Rhythmus der Natur eingebunden. Lebte der Landwirt – im Gegensatz zum Städter – doch stets in besonderer Abhängigkeit von den Lebenszyklen der Pflanzen, den Gesetzen von Saat und Ernte, dem Wetter, dem Tagesrhythmus seiner Nutztiere usw. Landwirtschaft, Gartenbau und Tierzucht sind daher traditionelle und besonders erfolgversprechende Anwendungsgebiete des alten Mondwissens.

Da sich das private Aufgabenfeld von Hobbygärtnern, Hobby-Tierzüchtern und Hausfrauen/Hausmännern teilweise mit den in der Landwirtschaft notwendigen Tätigkeiten überschneidet, werden diese beiden Bereiche hier gemeinsam abgehandelt. Auch Leser, die nicht professionell mit Pflanzen und Tieren zu tun haben, können hier Wissenswertes erfahren, z. B. über die Tomaten auf ihrem Balkon oder die Zimmerpflanzen in ihrer Wohnung.

## Der Garten

☺ *Bäume oder Sträucher* sollte man nie im Sommer bei Vollmond setzen. Diese Pflanzen würden verdorren. Auch das Veredeln von Bäumen würde an diesen Tagen mißlingen. Bäume setzt, putzt und veredelt man am besten im Widder, Obstbäume im Löwen. Schneidet man Bäume und Hecken bei unter sich gehendem Mond, so ist der Saftverlust geringer

☺ Will man *Anlagen* neu pflanzen, eignet sich Mond geht über sich in den Zwillingen.

☺ *Ungeziefer* bekämpft man bei Neumond.

☺ Um *Rosen* im Garten neu zu setzen, nimm Mond geht über sich im Zeichen Löwe, eventuell auch Schütze. Sie bekommen dann mehr Farbenpracht.

☺ *Zierpflanzen* (Sträucher und Blumen) können mit Erfolg bei Mond geht unter sich im Zeichen Jungfrau gesät und gepflanzt werden.

Hier in übersichtlicher Form die wichtigsten Gartentätigkeiten mit den optimalen Tierkreis-Stationen:

| | |
|---|---|
| *Bäume, Sträucher ausgraben, versetzen* | kurz vor Vollmond |
| *Kernobst pflanzen* | abnehmender Mond, Stier, Jungfrau, Steinbock |
| *Steinobst pflanzen* | abnehmender Mond, Schütze, Steinbock, Fische |
| *Birnenbaum pflanzen* | zunehmender Mond, Krebs, Schütze |
| *Blumen pflanzen* | zunehmender Mond, Stier, Waage, Schütze |
| *Weinstöcke pflanzen* | zunehmender Mond, Stier, Krebs, Löwe, Jungfrau |
| *Rosen pflanzen* | zunehmender Mond, Stier, Krebs, Löwe, Jungfrau |
| *Sonnenblumen pflanzen* | zunehmender Mond, Krebs, Schütze, Steinbock, Fische |
| *Zwiebeln pflanzen* | abnehmender Mond, Widder, Stier, Fische, Waage, Skorpion, Krebs |
| *Schnecken sammeln* | Skorpion |
| *Korbweiden schneiden* | 12., 13., 14. Mondhaus, ab 14. November |
| *Düngen* | abnehmender Mond, Krebs, Jungfrau, Skorpion, Fische |
| *Getreide säen* | zunehmender Mond, Stier, Waage, Schütze, Fische |
| *Getreide ernten* | abnehmender Mond, Waage, Schütze, Steinbock, Wassermann, Fische |
| *Gras säen* | zunehmender Mond, Krebs, Waage, Stier |
| *Gras mähen* | kurz vor Vollmond, Widder, Zwillinge, Löwe, Waage, Schütze, Wassermann |
| *Unkraut vernichten* | abnehmender Mond, Widder, Zwillinge, Löwe, Skorpion, Schütze |
| *Jäten* | abnehmender Mond |

# Arbeiten im Haushalt

☺ *Kraut einhobeln* im Steinbock. Nie in den Fischen, weil es dann im Wasser schwimmt. Meide auch Löwe; an diesem Tag wird das Kraut zu trocken.

☺ *Kraut und Bohnen einmachen:* Bei abnehmendem Mond.

☺ *Mücken vertreiben:* Hänge bei abnehmendem Mond zu einer Marsstunde einen Roßschweif vor die Tür. Du kannst auch zur selben Zeit feinen roten Pfeffer in Milch einrühren und ins Zimmer stellen.

☺ *Matratzen klopfen:* Bei abnehmendem Mond, dann kommt kein Ungeziefer mehr hinein.

☺ *Wäsche waschen:* Schmutz und Flecken verschwinden am besten bei abnehmendem Mond.

☺ *Einfrieren* sollte man an Fruchttagen.

☺ *Gegen Ratten und Marder:* Sammle Anfang Sommer zu einer Marsstunde Hundszungenkraut. Zerquetsche die Stengel und lege sie an die Aufenthaltsorte der Tiere oder in das Auto.

☺ Pflanze niemals etwas bei *Mond im Wassermann.* Die Wurzeln würden verkümmern. Führe keine Gartenarbeiten am Tag der größten Erdnähe (*Perigäum*) durch. Dasselbe gilt für die Knotentage.

# Landwirtschaftliche Arbeiten

Als Regel gilt beim *Setzen von Feldfrüchten:*

Alles, was über der Erde wachsen und reifen soll, wird bei zunehmendem Mond gesetzt. Was unter der Erde reifen soll, wird bei abnehmendem Mond gesetzt. Früchte pflücken solltest Du bei zunehmendem Mond; bei abnehmendem Mond werden sie faul.

☺ *Mähen:* Bei zunehmendem Mond, jedoch nicht im Löwen. Das im Löwen gemähte Gras verliert an Flüssigkeit, wird kraftlos und bitter und wird deshalb vom Vieh nicht gefressen. Futtergras nicht im Zeichen Skorpion jauchen und düngen! Diese negative Wirkung wird noch verstärkt, wenn um die Mittagszeit (12 Uhr) gearbeitet wird.

☺ *Komposthaufen und Mist:* Bei zunehmendem Mond und Mond geht unter sich ansetzen und 2 Tage vor Vollmond festtreten. Dieser Kompost fault schneller und bleibt saftig.

☺ *Düngen: (auch* Kunstdünger)*:* Bei Mond geht unter sich ausstreuen.

☺ *Aussäen:* Am besten 2 Tage vor Vollmond, also noch bei zunehmendem Mond. Diese Pflanzen werden kräftiger, die Maiskolben größer, die Blätter prachtvoller. Tomaten werden auch größer und saftiger, Radieschen erhalten einen besseren Geschmack, Möhren werden saftiger, milder und süßer, alle Blätter und Wurzeln haben einen milderen Geschmack. Es ist wissenschaftlich nachgewiesen, daß der Ertrag bis zu 25 Prozent besser sein kann. Bei zunehmendem Mond säe vormittags; bei abnehmendem Mond säe nachmittags. Säe niemals bei Mondwechsel. Fülle das Saatgetreide nie in Mehlsäcke; die Saat wird sonst krank.

☺ *Kartoffeln und Rüben setzen:* Mond geht unter sich. Bei abnehmendem Mond werden Kartoffeln mehliger, bei zunehmendem Mond werden sie fester. Man sollte sie aber grundsätzlich eher bei abnehmendem Mond pflanzen: Die Kraft geht dann in die Knollen, nicht – wie bei zunehmendem Mond – ins Kraut. Weder Kartoffeln noch Getreide im Jungfrau-Zeichen setzen, sonst wird die Ernte von Ungeziefer befallen. Wenn Du die Kartoffeln beim Setzen mit den Augen in Richtung Norden ausrichtest, bekommst Du um ein Drittel mehr Kartoffeln.

☺ *Most erzeugen:* Nur bei Mond geht unter sich.

☺ *Fässer reinigen:* Bei zunehmendem Mond. Dies garantiert ein gutes Austrocknen. Du kannst die Fässer unbesorgt in den Keller legen, ohne daß sich Schimmel bildet

☺ Um dem *Verderben eines Weines* vorzubeugen, nimm Weinrebenasche, streue sie in einer Marsstunde in das Faß und führe sie rechtsherum hinein.

☺ *Bohnen, Zwiebeln, Knoblauch oder Kraut* stecken: Im Mai, an Zwillings-Tagen. Besonders Stangenbohnen gedeihen hier bestens. Im Steinbock sollte man diese Arbeiten jedoch unterlassen. Es ist ein hartes Zeichen, und es wird schwierig sein, diese Gemüsesorten weichzukochen.

☺ Pflücke *Obst* an einem Tag der Konjunktion, des Zusammenscheins von Sonne und Mond. Dies erhöht die Haltbarkeit der Früchte.

- ☺ *Acker pflügen, Garten umgraben:* Bei abnehmendem Mond. Die Erde bleibt dann locker, und die Sonne kann sie gut durchwärmen.
- ☺ *Wenn ein Obstbaum nicht tragen will,* peitsche bei zunehmendem Mond im November und im Februar mit einem Strick den Stamm. Dies löst die Störung der Säfte, und der Baum wird tragen.
- ☺ Um *Baumknospen und Blüten* gegen Frostschaden zu schützen, nimm bei unter sich gehendem Mond ein Strohseil, binde es an einen Ast und lege das Seil mit seinem anderen Ende in ein Faß mit Wasser. auf diese Weise wird das Faß den Schaden ableiten.
- ☺ *Ställe pflegen:* bei abnehmendem Mond in einem Luftzeichen (Zwillinge, Waage, Wassermann).
- ☺ Ungeziefer vernichten: Ungeziefer in der Erde an Wurzeltagen bei abnehmendem Mond, oberhalb der Erde in den Zeichen Krebs, Zwillinge oder Schütze,

## Der Umgang mit Tieren

- ☺ Jede *Veränderung* im Zusammenhang mit Tieren (einkaufen, mit nach Hause nehmen, aussetzen, Wohnungswechsel, Wechsel von einem Stall in den anderen, Entlaufene und Kranke abholen) sollte niemals an einem Dienstag oder Donnerstag, auch nicht zu einer Mars- oder Jupiterstunde geschehen.
- ☺ *Ruheplätze* für Tiere (mit Streusand): Nur bei abnehmendem Mond an Luft- oder Wärmetagen anlegen.
- ☺ *Schlachten:* Im 2., 3., 4., 5., 6., 7., 10., 11., 12. und 13. Haus, zwischen 8 und 10 Uhr morgens.
- ☺ *Schlachten (zum Selchen):* Bei abnehmendem Mond in den Zeichen Stier, Zwillinge, Jungfrau, Steinbock, Wassermann. Nicht bei Vollmond weil hier der Speck Löcher bekommt und schlecht wird.
- ☺ *Schmalz auslassen:* Nicht im Wassermann oder in den Fischen und nicht bei Mond geht über sich.
- ☺ Um *Pferde* vor Fliegen und Bremsen zu schützen, ziehe Hanf samt den Wurzeln aus dem Boden und reibe die Pferde in einer Marsstunde bei abnehmendem Mond damit ein.
- ☺ *Pferde und Vieh* zum ersten Mal auf die Weide schicken: Widder, Stier, Krebs, Löwe, Jungfrau, Schütze; nie bei Wassermann.

☺ Tiere kaufen: Widder, Stier (sehr gut), Zwillinge, Krebs, Jungfrau, Waage, Schütze. Ungünstig sind Löwe, Skorpion und Steinbock

☺ Für die *Zucht von Tieren* eignen sich – je nach Tierart – verschiedene Mondaufenthalte. Gemeint ist jeweils der Zeitpunkt
der Paarung:

| | |
|---|---|
| *Hunde* | Schütze |
| *Kaninchen* | zunehmender Mond, Stier, Krebs, Skorpion |
| *Pferde* | zunehmender Mond, Widder, Schütze |
| *Rinder* | zunehmender Mond, Stier, Widder |
| *Schafe* | zunehmender Mond, Wassermann |
| *Schweine* | zunehmender Mond, Stier, Krebs, Skorpion |
| *Ziegen* | zunehmender Mond, Widder, Skorpion, Steinbock |
| *Fischzucht* | zunehmender Mond, Krebs. |

# Forstarbeiten

Der natürlich gewachsene Werkstoff Holz wurde von den Menschen
zu recht immer in besonders engem Zusammenhang mit der Natur
und ihren Rhythmen gesehen. Aus alten Aufzeichnungen aus der Zeit,
als Bäume noch mit Handwerkzeugen geschlagen und bearbeitet
wurden, geht hervor, daß Menschen ihre empirischen Erfahrungen
zunächst mündlich überlieferten und sie schließlich schriftlich zu bestimmten Regeln zusammenfaßten. Zu den Naturerscheinungen, die
auf das Holzwachstum einen Einfluß haben, gehören die Mondphasen und darüber hinaus bestimmte Planetenkonstellationen. Diese alten Regeln für Holzfällung und Bearbeitung wurden nicht nur von
Waldarbeitern und Förstern, sondern auch von naturverbundenen
Bauern angewandt.

Im heutigen Atomzeitalter ist diese Verbindung von Wald und
Sternenhimmel vielleicht für viele ein Aberglaube. Gute Beobach-
ter wissen jedoch, wie stark das Wachstum von Pflanzen mit den
größeren Rhythmen der Natur verwoben ist.

☺ *Brennholz:* Soll im 1. Viertel des zunehmenden Mondes gefällt
werden. Ist ein Nachwachsen erwünscht, ist es besonders günstig, das Holz im Oktober zu fällen. Holz fault jahrhunderte-
lang nicht, wenn man es am 1., 6., 10., 25. und 26 Januar fällt.

Auch am 13. Januar gefälltes Holz wird nicht faulen und auch nicht von Würmern befallen werden.

☺ *Wurmfreies Holz:* Bei unter sich gehendem Mond gefälltes Holz bekommt keine Würmer und fault nicht. Dasselbe gilt für die ersten Tage im Mai. Dieses Holz brennt auch sehr schlecht. Absolut wurmfrei bleibt das Holz, wenn es am 28. Februar geschlagen wird, wenn der Mond zu diesem Zeitpunkt drei Tage abgenommen hat und in einem harten Zeichen (Steinbock oder Skorpion) steht.

☺ *Hobeln:* An Steinbock-Tagen getrocknetes Holz ist trocken und bekommt beim Hobeln eine glänzende, sehr glatte Oberfläche.

☺ *Bau- und Möbelholz* sollte im November, Dezember und Januar im letzten Viertel, Mond geht über sich, gefällt werden. Meide jedoch die Mondaufenthalte im Krebs und im Schützen. Dieses Holz ist zu unruhig. Im Skorpion gefälltes Holz wird vom Borkenkäfer und von Würmern befallen. Ist der Mond im Westen untergegangen (unsichtbarer Mond"), so reißt das Holz nicht auf. Dieses Holz ist geeignet für Fußböden, Möbel und Gebrauchsgegenstände.

☺ *Trockenholz:* Im Löwen oder in der Jungfrau gefälltes Holz trocknet schnell, wird jedoch leicht gelblich.

☺ *Feuchtes Holz:* Im Vollmond gefälltes Holz ist voller Saft und trocknet sehr schlecht.

☺ *Holz aufschichten:* Bretter,- Bau- und Brennholz soll im Zeichen Steinbock geschichtet werden. Das Holz trocknet schnell, auch wenn es zuvor naß und grün ist. Bei Gebrauch brennt dieses Holz sehr gut.

☺ *Festes, dichtes Holz:* Um festes Kleinholz zu schlagen, eignen sich die ersten 8 Tage nach Neumond, wenn der Mond zugleich in den Zeichen Zwillinge, Jungfrau, Waage oder Fische steht.

☺ *Holz für Flöße:* Bei abnehmendem Mond in den Zeichen Krebs oder Fische schlagen.

☺ *Holz für Wägen*, Fässer und Ähnliches: Bei Neumond oder in den Zeichen Krebs oder Skorpion fällen. Dort bleibt das Holz dick und hart.

☺ *Holz, das nicht quellen/aufgehen soll:* Im November, am 1. und 2. Tag vor Neumond schlagen.

☺ *Holz, das nicht rissig sein soll:* Am 24. Juni zwischen 11.00 und 12.00 Uhr mittags fällen.

- 🙂 *Leichtes Holz:* Holz, das nur geringes Gewicht haben soll, schlägt man in der Fronleichnamszeit oder im August, wenn der Mond frei Tage abgenommen hat.
- 🙂 *Schweres Holz:* Holz, das nicht so leicht umzuwerfen ist, sollte im Stier geschlagen werden.
- 🙂 *Holz für Brücken und Schiffe:* Bei Neumond, an Krebs-Tagen fällen.
- 🙂 *Biegsames Holz* (für Reifen, Fässer und gebogene Möbel: Im Zeichen Fische schlagen.
- 🙂 *Bauholz:* Fälle die Bäume in den letzten Dezembertagen und am 1. Januar. Dieses Holz fault und wurmt nicht und wird hart wie Stein. Der Wipfel muß jedoch beim Fällen talabwärts fallen. Am 31. Januar, 1. Februar und 3. Februar gefälltes Holz eignet sich auch vorzüglich zum Bauen einer Blockhütte oder eines Holzhauses.
- 🙂 *Unbrennbares Holz:* Soll das Holz nicht brennen, fälle es am 1. Tag im März.
- 🙂 *Bäume stecken:* Einem Baum, den man bei Mond geht unter sich steckt, wachsen die Äste abwärts.
- 🙂 Das teilweise *Entasten* der Bäume sollte bei zunehmendem Mond geschehen, damit die Äste wieder nach oben nachwachsen (sonst wachsen sie nach unten).
- 🙂 *Junge Bäume setzen:* Am besten im Laufe der Nacht ausgraben, gut verpacken und wieder einsetzen, denn in den Wurzeln ist ein lebenswichtiger Stoff, den die Lichtstrahlen vernichten oder schädigen würden. Auch alle anderen Gewächse sollte man wenigstens nach Sonnenuntergang setzen. Zunehmender Mond im Zeichen der Fische ist hier vorzuziehen. Setzt man einen Baum im Sommer bei Vollmond, so wird er mit Sicherheit verdorren.
- 🙂 *Bäume veredeln:* An feuchten Tagen um Mitternacht. Achte darauf, daß die Schnittflächen nicht mit Fingern berührt werden.
- 🙂 Fällt man Holz an den letzten zwei Freitagen des März, so wurmt es nicht. Werden aus solchem Holz Kästen oder Truhen gemacht, so kommen keine *Würmer und Motten* hinein.
- 🙂 *Holzgewächse,* die an den letzten 3 Tagen des Februar bei abnehmendem Mond geschlagen werden, wachsen nicht mehr nach. Es faulen sogar die Wurzeln ab.

# Kapitel 8

# Mond-Magie

Es kommt nicht von ungefähr, daß dem Mond von unseren Vorfahren „magische Kräfte" zugeschrieben wurden, daß sich Verliebte von seinem Anblick „verzaubert" fühlen und daß sich zahlreiche Legenden um die bleiche Sichel (oder Scheibe) am Nachthimmel ranken. Der Mond hat die Kraft, zu verwandeln – und nicht nur Männer in Werwölfe. Die folgenden Ratschläge sind auch für in Magie Ungeübte leicht und gefahrlos durchführbar. Sie erlauben es Dir, das gängige Wort vom „Zauber des Mondes" einmal durchaus wörtlich zu nehmen.

Menschen, die in den Zeichen Skorpion, Steinbock, Wassermann und Fische geboren sind, haben außerordentliches Talent für Magie, besonders, wenn zu ihrer Geburtsstunde der aufsteigende Mondknoten in einem dieser Zeichen stand. Medial veranlagte Frauen sind meistens in den Zeichen Krebs, Skorpion oder Steinbock geboren.

Für *magische Arbeiten* ist es förderlich, wenn der Mond in den Zeichen Krebs, Skorpion, Fische oder auch Zwillinge, Waage und Wassermann steht. Vollmond ist die ideale Zeit für magische Wirkungen (z. B. Wunschmagie), eventuell auch zur Vorbereitung von Ritualen. *Heilzauber* sprich bei zunehmendem Mond an einem Freitag. Die Wirkung zeigt sich dann meistens bei abnehmendem Mond. Am stärksten ist die Kraft des zunehmenden Mondes schon neun Stunden vor dem Kippmoment.

☻ Vollzieht man magische Arbeiten *nachts*, dann wären die Krebs- oder Fische-Tage günstig. Bei Arbeiten *am Tage* wären Zwillinge oder Waage zu empfehlen.

☻ Magische Arbeiten, die einen *raschen Fortschritt* verlangen, beginne bei Mond in den Zwillingen oder im Krebs.

☻ Angelegenheiten, die von *langer Dauer* sein sollten, beginne am besten im Stier oder in den Fischen.

☺ Bei Neumond hat ein *Hypnotiseur* am wenigsten Kraft. Das seelische Gleichgewicht des Menschen ist bei Neumond – wie auch bei Vollmond – erheblich gestört. Depressionen, Verzweiflungs- und Kurzschlußhandlungen sowie erhöhte psychische Störanfälligkeit sind an diesen Tagen am häufigsten.

☺ Um einen *Zauber zu brechen,* erzielt man bei Neumond die besten Resultate. Wenn Neumond auf einen Samstag fällt, ist dies der beste Tag, um gegen feindliche Mächte vorzugehen. Diese Kraft wird noch in einer Saturnstunde gesteigert.

☺ Gegen eine *Zerstörung Deiner Nervenkraft* durch negative magische Arbeit wehre Dich am besten, wenn Venus und Saturn in Zusammenschein (Konjunktion) sind; gegen *Haß, Unfälle und Schwarzmagie:* Mars und Saturn in Zusammenschein; bei *Überreizung, Disharmonie* und allen *Süchten* (z. B. Rauchen): Merkur und Jupiter in Zusammenschein.

☺ *Rituale und Meditationen* bei Vollmond sind außerordentlich geeignet, um Gefühl, Intuition und Kreativität ins Bewußtsein zu integrieren.

☺ *Gebets-, Mental- und Magnetheilungen* gelingen dann besonders gut, wenn der Mond im Krebs, Skorpion oder in den Fischen steht.

☺ Wollen Sie bei anderen Menschen, speziell bei Frauen, *beliebt sein,* tragen Sie in einem violettseidenen Tuch eine Gilgenwurzel, auch „fette Henne", Sedum Delipium, genannt.

☺ Wenn Sie wollen, daß man Ihnen *nichts abschlagen* kann, tragen Sie Ringelblumen und Baldrianwurzel bei sich. Am besten bei zunehmendem Mond in einer Venusstunde.

☺ Um *Impotenz* zu heilen, schneide von Finger und Zehen die Nägel ab. Außerdem in jeder Körperregion, wo sichtbare Haare wachsen, einige Millimeter davon. Gib alles zusammen in einer Venusstunde in ein Leinentuch. Stecke dieses in ein gebohrtes Loch eines Hollunderbaums und verkeile das Loch mit einem Weißdorn-Pflock. Tu dies drei Tage vor Neumond, in einer Mars-Stunde. Es hilft wunderbar.

☺ Um bei Ehepartnern die *Liebe zu erhalten,* grabe in einer Vollmondnacht die große Knabenkrautwurzel (Orchis Militaris) aus. Von den zwei Zwiebeln nimm die größere, tauche sie dreimal in kochendes Wasser, zermalme sie danach und gib sie Deinem Partner in sein Essen. Die kleinere Zwiebel trage in einem violett-seidenen Tuch bei Dir und schweige darüber. Wähle für beide Tätigkeiten den zunehmenden Mondes, zweites Viertel.

☻ Ist jemand *vom Sex besessen,* nimm Werogan-Öl und reibe es am Rücken, in der Region des 5. Wirbels (die Stelle, wo man eine Frau mit der rechten Hand beim Tanzen hält), ein. Wenn Sie die Stelle neunmal rechtsdrehend und neunmal linksdrehend einreiben, so wird es besser. Dies sollte zum ersten Mal bei abnehmendem Mond durchgeführt werden.

# Magische Kraft der Bäume

Bäume verfügen über die ganze unverfälschte Lebenskraft der Natur. Durch bestimmte magische Rituale kannst Du dir diese Kraft zu eigen machen:

### Erle

Um *Lebenskraft zu tanken,* stell Dich bei zunehmendem Mond an einen Erlenbaum, denn sein Holz besitzt den stärkstem Magnetismus, dies vor allem bei zunehmendem Mond, im 1. Viertel. Lebewesen, die schwach, kränklich und nervös sind, können zu Kräften kommen, wenn sie sich lange Zeit unter Erlen aufhalten. Ideal ist der 3. Tag nach Neumond, um zu beginnen. Hier strahlt die Erle ihre ganze Kraft von innen nach außen ab. Lege hierzu Hinterkopf und Wirbelsäule an den Stamm. Spreize die Beine mit nach außen gerichteten Zehen, das Gesicht der Sonne zugewandt und möglichst mit nacktem Rücken am Baum angelehnt.

Vormittags ist die nun folgende Variante wirksam: Lege Stirn, Brust und Bauch an den Baumstamm, halte die linke Hand nach oben, die rechte nach unten. Berühre mit Handflächen und Körper fest den Stamm. Sollte dies mit nacktem Oberkörper nicht möglich sein, achte darauf, daß Du leicht und mit Naturstoff bekleidet bist.

Die dritte Variante wäre, daß Du die nackten Fußsohlen an den Erlenstamm leicht anpreßt. Die Reflexzonen de Füße werden dadurch angeregt. Achte darauf, daß der Kopf dabei in nördliche Richtung liegt. Deine geistigen und spirituellen Kräfte werden dabei gefördert vorausgesetzt Du öffnest Dich dafür.

### Kirschbaum

Der Kirschbaum ist im wahrsten Sinne des Wortes ein *Kraftspender.* Er steigert Deine Lebenskraft und wirkt ganz besonders auf die Sexualorgane. Seine größte Kraft entfaltet der Kirschbaum, während er blüht. Willst Du seine Kraft andauernd besitzen, pflücke bei zunehmendem Mond im 1. Viertel rote Kirschen. Nimm pro Liter 81 Kerne aus den Kirschen und zerdrücke sie leicht. Dann gib sie in einen Kirschenschnaps oder Whiskey.

Nach 27 Tagen hast Du ein potenz- und luststeigerndes Mittel, das dich begeistern wird. Nimm bei jedem Mal nur einen Teelöffel voll ein. Verwende jedoch keine Löffel aus Metall. Dies würde die Kraft unwirksam machen. Vermeide Übertreibungen: Der Volksmund sagt: „Zuwenig und zuviel ist des Narren Ziel".

Willst Du bis ins hohe Alter Deine Lebenskraft behalten, achte auf die Zufuhr von Zink und Molybdän. Es hilft bei Impotenz wie bei weiblicher Frigidität. Führe dem Körper diese Mineralstoffe in Form von Pillen zu. Beginne mit der Einnahme im 1. Mondviertel, ab der 3. Mondstation.

## Ulme

Die Ulm ist ein *Schutzbaum*, der Negatives verhindert. Alte Überlieferungen sagen: „Mit einem Ulmenholz jagt man den Teufel aus dem Haus." Meine Seminarteilnehmer berichten mit Begeisterung, daß der Erfolg erstaunlich ist. Zum Glauben kommt man eben nur durch eigene Erfahrung.

Hier die praktische Anwendung: Zersäge einen Ast von 1 bis 3 cm Durchmesser in 27 cm lange Teile. Nimm die dem Stamm entwachsene Seite in die rechte Hand, klopfe dreimal auf Holz oder auf die Erde und sprich dabei dreimal Deinen Wunsch aus. Stelle hinterher das Holz mit dem Ende, das Du in der Hand hattest, auf den Boden neben die Eingangstür eines Raumes. Sei es ein Haus, Stall, Büro oder Vorratsraum: Es schützt!

## Anwendungen bei Krankheit

Bist Du *sehr krank*, dann kannst Du Lebenskraft sowohl von einem Erlen- als auch von einem Kirschbaum tanken. Nimm eine Seidenschnur, die lang genug ist, um über den niedrigsten Ast eines Baumes geworfen zu werden, so daß Du beide Enden in die Hände nehmen kannst. Setze, lege oder stelle Dich unter den Baum, und die Kraft fließt über diese Schnur in Deine beiden Hände.

☺ Gegen starkes Schwitzen – dieses Übel ist besonders bei Frauen in den mittleren Jahren verbreitet – gibt es eine Kur, die man bei abnehmendem Mond im letzten Viertel beginnt: Von Blättern von Nußbaum, Mistel und Salbei, die zu gleichen Teilen gemischt werden, überbrühe pro Tasse einen Eßlöffel und lasse den Sud 10 Minuten ziehen. Teilnehmer an meinen Seminaren, die diesen fertigen Tee getrunken haben, konnten den Erfolg zunächst gar nicht fassen. Man sollte diese Kur ca. 4 bis 6 Wochen durchhalten, selbst wenn sich rasche Erfolge einstellen. Sie kann problemlos nach einiger Zeit wiederholt werden.

☺ Bei hartnäckigem trockenem Bronchialkatarrh hat Ehrenpreis wahre Wunder vollbracht: Mische Huflattichblätter, Spitzwegerich und Ehrenpreis zu gleichen Teilen, süße abgekochtes Wasser mit Kandiszucker und überbrühe diese Kräuter. Wende diese Mischung zum 1. Mal an, wenn der Mond im 22. Haus steht. Du wirst Dich über diesen wunderbaren Erfolg freuen. Ehrenpreistee wirkt sich auch vorzüglich gegen Nervosität, Überanstrengung, Schwermut sowie rheumatische Beschwerden aus, wenn Du die Kur im 22. Mondhaus beginnst.

☺ Damit Kinder dauerhafte Zähne bekommen, steckt man den 1. ausgefallenen Zahn in ein Eichenloch, das man vorher gebohrt hat. Man schließe das Loch mit einem kleinen Ast von derselben Eiche. Das Ganze sollte drei Tage nach Neumond vonstatten gehen.

# Die Brut-Zeit

Beachte bei allen magischen Arbeiten die „Brut-Zeit", die ein Bild oder ein Wunsch braucht, um die notwendige (die „Not-wendende") Kraft zu sammeln. Die glückliche Wendung Deines Schicksals ist in dieser Phase nur latent (verborgen) vorhanden, wie ein Ei unter dem Körper der Henne, das ebenfalls eine Weile braucht, um für alle sichtbares Leben zu offenbaren (daher die Bezeichnung „Brut-Zeit").

Diese Brut-Zeiten sind:

| | |
|---|---|
| 3 Tage | für *Kleinigkeiten* |
| 5 Tage | für *geschäftliche Dinge und Geld* |
| 7 Tage | bei *Krankheiten* |
| 9 Tage | bei *Ämtern und Gericht* |
| 14 Tage | bei *großen Problemen, chronischen Schmerzen, Krankheiten* |
| 27 Tage | bei *chronischen Schmerzen oder scheinbar unüberwindbaren Problemen* |

Schreiben Sie Ihren Wunsch auf einen Zettel. Dieser Zettel (oder ein Bild, Foto, eine Zeichnung) sollte für die angegebenen Brut-Zeiten unter Ihrem Kopfpolster oder – wenn Sie eine solche besitzen – in Ihrer Pyramide liegen. Fotos legt man mit dem Bild nach oben hinein, den beschriebenen Zettel mit der Schrift nach unten auf das Foto. Beides sollte mit dem Kopf (der Oberseite) nach Norden ausgerichtet werden.

Diese Gegenstände täglich einmal bestrahlen oder täglich dreimal das Kreuzzeichen darüber machen. Nach dieser Zeit muß der Zettel, das Bild oder die Zeichnung restlos verbrannt (dem Element Feuer übergeben) werden. Nur Fotos von Personen und Lebewesen sollte man nicht verbrennen. Dann streue die kalte Asche auf die Erde, sei es in der freien Natur oder in einen großen Blumentopf.

Sprich dabei dreimal: „Mein Wunsch erfüllt sich jetzt in vollkommener Weise, so ist es! Danke." Oder: „Im Namen des Vaters, des Sohnes und des Heiligen Geistes".

Bei Geldangelegenheiten zerkleinere die verkohlten Zettelreste und wirf die Asche in die Luft. Sage dabei dreimal den gleichen Spruch wie oben.

Ein Beispiel dafür, wie Du mit Fotos verfahren kannst, um andere Menschen oder Dich selbst von Belastungen frei zu machen: Angenommen ein Mensch oder ein Tier leidet unter Schuppenflechte: Schreibe auf einen unlinierten Zettel: „Die Ursache und die Symptome von Schuppenflechte schwinden jetzt von ... (Name der Person), und nichts bleibt zurück. So ist es."

# Karfreitag

Dem Todestag des Erlösers wohnt seit jeher eine besondere Energie inne. Du kannst sie als „Kraftverstärker" für verschieden Situationen des Alltags nutzen. Das Datum des höchsten Feiertags der Christenheit richtet sich, was nicht alle wissen, ebenso wie Ostern nach dem Mondkalender: Es ist jeweils der erste Freitag nach dem ersten Frühlings-Vollmond.

☺ Wenn am Karfreitag vor Sonnenaufgang die Bäume geschüttelt werden, hält dies die *Raupen* von diesen Bäumen ab.

☺ Wird am Karfreitag *gesät oder gepflanzt*, gedeiht alles prächtig

☺ Stelle an Karfreitag die *Blumen* ins Freie, welche während des Winters im Hause waren.

☺ Die am Karfreitag gesetzten *Zwiebeln* verfaulen nicht.

☺ Schneide frühmorgens in das Ohr eines *Kalbes, Lammes oder Schafes* einen kleinen Einschnitt. So sind sie vor Krankheiten geschützt und bekommen keine Räude.

☺ Eine *Bauern-Regel*: Karfreitag Regen, großer Segen; Reif an Karfreitag, noch 40 Tage kalt.

☺ Reibe an Karfreitag, 15 Uhr, die Kellerwände mit einem Besen ab. *Feuchtigkeit und Muff* vergehen in Keller und Haus.

☺ Beginne am Karfreitag, 15 Uhr mit einem Besen von der Hauswand wegzukehren. Gehe dabei rechts herum um das ganze Haus, so hast Du keine *Ungeziefer* mehr darin.

## Karfreitagseier

☺ Karfreitagseier haben eine außergewöhnliche schützende Kraft.

☺ Wenn man den *Rindern* ein Karfreitagsei zum Fressen gibt, so verhütet dies den ganzen Sommer die Blähsucht.

☺ Drei Karfreitagseier auf den Dachboden gelegt, so schlägt der *Blitz* nicht in das Haus ein.

☺ Drei Karfreitagseier im Keller helfen gegen *Bergwasser* und gegen Feuchtigkeit in Stall und Keller.

☺ Wo *Überschwemmung* droht, werfe 3 Karfreitagseier gegen die Flußrichtung.

☺ Bei *Bränden*, wirf 3 Karfreitagseier übers Feuer.

☺ Trinke am Karfreitag ein rohes Ei, so bekommst Du keinen *Hodenbruch, Fußbruch* und keine Hals- und Nasenprobleme mehr.

☺ Pflegeschwestern eines Altersheims legen ein Karfreitags-Ei unter das Bett eines Patienten gegen das *Wundliegen*. Es hilft.

☺ Kein *gekochtes Karfreitagsei* an Karfreitag essen.

☺ Lege ein Karfreitagsei bruchsicher in Dein *Auto*. Es schützt das ganze Jahr.

☺ Karfreitagseier in einem Hang eingraben: Dann *rutscht die Erde nicht mehr ab.*

In Südtirol, Vintschgau, rutschte vor einem Bauernhof der mit Betonmauern eingefaßte Garten ab. In einer Breite von 12 Metern vergruben wir 12 Karfreitagseier mit je einem Namen der 12 Apostel. Seit 5 Jahren ist der Hang trotz neuer Aufschüttung still.

Im Schweizer Kanton St. Gallen sollte an einem Berghang ein Haus errichtet werden. Ein kleiner Erdrutsch brach bis in die Baugrube ein. 9 Karfreitagseier verhindern bei diesem Haus seit vier Jahren jede Erdbewegung. Vergrabe im oberen Teil des Abhangs drei Eier und unten pyramidenförmig zweimal drei weitere Eier.

Ein Teilnehmer an einem meiner Seminare wollte ein Haus, für das sich einige Käufer interessierten, kaufen. Er vergrub sechs Karfreitagseier bei zunehmendem Mond an einem Sommerabend im Garten. Er bekam das Haus 3 Jahre später. Zweimal hintereinander wollten Bauunternehmer ihm die schöne Sicht und die Sonne nehmen, indem sie ihm ein viel größeres Haus quasi „vor seine Nase" setz*en wollten. Nachdem er bei abnehmendem Mond neun Karfreitagseier in den dafür vorgesehenen Baugrund eingegraben hatte, gaben beide Unternehmer auf. Bis heute genießt der Mann die Sonne und die schöne Aussicht.

☺ *Eierschutz:* Damit die Wiesel die Eier nicht aussaugen, lege in einem fixen Zeichen zu Marsstunde Weinraute und Gartenraute neben die Nester.

Anhang I

# Bauernregeln

## Allgemeine Regeln

Die Neujahrsnacht hell und klar, deutet auf ein reiches Jahr.

Regnet's an Pfingsten, so regnet es sieben Sonntage.

Wie das Wetter am 1. Dienstag im Monat,
so ist es im ganzen Monat.

Das Sonntagswetter meldet sich am Freitag an.

Vinzenzen Sonnenschein, bringt viel Korn und Wein.[1]

Schneit's an Agathe, soll's noch 37 mal schneien.[2]

St. Matthäus kalt, die Kälte lang anhält.[3]

Kalter Winter, heißer Sommer.

So kalt wie im Dezember, so heiß wird's im kommenden Juni.

Wie es im April und Mai war,
so schließt man aufs Wetter im ganzen Jahr.

Im Dezember veränderlich und lind, der ganze Winter ein Kind.

Regnet's am St. Peterstag, drohen 30 Regentag.[4]

Nasser Juni, reiches Jahr.

Eine gute Decke von Schnee bringt das Getreide in die Höh'.

---

[1] Vinzenz ist der 22. Januar.
[2] Agathe ist der 5. Februar.
[3] St. Matthäus ist der 21. September.
[4] St. Peter ist der 29. Juni.

*Januar warm, Gott erbarm.*

*Ein trockener April ist nicht des Bauern Will'.*

*Wenn's Matthäus weint statt lacht, es aus Wein oft Essig macht.*[1]

*Augustwasser und Septembersonne sind wie pures Gold.*

*Weihnachten im Klee, Ostern im Schnee.*

*Mangold, Rüben und Kressig werden
im abnehmenden Mond gesät.*

*Was nach unten wächst, säe im abnehmenden Mond,
was aufwärts wächst, säe im zunehmenden Mond.*

*Beim Mondwechsel kalben die Kühe.*

*Ein Bienenschwarm im Mai, ist wert ein Fuder Heu.
Ein Schwarm im Juli lohnt kaum die Mühe.*

*Wenig Bienenbrut im Frühjahr deutet auf ein Missjahr;
reichlich Brut im Bienenstock deutet auf ein gutes Honigjahr.*

*Kommt die Eiche vor der Esche, bringt der Sommer
eine große Wäsche, kommt die Esche vor der Eiche,
bringt der Sommer eine Bleiche.*

*Wenn es um die Mittagsstunde zu regnen anfängt,
so regnet es den ganzen Tag.*

*Wenn es ins leere Holz donnert, wird es nochmals schneien.*

*Donner im Winterquartal bringt Kälte ohne Zahl.*

*Donnert's vormittags, donnert's auch nachmittags.*

*Dampft die Erde nach dem Gewitter,
wird es nochmals Gewitter geben.*

---

[1] St. Matthäus ist der 21. September.

*Zwiebeln im Zeichen des Steinbocks gesetzt werden fest und schön; im Zeichen des Wassermanns faulen sie bald.*

*Die Kartoffeln, im Zeichen des Krebses gesetzt, setzen keine Knollen an, sondern machen Wurzeln.*

*Man soll die Reben nicht im Krebs oder Skorpion schneiden.*

*Heu, im Skorpion gemäht, fressen die Tiere ungern.*

*Schafe sollen im Widder geschoren werden.*

*Bohnen soll man im Fisch stecken.*

*Karotten sind im Krebs zu säen.*

*Auf Benediktentag säe Gerste, Erbsen und Zwiebeln.*[1]

*Wenn sich Gregori stellt, muß der Bauer mit der Saat ins Feld.*[2]

*Acht Tage vor und nach Michael ist die beste Wintersaatzeit.*[3]

*Was der Juli und August nicht braten, kann der September nicht kochen.*

*Nur in der Juliglut wird Obst und Wein dir gut.*

*Im Winter keine Schneemaden, im Sommer keine Heumaden.*

*Das Aprilwasser ist wie Öl auf den Wiesen. Aprilschnee ist der Grasbrüter.*

*Man soll nie Holz schlagen, wenn es im Saft ist.*

*Bauholz, zwischen November und Februar gehauen, wird am dauerhaftesten und nicht wurmstichig.*

---

[1] Benedikt ist der 21. März.
[2] Gregori ist der 12. März.
[3] Michael ist der 29. September.

# Mondregeln

*Bei zunehmendem Mond sollte der März naß*
*und ohne Nordwind sein.*

*Wenn im Mai bei Neumond Schnee fällt,*
*dann schneit es den ganzen Sommer bei schlechtem Wetter.*

*Wenn bei wachsendem Mond im Mai Schnee kommt,*
*gibt es bei jedem wachsenden Mond Neuschnee.*

*Gewitter in der Vollmondzeit verkündet Regen lang und breit.*


# Mond und Pflanzenwelt

*Denk daran, bei wachsendem Mond die Früchte zu pflücken!*
*Denn wenn er abnimmt, wird alles faul,*
*was du abgepflückt haben wirst.*

*Pflanzet oder stupfet Erbsen in den abnehmenden Mond.*

*Im wachsenden Mond lebendige Zäune und Gehege machen.*

*Einem im unter sich gehenden Mond gesteckten Baum*
*wachsen die Äste abwärts, einem im über sich gehenden Mond*
*geschnittenen dagegen aufwärts.*

*Den Hanf säe im über sich gehenden Mond, im Fisch,*
*und im Krebs, sonst bekommt er viel Wurzeln,*
*wobei der Hanfstengel schwach bleibt.*

*Die im Neumond ausgedroschenen Körner werden lebendig.*

*Im Augustwädel (abnehmender Mond)*
*sollen die Heilkräuter gebrochen werden.*

*Man soll die Kartoffeln nicht bei zunehmendem Mond pflanzen,*
*sie werden nur ins Kraut wachsen; man soll sie bei abnehmendem*
*Mond setzen, dann werden sie in den Boden stoßen.*

*Niemals Kartoffeln im Zeichen der Jungfrau oder Korn in diesem
Zeichen säen, sonst wird es von Ungeziefer befallen.*

*Kohl und Bohnen bei abnehmendem Mond einmachen.*

*Die Kirschen werden gepfropft,
wenn der Mond drei oder vier Tage alt ist;
Äpfel und Birnbäume im Neumond, so tragen sie geschwind.*

*An Martini bei wachsendem Mond
sind die Bäume gut zu versetzen.[1]*

*Alles, was wachsen soll, muß im zunehmenden Mond, und was
nicht wachsen soll, im abnehmenden Mond beschnitten werden.*

*Im untergehenden Mond und kurzen Tagen Holz hauen,
dann bekommt das Holz den Wurm nicht.*

*Bei abnehmendem Mond keine Wasser (Quellen) fassen,
weil sie versickern.*

## Bauernregeln im Jahreslauf

### Januar

*Im Januar viel Regen, wenig Schnee,
tut Bergen, Tälern und Bauern weh.*

*Tanzen im Januar die Mücken,
muß der Bauer nach dem Futter gucken.*

*Die Neujahrsnacht still und klar, deutet auf ein gutes Jahr.*

*St. Pauli schön mit Sonnenschein,
bringt Fruchtbarkeit an Korn und Wein.[2]*

---

[1] St. Martin ist am 11. November.
[2] St. Paulus ist der 25. Januar.

*Fabian, Sebastian, läßt den Saft in die Bäume gehen.*[1]

*St. Paulus klar, gutes Jahr; bringt er Wind, regnet's geschwind.*

*Morgenrot am ersten Tag (1. Januar),*
*Unwetter bringt und große Plag'.*

*Ist der Januar gelind, Lenz und Sommer fruchtbar sind.*

*Nebel im Januar naß, bleibt leer das Faß.*

*An Vinzenzen Sonnenschein, füllt das Faß gut mit Wein.*
*Auch St. Paulus klar, bringt ein gutes Jahr.*[2]

*Vor einem tropfenden Januar uns der liebe Gott bewahr!*

*Je frostiger der Januar, je freudiger das ganze Jahr.*

*Wächst das Gras im Januar, wächst es schlecht das ganze Jahr.*

*Wenn du spürst bei Eis und Schnee schlimmes Nasenspitzenweh,*
*Zähneklappern, Schlotterbein, dann muß kaltes Wetter sein.*

*Der Wetterprophet:*
*Morgen- und Abendrot haben nur Bedeutung*
*in Verbindung mit der Strömung der Wolken.*
*So deutet Morgenrot bei östlicher Strömung der Wolken*
*auf schönes Wetter,*
*Abendrot dagegen auf Regen.*
*Geht der Zug der Wolken jedoch nach Westen,*
*so folgt auf Morgenrot Regen oder Wind,*
*auf Abendrot hingegen schönes Wetter.*

*Sind im Januar die Flüsse klein, gibt's im Herbst ein guter Wein.*

*Wächst das Korn im Januar, wird es auf dem Markt rar.*

*Ist der Januar hell und weiß, wird der Sommer sicher heiß.*

---

[1] Gemeint ist der 20. Januar
[2] Vinzenz ist der 22. Januar

*Zu Vinzenzen Sonnenschein, bringt viel Korn und Wein.*

*Wenn's schneit und es kommt noch Regen dazu,*
*dann gibt's im Januar nasse Schuh.*

## Februar

*Wenn im Hornung die Mücken schwärmen,*
*muß man im März den Ofen wärmen.*[1]

*Scheint an Lichtmeß die Sonne heiß,*
*so kommt noch viel Schnee und Eis.*[2]

*Mattheis bricht das Eis, hat es keins, so macht er eins.*[3]

*Wenn die Hasen zu lustig springen,*
*wird es noch viel Kälte bringen.*

*Stürmt's aus Norden im Februar, wird es ein gutes Futterjahr.*

*Ist der Februar kalt und trocken, soll der August heiß werden.*

*St. Dorothee gibt den meisten Schnee.*[4]

*Zu Lichtmeß hat der Bauer lieber den Wolf im Stall als die Sonne.*

*Ein nasser Februar bringt ein fruchtbares Jahr.*

*Lichtmeß trüb ist dem Bauern lieb.*

*Das Wetter an Lichtmeß sagt die Ernte des Jahres voraus: schlechtes Wetter verheißt gute Ernte, klares Wetter ein Hungerjahr.*

*Der Wind, der an Lichtmeß bläst,*
*wird während des ganzen Jahres vorherrschen.*

---

[1] Hornung ist die veraltete Bezeichnung der Bauern für Februar.
[2] Lichtmeß ist der 2. Februar.
[3] Matthäus ist der 24. Februar.
[4] St. Dorothee ist der 6. Februar.

*Februar Schnee und Regen deutet an den Gottessegen.*

*Im Februar zu viel Sonne am Baum, läßt dem Obst keinen Raum.*

*Finsterer Februar und klarer März füllen den Kornboden.*

*Zu Lichtmeß noch das halbe Futter,*
*dann fehlt's dir nicht an Milch und Butter.*

*Tritt Mattheis stürmisch ein, wird's bis Ostern Winter sein.*[1]

*Taut es vor und auf Mattheis,*
*dann sieht's schlecht aus auf dem Eis.*

*Hornung hell und klar, gibt ein gutes Frühjahr.*

*Der Februar muß stürmen und blasen,*
*soll im Mai das Vieh schon grasen.*

*Februar: Soviel Schnee, soviel Klee.*

*Ist der Februar ein Kältebringer,*
*bekommt man sehr leicht kalte Finger.*

*Geborgt wird nur einmal im Jahr, und zwar am 30. Februar.*

*Der Wetterprophet:*
*Wenn Hunde und Schafe gierig Gras fressen,*
*tritt Regenwetter ein.*

*Halten die hohen Berge nach dem Regen die Wolken*
*in großen Ballen zurück, so wird das Wetter schön.*

## März

*Feuchter, fauler März ist des Bauern Schmerz.*

*Wenn im März viel Nebel fallen,*
*im Sommer viel Gewitter schallen.*

---

[1] Matthäus ist der 24. Februar.

*Im Märzen kalt und Sonnenschein, wird's eine gute Ernte sein.*

*Wie das Wetter auf 40 Ritter fällt, 40 Tage dasselbe anhält.*[1]

*Ist an Rupprecht der Himmel rein, so wird er's auch im Juli sein.*[2]

*Wenn am Fridolinstag Schnee fällt,
so schneit es mindestens noch an 40 Tagen.*[3]

*Ist Gertrud sonnig, wird's dem Gärtner wonnig.*[4]

*Ist's am St.-Josefs-Tag klar, so folgt ein fruchtbares Jahr.*[5]

*Schöner Verkündigungsmorgen befreit
den Landsmann von vielen Sorgen.*[6]

*Soviel Fröste im März, soviel im Mai.*

*Märzenregen bringt wenig Sommerregen.*

*Märzenschnee tut Frucht und Weinstock weh.*

*Märzenstaub bringt Gras und Laub.*

*Ist an Rupprecht der Himmel rein, so wird er's auch im Juni sein.*

*Schreit der Kuckuck viel im März, klappert der Storch und zieht
die wilde Gans ins Land, so gibt's einen guten Frühling.*

*Im März hört oft der Winter auf, der Hase eilt zum Eierlauf.*

*Soviel Nebel im März, soviel Fröste im Mai,
soviel Gewitter im Sommer.*

---

[1] 40 Ritter ist der 10. März.
[2] Rupprecht ist der 27. März.
[3] Fridolinstag ist der 6. März.
[4] Gertrud ist der 17. März.
[5] St. Josef ist der 19. März.
[6] Verkündigungstag ist der 25. März.

*Seit die Bauern die zehn Gebote nicht mehr halten,*
*hält unser Herrgott auch die Wetterregeln nicht mehr ein.*

*Wetterprophet:*
*Wenn der Tau lange auf den Wiesen liegen bleibt und nicht*
*verdunstet, wird das schöne Wetter anhalten.*

## April

*Aprilregen bringt Segen.*

*Singt die Grasmücke, ehe der Weinstock sprosset,*
*so folgt ein gutes Jahr.*

*Wenn der April bläst in sein Horn,*
*so steht es gut um Heu und Korn.*

*Je früher im April der Schlehdorn blüht,*
*desto früher der Schnitter zur Ernte zieht.*

*Regnet es am Karfreitag, so wird es ein gutes Jahr.*

*Nasser April verspricht der Früchte viel.*

*Donnert's im April, so hat der Reif sein Ziel.*

*Reben soll man nie am Hugotag schneiden.*[1]

*Bringt Rosamunde Sturm und Wind, so ist Sibylle uns gelind.*[2]

*Auf Tiburti sollen die Felder grünen.*[3]

*St. Georg und Marx bringen oft viel Arg's.*[4]

*Wenn der April stößt rauh ins Horn,*
*so steht es gut um Heu und Korn.*

---

[1] Hugo ist am 1. April.
[2] Rosamunde ist am 2. April, Sibylle am 9. April.
[3] Tiburti ist der 14. April.
[4] Georg ist der 23. April und Marx der 25. April.

*Wenn es am St.-Georgs-Tag regnet,*
*kann man nur noch die Hälfte der Kirschen essen.*[1]

*Macht St. Peter das Wetter schön,*
*kann man Kohl und Erbsen säen.*[2]

*April windig und trocken, macht alles Wachstum stocken.*

*Heller Mondschein im April gibt an Obst und Wein nicht viel.*

*Donner im April ist des Bauern Will.*

*Friert's am Tag von St. Vital, friert es wohl noch 15mal.*[3]

*Warmer Aprilregen bringt großen Segen.*

*Den ersten April mußt überstehen,*
*dann kann dir noch Gutes geschehen.*

*Wetterprophet:*
*Wenn die Spinnen ihr Netz selbst zerreißen und sich verkriechen,*
*wird heftiger Sturm nicht lange auf sich warten lassen.*

### Mai

*Kühle und Abendtau im Mai bringt Wein und viel Heu.*

*Mamertius, Pankratius, Servatius bringen Kälte und Verdruß.*[4]

*Gehen die Eisheiligen ohne Frost vorbei,*
*singen die Bauern und Winzer Juchhei!*

---

[1] Georg ist der 23. April.
[2] St. Peter ist am 29. April.
[3] St. Vital ist der 28. April.
[4] Mamertius, Pankratius und Servatius sind die sogenannten „Eisheiligen": 11. bis 13. Mai. Sie sind wie die kalte Sophie von den Bauern wegen des häufig auftretenden Temperatursturzes gefürchtet. In den letzten Jahren hatte sich dieser Temperatursturz etwas Richtung Juni verschoben.

*Solange aber St. Urban nicht vorbei ist,*
*kann der Frost die Reben zum Erfrieren bringen.*[1]

*Wenn am 1. Mai ein Reifen fällt, so gerät die Frucht wohl.*

*Viel Gewitter im Mai, singt der Bauer Juchhei.*

*Maienregen auf die Saaten, dann regnet es Dukaten.*

*Wie das Wetter am Himmelfahrtstag,*
*so auch der ganze Herbst sein mag.*

*Nasse Pfingsten, fette Weihnachten.*

*Der Mai kühl, der Brachmonat naß, füllen Scheune und Faß.*

*Wenn es im Mai donnert,*
*bedeutet es Wind und ein fruchtbares Jahr.*

*Wenn der 1. Mai ein Regentag ist,*
*so gibt es im Sommer entweder teures oder faules Heu.*

*Maientau macht grüne Auen.*

*Kommt Nebel, wenn die Bäume blühen,*
*so wirst du nicht viel Obst erziehen.*

*So wie der Mai werden Obst und Heu.*

*Regen im Mai gibt für das ganze Jahr Brot und Heu.*

*Servatius muß vorüber sein, willst du vor Nachtfrost sicher sein.*

*Dreht mehrmals sich der Wetterhahn,*
*so zeigt er Sturm und Regen an.*

*Wetterprophet:*
*Wenn die Vögel allzu laut singen und nach Wasser zum Baden*
*suchen, wird bald ein heftiger Regenguß niedergehen.*

---

[1] St. Urban ist am 25. Mai.

# Juni

*Es folgt für uns ein gutes Jahr, wenn es an Corpus Christi klar.[1]*

*Regnet es am Medardustag,*
*so regnet es einundzwanzig und sogar vierzig Tag.[2]*

*Wenn der St. Medardus ins Wasser fällt,*
*braucht es den St. Barnabas, um ihn wieder herauszuziehen.*
*Regnet es aber auch am St.-Barnabas-Tag,*
*kann man die Bohnenstangen ausreißen und heimtragen.[3]*

*Vier Tage vor und vier Tage nach der Sonnenwende zeigen die*
*herrschenden Sommertage an.[4]*

*Vor Johanni bitte um Regen, nachher kommt er ungelegen.[5]*

*Wenn kalt und naß der Juni war,*
*verdirbt er meist das ganze Jahr.*

*Juni trocken mehr als naß, füllt er mit gutem Wein das Faß.*

*Viel Donner im Juni bringt ein fruchtbares Jahr.*

*Regnet's an St. Barnabas, schwimmen die Trauben bis ins Faß.*

*Vor Johannistag keine Gerst' man loben mag.*

*Soll gedeihen Korn und Wein, muß im Juni Wärme sein.*

*Wenn im Juni Nordwind weht, kommt Gewitter oft recht spät.*

*Wenn im Juni viel Raupen sein, gibt's viel Korn und Wein.*

*Wie soll das Juniwetter sein? Schön warm*
*mit Regen und Sonnenschein.*

---

[1] Corpus Christi ist Fronleichnam.
[2] Medardus ist der 8. Juni.
[3] St. Barnabas ist der 11. Juni.
[4] Sommersonnenwende ist am 22. Juni.
[5] Johanni ist am 24. Juni.

*Juni viel Donner, verkündet trüben Sommer.*

*Hat Margret keinen Sonnenschein,*
*dann kommt das Heu nie trocken ein.*[1]

*O heiliger St. Veit, regne nicht,*
*daß es uns nicht an Obst und Wein gebricht.*[2]

*Glüh'n nächtens Johanniswürmchen sehr hell,*
*ist sicher ein schöner Juni zur Stell.*

*Hagelkörner, sogar kleine, sind so hart wie Kieselsteine.*

*Sagt jemand Juni hinten mit „o",*
*ist er kein Bauer, sondern lebt im Büro.*

*Der Wetterprophet*
*Ungewöhnlicher Fleiß bei den Ameisen,*
*Faulheit bei den Bienen deutet auf Regenwetter.*

## Juli

*Hundstage klar, fruchtbares Jahr.*[3]

*Ist Jakobi hell und warm,*
*friert man an Weihnachten bis in den Darm.*[4]

*Wenn's nicht donnert und blitzt,*
*wenn der Schnitter nicht schwitzt und der Regen dauert lang,*
*wird's dem Bauern bang.*

*Wenn auf Annatag die Ameisen aufwerfen,*
*soll ein harter Winter kommen.*[5]

*Juliregen nimmt den Erntesegen.*

---

[1] Margret ist am 10. Juni.
[2] St. Veit ist am 15. Juni.
[3] Die Hundstage sind vom 16. Juli bis zum 28. August.
[4] Jakobi ist am 25. Juli.
[5] Anna ist am 26. Juli.

*Wie Maria über das Gebirge geht, so 40 Tage das Wetter steht.*[1]

*Margarethentag Regen bringt kein Segen.*[2]

*Regnet's am Tag unserer lieben Frau,*
*so wird das Regenwetter 40 Tage andauern.*[3]

*Scheint an Jakobi die Sonne und regnet's dazu,*
*so ist ein milder Winter zu erhoffen.*[4]

*Jakobi soll warmen Regen spenden, und Anni soll brav trocknen,*
*dann wird das Herbstwetter gut.*[5]

*Fällt vor Jakobi die Blüte vom Kartoffelkraut,*
*auf keine guten Kartoffeln man baut.*

*Wird der Juli trocken sein, kannst du rechnen auf guten Wein.*

*Im Juli muß vor Hitze braten, was im September soll geraten.*

*Wenn der Juli fängt zu tröpfeln an,*
*wird man lange Regen haben.*

*Nur in der Juliglut wird Obst und Wein dir gut.*

*Bringt Juli heiße Glut, so gerät der September gut.*

*Dem Weinstock, den Bohnen und dem Mais wird's nie zu heiß.*

*Wie's Wetter am Siebenschläfertag,*
*es sieben Wochen bleiben mag.*[6]

*Der Wetterprophet:*
*Wenn die Stubenfliegen aufdringlich werden*
*und die Mücken heftig stehen, ist ein Gewitter in der Nähe.*

---

[1] Maria ist der 2. Juli.
[2] Margarethe ist am 15. Juli.
[3] Unsere Liebe Frau, Maria Magdalena, ist der 22. Juli.
[4] Jakobi ist am 25. Juli.
[5] Anna am 26. Juli.
[6] Siebenschläfer ist am 10. Juli.

# August

*Hundstage hell und klar, zeigen auf ein gutes Jahr.*

*Bläst der Wind an Stephanitag recht,*
*wird der Wein nächstes Jahr schlecht.*[1]

*Regen an Maria Schnee tut dem Korn gar tüchtig weh.*[2]

*Wenn es an Maria Himmelfahrt hell und klar,*
*so hofft man auf ein gutes Weinjahr.*[3]

*Sind Lorenz und auch Bartel schön,*
*ist ein guter Herbst vorauszuseh'n.*[4]

*Gewitter an Bartholomä bringt Hagel oder Schnee.*[5]

*Maienstaub und Augustkot, die machen uns ein teures Brot.*

*Regnet's im August, so regnet's Honig und Most.*

*Wenn's im August stark tauen tut,*
*so bleibt das Wetter meistens gut.*

*Hitze an Domenikus, ein strenger Winter kommen muß.*[6]

*Bläst im August der Nord, so dauert gutes Wetter fort.*

*Der Tau ist dem August so not wie jedermann sein täglich Brot.*

*Gibt's im August rechten Sonnenschein,*
*so wird die Ernte besser sein.*

*Ist der August am Anfang heiß, wird der Winter streng und weiß;*
*stellen sich Gewitter ein, wird's bis Ende auch so sein.*

---

[1] Stephani ist am 3. August.
[2] Maria Schnee ist am 5. August.
[3] Lorenz ist am 10. August, Bartel am 24. August.
[4] Maria Himmelfahrt ist am 15. August.
[5] Bartholomäus ist am 24. August.
[6] Domenikus ist am 8. August.

*Der August muß Hitze haben,*
*sonst wird der Obstbaumsegen begraben.*

*Wettert es viel im Monat August,*
*du nassen Winter erwarten mußt.*

*Maria Geburt jagt Schwalben und Studenten furt.*[1]

*Wie das Wetter an Kassian, hält es mehrere Tage an.*[2]

*Ist es am Bartholomäustag schön, so ist der ganze Herbst schön.*
*Gewitter an diesem Tag bringt Hagel oder Schnee.*

*Der Wetterprophet:*
*Wenn es in der Nacht wetterleuchtet, wird drei Tage später*
*der Regen fallen; liegt aber in der Früh' Tau,*
*so ist ein schöner Tag gewiß.*

## September

*Septemberdonner prophezeit viel Schnee zur Weihnachtszeit.*

*An Septemberregen für Saaten und Reben*
*ist dem Bauern gelegen.*

*An Lambert hell und klar, bringt ein trocken Frühjahr.*[3]

*Ist's am ersten September hübsch und rein,*
*wird's den ganzen Monat sein.*

*Regnet's am Verenatag, soll der Landwirt säen.*
*Wenn's schön ist, gibt's auf Michaeli Schnee.*[4]

*Regnet es am Michaelitag, folgt ein wilder Winter nach.*

*St.-Michaels-Wein, süßer Wein, Herrenwein.*

---

[1] Maria Geburt ist am 8. September.
[2] Kassian ist am 13. August.
[3] Lambert ist am 18. September.
[4] Verena ist am 1. September, Michaeli am 29. September.

*Tritt Matthäus stürmisch ein, wird's ein kalter Winter sein.*
*Wenn Matthäus weint statt lacht, er aus dem Wein Essig macht.[1]*

*Wenn um Michaelis die Nordostwinde gehen,*
*gibt's viel Eis und Schnee.*

*Wie sich's Wetter um Maria Geburt tut halten,*
*so wird sich's noch vier Wochen gestalten.*

*Wenn die Schwalben vor Michael nicht abziehen,*
*kommt vor Weihnachten kein Winter.*

*Wie im September tritt der Neumond ein,*
*so wird das Wetter den Herbst durch sein.*

*Wird das Obst sehr langsam reif,*
*gibt's im Winter statt Eis nur Reif.*

*Nach Septembergewittern wird man im Hornung*
*vor Schnee und Kälte zittern.*

*September schön in den ersten Tagen,*
*will schön den ganzen Herbst ansagen.*

*September warm, Oktober kalt.*

*Schönes Wetter an St. Michael gibt eine gute Bienenhonigernte.*

*Der Wetterprophet:*
*Wenn die Wolken als kleine Schäfchen hoch am Himmel steh'n*
*und bei Sonnenuntergang gelbrot glänzen und abends nahe*
*Berge fern erscheinen, ferne Berge ganz verschwinden,*
*so ist schönes Wetter gewiß.*

*Wenn der September noch donnern kann,*
*setzen die Bäume viel Blüten an.*

*Nebelt's an St. Kleophas, wird der ganze Winter naß.[2]*

---

[1] Matthäus ist am 21. September.
[2] St. Kleophas ist am 25. September.

Schneit's vor Michel über den Rhein, so ist der halb Winter dahin.

Michael mit „Nord" und „Ost", deutet auf gar strengen Frost.

## Oktober

Ist der Oktober warm und fein, kommt ein scharfer Winter
herein; ist er aber naß und kühl, mild der Winter werden will.

Bleibt's Laub am Ast, viel Ungeziefer zu fürchten hast.

Oktober und März gleichen sich allerwärts.

Wenn Buchenfrüchte geraten wohl, Nuß- und Eichenbaum
hängen voll, so folgt ein harter Winter drauf
und fällt der Schnee mit großem Hauf.

Wenn St. Gallus den ersten Schnee bringt,
folgt viel Regen im Oktober, viel Wind im Dezember.[1]

Ist der Oktober kalt,
so macht er für's nächste Jahr dem Raupenfraß einen Halt.

St. Wolfgang Regen verspricht ein Jahr voll Segen.[2]

Trägt der Hase lang sein Sommerkleid,
so ist der Winter auch noch weit.

Ist im Herbst das Wetter hell, bringt es Wind im Winter schnell.

Fällt der erste Schnee in Dreck, so ist der ganze Winter dein Geck.

Halten die Krähen Konvivium, sieh nach Feuerholz dich um.

Sitzt im Oktober das Laub noch fest am Baum,
so fehlt ein strenger Winter kaum.

Ist's um Gallus trocken, folgt ein Sommer mit nassen Socken.

---

[1] St. Gallus ist am 16. Oktober.
[2] St. Wolfgang ist am 31. Oktober.

*Nach Gallus bleibt die Kuh im Stall.*

*Regnet's auf St. Dionys, wird der Winter hart, gewiß.[1]*

*Nach dem Gallustag man den Nachsommer erwarten mag.*

*Wer an Lukas Roggen streut, es im Jahr darauf nicht bereut.[2]*

*Simon und Judas hängen Schnee an die Stauden.[3]*

*Wenn zu uns Simon und Judas wandeln,*
*wollen sie mit dem Winter handeln.*

*Der Wetterprophet:*
*Zeigt Sonne oder Mond einen Hof,*
*so achte darauf, wie sie untergehen;*
*ist beim Verschwinden der Himmel klar,*
*so wird das Wetter schön;*
*ist der Himmel trüb,*
*so kann man bestimmt mit Regen rechnen.*

## November

*Wenn der November regnet und frostet,*
*dies den Saaten ihr Leben kostet.*

*Wenn's zu Allerheiligen schneit, lege deinen Pelz bereit.[4]*

*Wenn um Martini Nebel sind, so wird der Winter meist gelind.[5]*

*St. Elisabeth sagt's an, was der Winter für ein Mann.[6]*

*Katharinenwinter, ein Plackwinter.[7]*

---

[1] St. Dionys ist am 9. Oktober.
[2] Lukas ist am 18. Oktober.
[3] Simon ist am 28. Oktober.
[4] Allerheiligen ist der 1. November.
[5] Martinstag ist am 11. November.
[6] St. Elisabeth ist am 19. November.
[7] Katharina ist am 25. November.

*Viel und langer Schnee gibt viel Frucht und Klee.*

*An Martini Sonnenschein, tritt ein kalter Winter ein.*

*Andreasschnee tut dem Korn und Weizen weh.*[1]

*November tritt oft hart herein, braucht nicht viel dahinter zu sein.*

*Ist der November kalt und klar, wird trüb und mild der Januar.*

*Ist ein Span, der um Allerheiligen
aus einer Buche oder Weißtanne gehauen, feucht,
wird der Winter naß,
ist er aber trocken, kommt viel Kälte.*

*Zu Allerheiligen Sonnenschein, tritt der Nachsommer ein.*

*Allerheiligen-Reif macht den Winter starr und steif.*

*Ist der Martinstag schön, so bleibt es bis zur Weihnacht schön.*

*Hat Martini weissen Bart, wird der Winter lang und hart.*

*Wie das Wetter um Katharin, so wird's den ganzen Winter sein.*

*Wenn an St. Andreas Schnee fällt, so bleibt er 100 Tage liegen.*

*Andreastag Besen hauen.*

*Der Wetterprophet:
Wenn alte Wunden oder Hühneraugen schmerzen
oder die Gicht sich heftig bemerkbar macht,
so ist sicher mit einem plötzlichen Wetterumschlag zu rechnen.*

## Dezember

*Auf kaltem Dezember mit tüchtigem Schnee
folgt ein fruchtbares Jahr mit reichlich Klee.*

---

[1] St. Andreas ist am 30. November.

*Dezember veränderlich und lind, der ganze Winter ein Kind.*

*Ist's in der Heiligen Nacht hell und klar,*
*so gibt's ein segenreiches Jahr.*

*Weihnachten naß, gibt leere Speicher und Faß.*

*Fließt noch jetzt der Birkensaft,*
*dann kriegt der Winter keine Kraft.*

*Dezember kalt mit Schnee, gibt Korn auf jeder Höh.*

*Wenn es in der ersten Adventwoche kalt ist,*
*wird die Kälte vier Wochen anhalten.*

*Regnet's an St. Nikolaus, wird der Winter streng und graus.*[1]

*Auf Barbara die Sonne weicht, an Luzia sie wieder herschleicht.*[2]

*Grüne Weihnacht – weiße Ostern.*

*Trockener Dezember – trockener Sommer.*

*Watet die Krähe zu Weihnachten im Klee,*
*sitzt sie zu Ostern sicher im Schnee.*

*Je dunkler es überm Dezemberschnee war,*
*je mehr leuchtet der Segen im nächsten Jahr.*

*Ist St. Lazar nackt und bar, wird ein gelinder Februar.*[3]

*Ist es windig an den Weihnachtstagen,*
*sollen die Bäume viel Früchte tragen.*

*Ist der Dezember wild mit viel Regen,*
*dann hat das nächste Jahr wenig Segen.*

---

[1] St. Nikolaus ist am 6. Dezember.
[2] Barbara ist am 4. Dezember, Luzia am 13. Dezember.
[3] St. Lazar ist am 17. Dezember.

*Donnert's im Dezember gar, bringt viel Wind das nächste Jahr.*

*Ist gelind der Heilig Christ, der Winter darüber wütend ist.*

*Weihnachten auf dem Platz, Ostern auf dem Ofen.*

*Silvester hell und klar, Glückauf zum neuen Jahr.*

*Der Wetterprophet:*
*Wenn in der Nacht die Milchstraße als weißes Band am Himmel*
*steht, kann der folgende Tag keinen Regen bringen.*

## Daten für Kirchen- und Namenstage

| | |
|---|---|
| Allerheiligen | 1. November |
| Andreas | 30. November |
| Barbara | 4. Dezember |
| Bartholomäus | 24. August |
| Bonifatius | 4 Tage nach Himmelfahrt |
| Corpus Christi | 2. Donnerstag nach Pfingsten; Fronleich- nam |
| Elisabeth | 19. November |
| Fridolin | 6. März |
| Fronleichnam | 2. Donnerstag nach Pfingsten |
| Gallus | 16. Oktober |
| Georgi | 23. April |
| Gertrud | 17. März |
| Himmelfahrt | 40 Tage nach Ostern |
| Hornung | Februar |
| Hundstage | 16. Juli bis 28. August |
| Jakobi | 25. Juli |
| Johanni | 24. Juni |
| Josefi | 2. Mittwoch nach Ostern |
| Judica | 2. Sonntag nach Ostern |
| Kalte Sophie | 5 Tage nach Himmelfahrt |
| Kassian | 13. August |
| Katharina | 25. November |
| Kleophas | 25. September |
| Lambert | 17. September |

| | |
|---|---|
| Laurentus | 22. Juli |
| Lazarus | 17. Dezember |
| Lichtmess | 2. Februar |
| Luzia | 13. Dezember |
| Lukas | 18. Oktober |
| Maria Magdalena | 22. Juli |
| Maria Himmelfahrt | 15. August |
| Maria Schnee | 5. September |
| Maria Geburt | 8. September |
| Martini | 11. November |
| Matthäus | 24. Februar |
| Michaeli | 29. September |
| Ostern | 1. Sonntag nach dem 1. Vollmond im Frühjahr |
| Pankratius | 2 Tage nach Himmelfahrt |
| Pfingsten | 50 Tage nach Ostern |
| Rupprecht | 27. März |
| Servatius | 3 Tage nach Himmelfahrt |
| Siebenschläfer | 10. Juli |
| Simon und Judas | 28. Oktober |
| Sonnenwende | 22. Juni |
| St. Wolfgang | 31. Oktober |
| St. Barnabas | 11. Juni |
| St. Benedikt | 21. März |
| St. Dorothea | 6. Februar |
| St. Domenikus | 4. August |
| St. Dionys | 9. Oktober |
| St. Medardus | 8. Juni |
| St. Paulus | 25. Januar |
| St. Peter | 29. April |
| St. Urban | 25. Mai |
| St. Veit | 15. Juni |
| St. Vital | 28. April |
| Stefan | 3. August |
| Valentin | 14. Februar |
| Verena | 1. September |
| Verkündigung | 25. März |
| Vinzenz | 22. Januar |

# Astronomischer Beginn der Jahreszeiten

### Frühling

20. März um 22:19 Uhr. Eintritt der Sonne in das Zeichen des Widders. Tag- und Nachtgleiche.

### Sommer

21. Juni um 16:33 Uhr. Eintritt der Sonne in das Zeichen des Krebses. Längster Tag.

### Herbst

23. September um 07:45 Uhr. Eintritt der Sonne in das Zeichen der Waage. Tag- und Nachtgleiche.

### Winter

22. Dezember um 04:07 Uhr. Eintritt der Sonne in das Zeichen des Steinbocks. Kürzester Tag.

## Tiere und Pflanzen als Wetterpropheten

*Wenn die Wiesel spazierengehen, gibt es schlechtes Wetter.*

*Sieht man das weiße Wiesel, gibt es Schnee.*

*Hat der Hase ein dichtes Fell,*
*kümmere dich um Brennholz schnell.*

*Trägt der Hase lang ein Sommerkleid,*
*ist der Winter auch noch weit.*

*Wenn die Murmeltiere frühzeitig schlafen gehen,*
*so wird es bald Winter.*

*Kriechen die Eichhörnchen bald ins Nest,*
*wird der Winter hart und fest.*

*Wenn die Füchse schreien, gibt es schlechtes Wetter.*

*Wenn das Wild in die Nähe des Dorfes kommt,*
*ändert sich das Wetter.*

*Steht das Rotwild im Walde fest, sucht's vor Winternot sein Nest.*

*Wechseln die Gemsen von den höheren Regionen in den Wald*
*hinunter, gibt es rauhes Wetter mit Schnee.*

*Wenn Rudel von Gemsen über die Schneehalde aufwärts ziehen,*
*kann mit einer längeren Schönwetterperiode gerechnet werden.*

*Kommen die Füchse früh ins Dorf, so soll man die Reben decken,*
*denn es gibt einen kalten Winter.*

*Wenn Spatzen und Hühner im Staub baden,*
*ist Regen zu erwarten.*

*Sind Zugvögel um Michaeli noch hier,*
*haben bis Weihnachten lind Wetter wir.*

*Treffen die Strichvögel zeitig ein,*
*wird früh und hart der Winter sein.*

*Je fetter die Vögel und Dachse sind,*
*um so kälter erscheint das Christkind.*

*Hohes Fliegen der Vögel deutet auf schönes Wetter.*

*Bleiben die Schwalben lang, so sei vor dem Winter nicht bang.*

*Tiefes Fliegen der Schwalben ist ein Schlechtwetterzeichen.*

*Schreit der Kuckuck viel im März und zieht die wilde Gans*
*ins Land, gibt's einen guten Frühling.*

*Wenn der Kuckuck am 9. April nicht gesungen hat,*
*gibt es Unglück im Land.*

*Sobald der Kuckuck gesungen hat, ist es fertig mit dem Eis.*

*Schreit der Kuckuck noch lange nach Johannis,*
*so folgt ein schlechtes, teures Jahr.*

*Wenn die Amsel den ganzen Tag*
*um die Häuser flötet, gibt es Regen.*

*Krächzen die Krähen, gibt's schlechtes Wetter.*

*Wenn der Grünspecht im Februar schreit,*
*so kommt ein gutes Jahr.*

*Das schlechte Wetter wird weggehen, wenn die Eule ruft.*

*Wenn im März die Kraniche ziehen,*
*werden bald die Bäume blühen.*

*Kraniche, die niedrig ziehen, deuten auf warmes Wetter hin.*

*Verkriechen sich die Bienen in ihr Haus, ändert sich das Wetter.*

*Je weiter die Bienen sich vom Stock entfernen,*
*desto beständiger ist die Wetterlage.*

*Rennen die Ameisen auf ihren Wegen aufgeregt umher,*
*regnet's innerhalb von 24 Stunden.*

*Frisch aufgeworfene Ameisenstraßen deuten auf Niederschlag.*

*Winkelspinnen versprechen Regen: wenn sie sich in ihren Gewe-*
*ben ganz umkehren und uns das Hinterteil zeigen.*

*Kriechen große Spinnen herum, so folgt bald Regen. Sitzt die*
*Spinne mitten im Netz, so ist gutes Wetter zu erhoffen.*

*Wenn die Spinnen im Regen spinnen, wird er nicht lange rinnen.*

*Reißt die Spinne ihr Netz entzwei, kommt der Regen bald herbei.*

*Viel Frösche im Frühling, nasser Sommer;*
*wenig Frösche, trockener Sommer.*

*Wenn die Frösche quaken, gibt's Regenwetter.*

*Wenn im Mai die Laubfrösche knarren,*
*magst du wohl auf Regen harren.*

*Wenn Kröten fleißig laufen, wollen sie bald Wasser saufen.*

*Wenn die Frösche des Nachts quaken, gibt es schönes Wetter.*

*Sieht man Regenmolche beim Mähen, so gibt's Regen.*

*Wenn die Hennen auf die Bäume fliegen, gibt's schlechtes Wetter.*

*Wenn sich die Hühner im Stall lausen,*
*ist das ein Zeichen für Regen.*

*Wenn das Vieh am Morgen muht, kommt schlechtes Wetter.*

*Die Unruhe des Viehs auf der Weide*
*ist ein Vorzeichen für Bisenlage.*

*Wenn die Kühe husten, die Füße schütteln oder ausschlagen,*
*gibt es unweigerlich Schnee.*

*Kräht der Hahn noch am Abend,*
*so muß man sich auf Wetterumschlag gefaßt machen.*

*Wenn sich die Ziegen stark und anhaltend schütteln,*
*so steht Regen bevor.*

*Wenn die Ziegen auf der Weide sich*
*zu den Scheunen begeben, gibt es Gewitter.*

*Stinken die Schweine, so gibt es Regen.*

*Wenn die Katze Gras frißt, gibt es schlechtes Wetter.*

*Wenn sich die Katze übers Ohr putzt, kommt schlechtes Wetter.*
*Wenn sich die Katze am Morgen putzt,*
*so regnet es noch vor dem Abend.*

*Sonnt sich die Katze im Februar im Freien,*
*muß sie im März zum Ofen hinein.*

*Singt die Grasmücke, ehe der Weinstock sprosset,*
*folgt ein gutes Jahr.*

*Wenn die Mücken am Morgen stechen, kommt schlechtes Wetter;*
*wenn sie am Abend stechen, wird es schön.*

*Tanzen im Januar die Mücken,*
*muß der Bauer nach dem Futter gucken.*

*Schwüle Hitze und lästige Mücken und Bremsen*
*lassen Gewitter erkennen.*

*Wenn im Februar die Mücken geigen,*
*müssen sie im März schweigen.*

*Scharren die Mäuse tief sich ein, wird's ein harter Winter sein.*

*Tummelt sich viel die Haselmaus,*
*bleibt der Winter noch lange aus.*

*Wandert die Feldmaus nach dem Haus,*
*bleibt der Frost nicht lange aus.*

*Wenn die Öffnungen zu den Maulwurfgängen*
*im Frühjahr offen sind, gibt es einen kühlen Sommer.*

*Wirft der Maulwurf Hügel auf im Januar,*
*dauert der Winter bis zum Mai.*

*Wenn die Grillen abends sehr laut zirpen,*
*ist das ein Gutwetterzeichen.*

*Wenn die Schwalben im April kommen,*
*verliert der Winter den Faden.*

*Magere Wespen im Frühjahr bedeuten ein fruchtbares Jahr.*

*Viel Wespen bedeuten einen trockenen Herbst.*

*Regen, wenn die Tausendfüßler im Keller laufen.*

*Wenn sich die Schnecken früh deckeln,*
*gibt's einen frühen Winter.*

*Gedeiht die Schnecke und die Nessel,*
*füllen Speicher sich und Fässel.*

*Wenn man im Sommer beim Heuen und Emden[1]*
*oft Blindschleichen und Feuersalamander sieht,*
*so deutet das auf Regen in der kommenden Nacht.*

*Wenn Regenwürmer aus der Erde kriechen oder der Maulwurf*
*die Erde aufwirft, gibt's Regen.*

*Springen Fische auf, so gibt es Regen.*

*Geht der Fisch nicht an die Angel, ist an Regen bald kein Mangel.*

*Wenn es viel Eicheln gibt, so folgert gern*
*ein langer und harter Winter.*

*Sitzt im November das Laub noch fest am Baum,*
*so fehlt ein strenger Winter kaum.*

*Treibt die Esche vor der Eiche, hält der Sommer große Bleiche.*
*Treibt die Eiche vor der Esche, hält der Sommer große Wäsche.*

*Wenn im Wald die Äste abwärts hängen,*
*ist mit Regen zu rechnen.*

*Baumblüte spät im Jahr, nie ein gutes Zeichen war.*

*Blüten, die im Herbste kommen,*
*haben des nächsten Sommers Früchte genommen.*

*Wenn die Tannen blühen und die Dornenblätter*
*klebrig glänzen, gibt es ein Honigjahr.*

---

[1] Emden bedeutet ein zweites Mal Heu machen.

*Um Heu und Korn wird's schlimmer steh'n,*
*je später wir Blüten am Schlehdorn sehen.*

*Wenn das Heidekraut bis an die Spitze*
*der Zweige hinauf dicht mit Blüten besetzt ist,*
*so ist ein früher und kalter Winter zu erwarten.*

*Haben die Knoblauchzehen drei Häute, wird der Winter kalt.*

*Wenn die Erbsen und Bohnen hoch aufwachsen,*
*so folgt ein langer Winter.*

*Erscheinen über Nacht Pilze auf dem Miststock,*
*gibt es Regenwetter.*

*Wenn es im Herbst viele Schwämme hat,*
*gibt's einen langen Winter.*

*Wenn der Hasenklee im Frühling viel Blumen hat, so erfolgt ein*
*nasser, wenn er aber wenig hat, ein trockener Sommer.*

*Fallen die Blätter früh, ist die Wärme bald vorbei.*

Anhang II

# Erklärung der Sonderzeichen

## Die Mondphasen

● Neumond
◐ Zunehmender Mond
○ Vollmond
◑ Abnehmender Mond
☋ Mond geht über sich
☌ Mond geht unter sich
☿ Kippmoment
☊ Aufsteigender Mondknoten
☋ Absteigender Mondknoten

## Die Planeten

☉ Sonne
☽ Mond
♂ Mars
☿ Merkur
♃ Jupiter
♀ Venus
♄ Saturn
♅ Uranus
♆ Neptun
♇ Pluto

## Die Planetenaspekte

☌ Konjunktion
☍ Opposition
□ Quadrat
△ Trigon
✶ Sextil

## Die Elemente

△ Feuer
▽ Wasser
△ Luft
▽ Erde

## Die Tierkreiszeichen

♈ Widder
♉ Stier
♊ Zwillinge
♋ Krebs
♌ Löwe
♍ Jungfrau
♎ Waage
♏ Skorpion
♐ Schütze
♑ Steinbock
♒ Wassermann
♓ Fische

## Andere Symbole

\+ Positiv, männlich
\− Negativ, weiblich
⚥ Magie (günstig für magische
   Arbeiten)
o gut, vorzüglich
△ wichtig
╱ schlecht, meide
□ Vorsicht!

# Der synodische Mondumlauf

## Die Gradeinteilung der 28 Häuser

| Haus | von x° bis y° | | Verweildauer | |
|---|---|---|---|---|
| | | | in ° " | in hh:mm |
| **Neumond** | | | | |
| 1. | 0° | bis 8° 30" | 8° 30" | 16:37 |
| 2. | 8° 30" | bis 17° 30" | 9° | 18:25 |
| 3. | 17° 30" | bis 27° | 9° 30" | 18:34 |
| 4. | 27° | bis 37° | 10° | 20:00 |
| 5. | 37° | bis 47° 30" | 10° 30" | 20:30 |
| 6. | 47° 30" | bis 58° 30" | 11° | 22:10 |
| 7. | 58° 30" | bis 70° | 11° 30" | 22:28 |
| 8. | 70° | bis 82° | 12° | 24:00 |
| 9. | 82° | bis 94° 30" | 12° 30" | 24:55 |
| 10. | 94° 30" | bis 107° 30" | 13° | 26:00 |
| 11. | 107° 30" | bis 121° | 13° 30" | 26:26 |
| 12. | 121° | bis 135° | 14° | 28:00 |
| 13. | 135° | bis 149° 30" | 14° 30" | 28:20 |
| 14. | 149° 30" | bis 180° | 30° 70" | 59:57 |
| **Vollmond** | | | | |
| 15. | 180° | bis 149° 30" | 30° 70" | 59:57 |
| 16. | 149° 30" | bis 135° | 14° 30" | 28:20 |
| 17. | 135° | bis 121° | 14° | 28:00 |
| 18. | 121° | bis 107° 30" | 13° 30" | 26:26 |
| 19. | 107° 30" | bis 94° 30" | 13° | 26:00 |
| 20. | 94° 30" | bis 82° | 12° 30" | 24:55 |
| 21. | 82° | bis 70° | 12° | 24:00 |
| 22. | 70° | bis 58° 30" | 11° 30" | 22:28 |
| 23. | 58° 30" | bis 47° 30" | 11° | 22:10 |
| 24. | 47° 30" | bis 37° | 10° 30" | 20:30 |
| 25. | 37° | bis 27° | 10° | 20:00 |
| 26. | 27° | bis 17° 30" | 9° 30" | 18:34 |
| 27. | 17° 30" | bis 8° 30" | 9° | 18:25 |
| 28. | 8° 30" | bis 0° | 8° 30" | 16:37 |

# Der siderische Mondumlauf

## Die 28 Mondaufenthalte

| | | Verweildauer des Mondes in den Sternzeichen | | | | | | | |
|---|---|---|---|---|---|---|---|---|---|
| 1 | ♈ | 0° | – 12° 51' 26" | ♈ | 15 | ♎ | 0° | – 12° 51' 26" | ♎ |
| 2 | ♈ | 12° 51' 27" | – 25° 42' 52" | ♈ | 16 | ♎ | 12° 51' 27" | – 25° 42' 52" | ♎ |
| 3 | ♈ | 25° 42' 53" | – 8° 34' 18" | ♉ | 17 | ♎ | 25° 42' 53" | – 8° 34' 18" | ♏ |
| 4 | ♉ | 8° 34' 19" | – 21° 25' 44" | ♉ | 18 | ♏ | 8° 34' 19" | – 21° 25' 44" | ♏ |
| 5 | ♉ | 21° 25' 45" | – 4° 17' 10" | ♊ | 19 | ♏ | 21° 25' 45" | – 4° 17' 10" | ♐ |
| 6 | ♊ | 4° 17' 11" | – 17° 8' 36" | ♊ | 20 | ♐ | 4° 17' 11" | – 17° 8' 36" | ♐ |
| 7 | ♊ | 17° 8' 37" | – 0° | ♋ | 21 | ♐ | 17° 8' 37" | – 0° | ♑ |
| 8 | ♋ | 0° | – 12° 51' 26" | ♋ | 22 | ♑ | 0° | – 12° 51' 26" | ♑ |
| 9 | ♋ | 12° 51' 27" | – 25° 4' 52" | ♋ | 23 | ♑ | 12° 51' 27" | – 25° 42' 52" | ♑ |
| 10 | ♋ | 25° 42' 53" | – 8° 34' 18" | ♌ | 24 | ♑ | 25° 42' 53" | – 8° 34' 18" | ♒ |
| 11 | ♌ | 8° 34' 19" | – 21° 25' 44" | ♌ | 25 | ♒ | 8° 34' 19" | – 21° 25' 44" | ♒ |
| 12 | ♌ | 21° 25' 45" | – 4° 17' 10" | ♍ | 26 | ♒ | 21° 25' 45" | – 4° 17' 11" | ♓ |
| 13 | ♍ | 4° 17' 11" | – 17° 8' 36" | ♍ | 27 | ♓ | 4° 17' 11" | – 17° 8' 36" | ♓ |
| 14 | ♍ | 17° 8' 37" | – 0° | ♎ | 28 | ♓ | 17° 8' 37" | – 0° | ♈ |

## Zeichenerklärung für den siderischen Rundkalender

1. innerster Kreis: die Zahl der Aufenthalte im jeweiligen Tierkreiszeichen in Tagen.

2. über dem innersten Kreis steht (jeweils über der Zahl 3) ein
„Ka" für „kardinal" (siehe 7.), die Zahlen 1 bis 12 für die jeweiligen Felder, plus- und minus-Zeichen für den männlichen (+)
oder weiblichen (–) Aspekt des Tierkreiszeichens und über
dem plus- und minus-Zeichen die Namen des jeweiligen Tierkreiszeichens.

*Besonderheiten:* im Wassermann steht ein Pfeil, hier ist der beste
Zeitpunkt für geistige Arbeit, für emotionale und schöpferische
Intelligenz sowie für Gebets,- Geist- und Fernheilungen; im
Wassermann, Steinbock, Skorpion und Krebs das Zeichen ⅄ für
Magie, für emotionales und schöpferisches Arbeiten; zwischen
dem 3. und 4. und zwischen dem 9. und 10. Feld sind die Kipp-
zeichen ☋ zu sehen, hier geht der Mond über sich ☊ bzw. unter
sich ⌒ (siehe auch 7.); der Pfeil im ersten Feld steht für die
Leserichtung, die Linksbewegung der Erde und der Mondbahn.

3. im dritten Kreis die Gradeinteilung in 1°-Schritten
4. im vierten Kreis stehen in den drei Dekaden (Kreisabschnitten zu je 10°) die Haupt- und Mitherrscher (Planetenregenten) des Tierkreiszeichens: in der ersten Dekade der Hauptherrscher und in den beiden nachfolgenden Dekaden die beiden Mitherrscher.
5. im fünften Kreis sind die Tierkreiszeichen dargestellt, eingerahmt vom Hauptherrscher rechts und links davon.
6. hier wie 3., doch mit hervorspringenden Einteilungen ober- und unterhalb des Kreises in 5°-Schritten.
7. im siebten Kreis sind wieder verschiedene Angaben zu sehen: in der Mitte des Abschnitts stehen die Zeichen für die Elemente Feuer, Wasser, Luft und Erde, links davon sind die Angaben für die Kraftzeichen „veränderbar", „kardinal" und „fix" zu sehen, rechts davon die Angaben Frucht/Wärmetag, Blatt/Wassertag, Blüte/Lichttag und Wurzel/Kältetag sowie, über diesen Angaben, die Stellung „Mond über sich" ☋ bzw. „Mond unter sich" ☊.

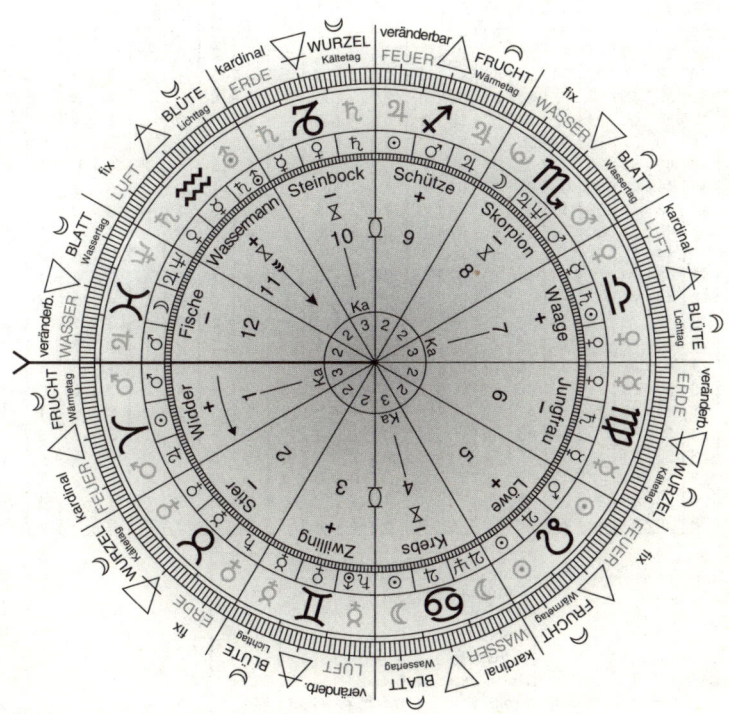

# Der Immerwährende Kalender

### *Erklärung anhand eines Beispiels*

*Frage:* Auf welchen Wochentag fiel der 16. Oktober 1963?

*Antwort:* Auf einen Mittwoch.

*Erklärung:* Wir gehen von der auf der Jahrestafel ausgesuchten Zahl 1963 nach rechts bis wir auf die Spalte „Oktober" stoßen. Dort lesen wir die Zahl „2". Diese Zahl addieren wir zu der Tageszahl „16" (16. Oktober) hinzu: ergibt 18. Wir schauen nun nach unten auf die Wochentagstafel: Auf die Zahl 18 fällt der Mittwoch.

| Jahrestafel | | | | | | | Monatstafel | | | | | | | | | | | |
|---|---|---|---|---|---|---|---|---|---|---|---|---|---|---|---|---|---|---|
| 1801–1900 | | | 1901–2000 | | | | Januar | Februar | März | April | Mai | Juni | Juli | August | September | Oktober | November | Dezember |
| 01 | 29 | 57 | 85 | | 25 | 53 | 81 | 4 | 0 | 0 | 3 | 5 | 1 | 3 | 6 | 2 | 4 | 0 | 2 |
| 02 | 30 | 58 | 86 | | 26 | 54 | 82 | 5 | 1 | 1 | 4 | 6 | 2 | 4 | 0 | 3 | 5 | 1 | 3 |
| 03 | 31 | 59 | 87 | | 27 | 55 | 83 | 6 | 2 | 2 | 5 | 0 | 3 | 5 | 1 | 4 | 6 | 2 | 4 |
| 04 | 32 | 60 | 88 | | 28 | 56 | 84 | 0 | 3 | 4 | 0 | 2 | 5 | 0 | 3 | 6 | 1 | 4 | 6 |
| 05 | 33 | 61 | 89 | 01 | 29 | 57 | 85 | 2 | 5 | 5 | 1 | 3 | 6 | 1 | 4 | 0 | 2 | 5 | 0 |
| 06 | 34 | 62 | 90 | 02 | 30 | 58 | 86 | 3 | 6 | 6 | 2 | 4 | 0 | 2 | 5 | 1 | 3 | 6 | 1 |
| 07 | 35 | 63 | 91 | 03 | 31 | 59 | 87 | 4 | 0 | 0 | 2 | 5 | 1 | 3 | 6 | 2 | 4 | 0 | 2 |
| 08 | 36 | 64 | 92 | 04 | 32 | 60 | 88 | 5 | 1 | 2 | 5 | 0 | 3 | 5 | 1 | 4 | 6 | 2 | 4 |
| 09 | 37 | 65 | 93 | 05 | 33 | 61 | 89 | 0 | 3 | 3 | 6 | 1 | 4 | 6 | 2 | 5 | 0 | 3 | 5 |
| 10 | 38 | 66 | 94 | 06 | 34 | 62 | 90 | 1 | 4 | 4 | 0 | 2 | 5 | 0 | 3 | 6 | 1 | 4 | 6 |
| 11 | 39 | 67 | 95 | 07 | 35 | 63 | 91 | 2 | 5 | 5 | 1 | 3 | 6 | 1 | 4 | 0 | 2 | 5 | 0 |
| 12 | 40 | 68 | 96 | 08 | 36 | 64 | 92 | 3 | 6 | 0 | 3 | 5 | 1 | 3 | 6 | 2 | 4 | 0 | 2 |
| 13 | 41 | 69 | 97 | 09 | 37 | 65 | 93 | 5 | 1 | 1 | 4 | 6 | 2 | 4 | 0 | 3 | 5 | 1 | 3 |
| 14 | 42 | 70 | 98 | 10 | 38 | 66 | 94 | 6 | 2 | 2 | 5 | 0 | 3 | 5 | 1 | 4 | 6 | 2 | 4 |
| 15 | 43 | 71 | 99 | 11 | 39 | 67 | 95 | 0 | 3 | 3 | 6 | 1 | 4 | 6 | 2 | 5 | 0 | 3 | 5 |
| 16 | 44 | 72 | | 12 | 40 | 68 | 96 | 1 | 4 | 5 | 1 | 3 | 6 | 1 | 4 | 0 | 2 | 5 | 0 |
| 17 | 45 | 73 | | 13 | 41 | 69 | 97 | 3 | 6 | 6 | 2 | 4 | 0 | 2 | 5 | 1 | 3 | 6 | 1 |
| 18 | 46 | 74 | | 14 | 42 | 70 | 98 | 4 | 0 | 0 | 3 | 5 | 1 | 3 | 6 | 2 | 4 | 0 | 2 |
| 19 | 47 | 75 | | 15 | 43 | 71 | 99 | 5 | 1 | 1 | 4 | 6 | 2 | 4 | 0 | 3 | 5 | 1 | 3 |
| 20 | 48 | 76 | | 16 | 44 | 72 | 00 | 6 | 2 | 3 | 6 | 1 | 4 | 6 | 2 | 5 | 0 | 3 | 5 |
| 21 | 49 | 77 | 00 | 17 | 45 | 73 | | 1 | 4 | 4 | 0 | 2 | 5 | 0 | 3 | 6 | 1 | 4 | 6 |
| 22 | 50 | 78 | | 18 | 46 | 74 | | 2 | 5 | 5 | 1 | 3 | 6 | 1 | 4 | 0 | 2 | 5 | 0 |
| 23 | 51 | 79 | | 19 | 47 | 75 | | 3 | 6 | 6 | 2 | 4 | 0 | 2 | 5 | 1 | 3 | 6 | 1 |
| 24 | 52 | 80 | | 20 | 48 | 76 | | 4 | 0 | 1 | 4 | 6 | 2 | 4 | 0 | 3 | 5 | 2 | 3 |
| 25 | 53 | 81 | | 21 | 49 | 77 | | 6 | 2 | 2 | 5 | 0 | 3 | 5 | 1 | 4 | 6 | 2 | 4 |
| 26 | 54 | 82 | | 22 | 50 | 78 | | 0 | 3 | 3 | 6 | 1 | 4 | 6 | 2 | 5 | 0 | 3 | 5 |
| 27 | 55 | 83 | | 23 | 51 | 79 | | 1 | 4 | 4 | 0 | 2 | 5 | 0 | 3 | 6 | 1 | 4 | 6 |
| 28 | 56 | 84 | | 24 | 52 | 80 | | 2 | 5 | 6 | 2 | 4 | 0 | 2 | 5 | 1 | 3 | 6 | 1 |

| Wochentagstafel | | | | | | |
|---|---|---|---|---|---|---|
| Sonntag | 1 | 8 | 15 | 22 | 29 | 36 |
| Montag | 2 | 9 | 16 | 23 | 30 | 37 |
| Dienstag | 3 | 10 | 17 | 24 | 31 | |
| Mittwoch | 4 | 11 | 18 | 25 | 32 | |
| Donnerstag | 5 | 12 | 19 | 26 | 33 | |
| Freitag | 6 | 13 | 20 | 27 | 34 | |
| Samstag | 7 | 14 | 21 | 28 | 35 | |

# Der vollständige Mondkalender
# bis zum Jahr 2001

Dieser Mondkalender besticht durch seine Fülle an Informationen:

☺ bis auf die Minute genaue Eintrittsdaten des Mondes in die verschiedenen Sternzeichen

☺ genaue Zeiten für die vier Haupt-Mondphasen

☺ exakte Daten für den aufsteigenden und den absteigenden Mondknoten

☺ die genauen Daten für Mond geht über sich/Mond geht unter sich

☺ Angabe der größten Entfernung des Mondes von der Erde (EF) und der größten Annäherung an die Erde (EN)

☺ der Kalender ist für die deutschsprachigen Länder sommerzeitkorrigiert, das heißt Sie können die Zeiten einfach so vom Kalender ablesen (wenn Sie sich nicht in der Mitteleuropäischen Zeitzone befinden, müssen Sie nach den weiter unten beschrieben Angaben die Zeit korrigieren!)

Die meisten astrologischen Kalender basieren auf der *Universalzeit* (UZ), die mit der *Greenwich Mean Time* (GMT) identisch ist. Der Ihnen in diesem Buch vorliegende Kalender basiert auf der *Mitteleuropäischen Zeit* (MEZ = GMT+1). Die *Mitteleuropäische Sommerzeit* (MESZ = GMT+2) gilt in jedem Jahr vom letzten Sonntag im März (Umstellung von 2:00 MEZ auf 3:00 MESZ) bis zum letzten Sonntag im Oktober (Umstellung von 3:00 MESZ auf 2:00 MEZ).

Beginn und Ende der MESZ: **1997**: 21.3. bis 29.10.; **1998**: 28.3. bis 25.10.; **1999**: 28.3. bis 31.10.; **2000**: 26.3. bis 29.10.; **2001**: 25.3. bis 28.10. (ab 1998 kann nur von der bisherigen Regelung ausgegangen werden, da die Bundesregierung hier vielleicht wieder eine Änderung vornimmt. Bitte kontrollieren Sie also, ob die o. g. Daten für das jeweilige Jahr noch gültig sind!).

***Folgende Tage sind im Kalender extra markiert:***

☺ die *Negativtage:* nichts beginnen, nicht reisen – Tageszahl fett mit Sternchen (**1***)

☺ die *Schwendtage:* an diesen Tagen verschwindet alles leichter – Tageszahl fett und unterstrichen (**1**)

☺ an diesen Tagen *nicht heiraten, nicht säen, nichts pflanzen und keinen Grundstein legen* – Tageszahl fett und kursiv (***1***)

☺ die *drei negativsten Tage im Jahr* – Tageszahl fett mit Ausrufezeichen (**1!**)

Daten für Erdnähe, Erdferne, die Mondknoten oder Mond geht unter/ über sich, die mit den Daten für die Mondphasen zeitlich kollidieren, werden unter den Tabellen im Buch extra aufgeführt.

# 1997 – 1. Halbjahr

## Januar

| Tag | | Zeit | Mondphase |
|---|---|---|---|
| 1* | Mi | 03:33 | 09:35 |
| 2* | Do | 14:03 | 02:45 |
| 3 | Fr | | |
| 4 | Sa | 20:28 | |
| 5 | So | | |
| 6* | Mo | 22:56 | 22:08 |
| 7 | Di | | |
| 8 | Mi | 23:01 | 05:26 |
| 9 | Do | | EN |
| 10 | Fr | | |
| 11* | Sa | 22:52 | |
| 12 | So | | |
| 13 | Mo | 00:23 | 04:22 |
| 14 | Di | | 21:02 |
| 15 | Mi | 04:41 | |
| 16 | Do | | |
| 17* | Fr | 11:54 | |
| 18* | Sa | | |
| 19 | So | | |
| 20 | Mo | 21:30 | 21:07 |
| 21 | Di | | |
| 22 | Mi | 08:51 | 16:11 |
| 23 | Do | | |
| 24 | Fr | 21:27 | |
| 25 | Sa | | EF |
| 26 | So | | |
| 27 | Mo | 10:22 | |
| 28 | Di | 13:34 | |
| 29 | Mi | | |
| 30 | Do | 21:49 | |
| 31 | Fr | 20:40 | |

## Februar

| Tag | | Zeit | Mondphase |
|---|---|---|---|
| 1 | Sa | 05:52 | |
| 2 | So | | 09:55 |
| 3 | Mo | 09:45 | |
| 4 | Di | | |
| 5 | Mi | 10:22 | 16:06 |
| 6 | Do | | EN |
| 7 | Fr | 09:35 | |
| 8* | Sa | | |
| 9 | So | 09:30 | 10:59 |
| 10 | Mo | | |
| 11 | Di | 11:57 | |
| 12 | Mi | | |
| 13 | Do | 17:54 | 09:58 |
| 14 | Fr | | |
| 15 | Sa | | |
| 16* | So | | |
| 17* | Mo | 03:14 | 03:41 |
| 18 | Di | | |
| 19 | Mi | 14:53 | |
| 20 | Do | | |
| 21 | Fr | | EF |
| 22 | Sa | 03:39 | 11:27 |
| 23 | So | 16:24 | 16:42 |
| 24 | Mo | | |
| 25 | Di | | |
| 26 | Mi | | |
| 27 | Do | 03:58 | |
| 28 | Fr | | |

## März

| Tag | | Zeit | Mondphase |
|---|---|---|---|
| 1* | Sa | 13:02 | 10:38 |
| 2 | So | 18:39 | 19:12 |
| 3 | Mo | | |
| 4 | Di | 20:55 | |
| 5 | Mi | | |
| 6 | Do | 20:58 | EN |
| 7 | Fr | | 02:15 |
| 8 | Sa | 20:34 | |
| 9 | So | | |
| 10 | Mo | 21:38 | |
| 11 | Di | | |
| 12* | Mi | | |
| 13* | Do | 00:49 | 01:06 |
| 14 | Fr | | |
| 15 | Sa | | |
| 16 | So | 09:52 | EF |
| 17 | Mo | | |
| 18 | Di | 21:09 | |
| 19 | Mi | | |
| 20 | Do | | |
| 21 | Fr | 10:00 | 20:01 |
| 22 | Sa | | |
| 23 | So | 22:36 | 05:45 |
| 24 | Mo | | |
| 25 | Di | | |
| 26 | Mi | 09:43 | |
| 27 | Do | | |
| 28 | Fr | 18:41 | |
| 29 | Sa | | |
| 30 | So | 02:08 | 21:38 |
| 31 | Mo | | |

## April

| Tag | | Zeit | Mondphase |
|---|---|---|---|
| 1 | Di | 06:00 | EN |
| 2* | Mi | | 04:06 |
| 3* | Do | 07:43 | 13:02 |
| 4 | Fr | | |
| 5 | Sa | | |
| 6 | So | 08:20 | |
| 7 | Mo | | |
| 8 | Di | 09:21 | |
| 9 | Mi | | |
| 10 | Do | 12:29 | |
| 11 | Fr | | 19:53 |
| 12 | Sa | 19:04 | |
| 13 | So | | |
| 14 | Mo | 19:00 | |
| 15* | Di | 05:23 | |
| 16 | Mi | | EF |
| 17* | Do | 18:01 | |
| 18* | Fr | | |
| 19 | Sa | | |
| 20 | So | 06:37 | 00:10 |
| 21 | Mo | | 22:34 |
| 22 | Di | 17:20 | |
| 23 | Mi | | |
| 24 | Do | | |
| 25 | Fr | 01:33 | |
| 26 | Sa | | |
| 27 | So | 07:33 | 08:30 |
| 28 | Mo | | |
| 29 | Di | 11:51 | 04:37 |
| 30 | Mi | | |

## Mai

| Tag | | Zeit | Mondphase |
|---|---|---|---|
| 1 | Do | 14:51 | 10:16 |
| 2 | Fr | | EN |
| 3 | Sa | 17:00 | |
| 4 | So | | |
| 5 | Mo | 19:05 | |
| 6 | Di | | 22:47 |
| 7 | Mi | 22:22 | |
| 8* | Do | | |
| 9 | Fr | | |
| 10* | Sa | 04:14 | 05:35 |
| 11 | So | | |
| 12 | Mo | 13:34 | |
| 13 | Di | | |
| 14 | Mi | 01:44 | 12:55 |
| 15 | Do | | EF |
| 16 | Fr | | |
| 17* | Sa | 14:28 | 05:07 |
| 18 | So | | |
| 19 | Mo | | |
| 20 | Di | 01:13 | |
| 21 | Mi | | 11:13 |
| 22 | Do | 08:52 | |
| 23 | Fr | | 15:37 |
| 24 | Sa | 13:52 | |
| 25 | So | | |
| 26 | Mo | 17:21 | |
| 27 | Di | | EN |
| 28 | Mi | 20:19 | 09:51 |
| 29 | Do | | 14:00 |
| 30* | Fr | 23:19 | |
| 31 | Sa | | |

## Juni

| Tag | | Zeit | Mondphase |
|---|---|---|---|
| 1* | So | 02:40 | 09:04 |
| 2 | Mo | | 15:30 |
| 3 | Di | 06:56 | |
| 4 | Mi | | |
| 5 | Do | 13:03 | EF |
| 6 | Fr | | 06:52 |
| 7 | Sa | 21:59 | 10:15 |
| 8 | So | | |
| 9 | Mo | | |
| 10 | Di | 09:44 | |
| 11 | Mi | | 21:09 |
| 12 | Do | 22:36 | 00:56 |
| 13 | Fr | | |
| 14 | Sa | 09:52 | |
| 15 | So | | |
| 16 | Mo | 17:40 | EN |
| 17* | Di | | |
| 18 | Mi | | |
| 19 | Do | 22:03 | 16:56 |
| 20* | Fr | | 14:42 |
| 21 | Sa | 00:21 | |
| 22 | So | | |
| 23 | Mo | 02:10 | |
| 24 | Di | | |
| 25 | Mi | 04:40 | |
| 26 | Do | | |
| 27 | Fr | 08:24 | |
| 28 | Sa | | |
| 29 | So | | |
| 30 | Mo | | |

## Zusatzdaten

| | | | | | |
|---|---|---|---|---|---|
| 09. 03. | 19:41 | 02. 09. | 23:17 | 29. 12. | 11:43 |
| 16. 03. | 10:34 | 16. 09. | 13:38 | | |
| 31. 03. | 02:48 | 23. 09. | 19:57 | | |
| 04. 07. | 00:20 | 07. 12. | 06:55 | | |

# 1997 – 2. Halbjahr

## Juli

| Tag | WT | Zeit | Ereignis |
|---|---|---|---|
| 1* | Di | ♒ 13:36 | |
| 2 | Mi | ♒ 20:34 | |
| 3 | Do | | ● 20:40 |
| 4 | Fr | | |
| 5* | Sa | ♈ 05:46 | |
| 6* | So | ♈ 17:23 | |
| 7 | Mo | | EF |
| 8 | Di | | |
| 9 | Mi | | |
| 10 | Do | | ☊ 15:02 |
| 11 | Fr | ♋ 06:22 | |
| 12 | Sa | | ● 23:44 |
| 13 | So | ♌ 18:21 | |
| 14 | Mo | | |
| 15 | Di | | |
| 16 | Mi | 03:03 | |
| 17 | Do | | |
| 18 | Fr | 07:46 | ☽ 11:45 |
| 19 | Sa | | |
| 20 | So | 09:30 | ○ 05:20 |
| 21 | Mo | 10:01 | EN |
| 22 | Di | | ☊ 21:16 |
| 23 | Mi | 11:04 | |
| 24 | Do | | |
| 25 | Fr | | |
| 26 | Sa | 13:54 | ● 20:28 |
| 27 | So | 19:05 | |
| 28 | Mo | | |
| 29 | Di | | |
| 30 | Mi | | |
| 31 | Do | 02:39 | ☾ 07:30 |

## August

| Tag | WT | Zeit | Ereignis |
|---|---|---|---|
| 1*! | Fr | | |
| 2 | Sa | 12:28 | |
| 3* | So | | ● 10:14 |
| 4 | Mo | 00:16 | |
| 5 | Di | | |
| 6 | Mi | | EF |
| 7 | Do | 13:18 | ☊ 18:58 |
| 8 | Fr | | |
| 9 | Sa | 01:51 | |
| 10 | So | | |
| 11 | Mo | 11:46 | |
| 12 | Di | | |
| 13 | Mi | 17:43 | ☽ 22:27 |
| 14 | Do | | |
| 15 | Fr | | |
| 16 | Sa | 19:59 | |
| 17 | So | | |
| 18* | Mo | 20:02 | ○ 12:55 |
| 19 | Di | | EN |
| 20* | Mi | 19:46 | ☊ 04:03 |
| 21 | Do | | |
| 22 | Fr | 20:58 | |
| 23 | Sa | | |
| 24 | So | | |
| 25 | Mo | 00:57 | ● 04:24 |
| 26 | Di | 08:12 | |
| 27 | Mi | | ☾ 13:35 |
| 28 | Do | | |
| 29 | Fr | 18:20 | |
| 30 | Sa | | |
| 31 | So | | |

## September

| Tag | WT | Zeit | Ereignis |
|---|---|---|---|
| 1*! | Mo | 06:28 | EF ● 01:52 |
| 2 | Di | 19:31 | |
| 3 | Mi | | |
| 4 | Do | | |
| 5 | Fr | | |
| 6 | Sa | 08:11 | |
| 7 | So | | |
| 8 | Mo | 18:55 | |
| 9 | Di | | |
| 10 | Mi | | 03:31 |
| 11 | Do | 02:24 | ☽ 07:29 |
| 12 | Fr | 06:11 | |
| 13 | Sa | | |
| 14 | So | 07:00 | |
| 15 | Mo | | |
| 16 | Di | 06:26 | |
| 17 | Mi | | EN ○ 20:51 |
| 18* | Do | 06:22 | |
| 19 | Fr | | |
| 20 | Sa | 08:40 | |
| 21 | So | | |
| 22 | Mo | 14:34 | ● 15:35 |
| 23 | Di | | |
| 24 | Mi | | |
| 25 | Do | 00:13 | |
| 26 | Fr | | |
| 27 | Sa | 12:28 | |
| 28 | So | | |
| 29 | Mo | | |
| 30* | Di | | EF ☊ 01:26 |

## Oktober

| Tag | WT | Zeit | Ereignis |
|---|---|---|---|
| 1 | Mi | ☊ 01:33 | ● 18:52 |
| 2 | Do | 13:58 | |
| 3 | Fr | | |
| 4 | Sa | | |
| 5 | So | 00:44 | |
| 6 | Mo | | |
| 7 | Di | 09:55 | ☽ 14:24 / 14:22 |
| 8 | Mi | 14:30 | |
| 9 | Do | | |
| 10 | Fr | | |
| 11 | Sa | 17:00 | |
| 12 | So | | ☊ 21:04 |
| 13 | Mo | 17:26 | |
| 14 | Di | | |
| 15* | Mi | 17:17 | EN ○ 05:46 |
| 16 | Do | | |
| 17* | Fr | 18:27 | |
| 18 | Sa | | |
| 19 | So | 22:46 | |
| 20 | Mo | | |
| 21 | Di | | ☾ 04:14 |
| 22 | Mi | 07:11 | 06:48 |
| 23 | Do | | |
| 24 | Fr | 19:00 | |
| 25 | Sa | | |
| 26 | So | ☊ 07:06 | ● 05:03 |
| 27 | Mo | 07:06 | |
| 28 | Di | | EF |
| 29 | Mi | | |
| 30 | Do | 19:16 | |
| 31 | Fr | | 11:01 |

## November

| Tag | WT | Zeit | Ereignis |
|---|---|---|---|
| 1* | Sa | 05:28 | |
| 2 | So | 13:32 | |
| 3 | Mo | | ☽ 19:17 |
| 4 | Di | | |
| 5 | Mi | 19:34 | |
| 6 | Do | | |
| 7* | Fr | 23:36 | ○ 22:43 |
| 8 | Sa | | |
| 9 | So | | |
| 10 | Mo | 01:45 | ☊ 03:18 |
| 11* | Di | 02:46 | EN |
| 12 | Mi | | |
| 13 | Do | 04:06 | 15:12 |
| 14 | Fr | | |
| 15 | Sa | 07:33 | |
| 16 | So | | ☾ 13:36 |
| 17 | Mo | 14:39 | |
| 18 | Di | | |
| 19 | Mi | | |
| 20 | Do | 01:34 | |
| 21 | Fr | 14:30 | ● 00:58 |
| 22 | Sa | | ☊ 09:29 |
| 23 | So | | EF |
| 24 | Mo | 02:44 | |
| 25 | Di | 12:29 | |
| 26 | Mi | | 03:14 |
| 27 | Do | | |
| 28 | Fr | | |
| 29 | Sa | | |
| 30 | So | | |

## Dezember

| Tag | WT | Zeit | Ereignis |
|---|---|---|---|
| 1* | Mo | 19:39 | ☽ 02:23 |
| 2 | Di | | |
| 3 | Mi | | |
| 4 | Do | 00:59 | |
| 5 | Fr | | |
| 6 | Sa | 05:08 | ○ 07:09 |
| 7* | So | 08:25 | |
| 8 | Mo | | EN |
| 9 | Di | 11:01 | |
| 10 | Mi | | |
| 11* | Do | 13:36 | ☊ 03:37 |
| 12 | Fr | 17:26 | ☾ 00:41 |
| 13 | Sa | | |
| 14 | So | 23:59 | |
| 15 | Mo | | |
| 16 | Di | | |
| 17 | Mi | | |
| 18 | Do | 10:01 | |
| 19 | Fr | | ☊ 14:45 |
| 20 | Sa | 22:36 | ● 22:43 |
| 21 | So | | |
| 22 | Mo | | EF |
| 23 | Di | 11:08 | |
| 24 | Mi | | |
| 25 | Do | 21:08 | |
| 26 | Fr | | |
| 27 | Sa | | |
| 28 | So | 03:49 | ● 17:57 |
| 29 | Mo | | |
| 30 | Di | 07:59 | |
| 31 | Mi | | |

# 1998 – 1. Halbjahr

## Januar

| Tag | | Phase/Zeit |
|---|---|---|
| 1* | Do | 10:57 |
| 2* | Fr | ☍ 09:55 |
| 3 | Sa | 21:20 |
| 4 | So | ☽ 15:19 |
| 5 | Mo | |
| 6* | Di | 16:53 |
| 7 | Mi | |
| 8 | Do | 20:43 |
| 9 | Fr | |
| 10 | Sa | |
| 11* | So | 01:44 |
| 12 | Mo | ○ 18:25 |
| 13 | Di | 08:46 |
| 14 | Mi | |
| 15 | Do | 18:32 |
| 16 | Fr | |
| 17* | Sa | ☍ 14:45 |
| 18* | So | 06:45 |
| 19 | Mo | EN 16:29 |
| 20 | Di | 20:41 |
| 21 | Mi | |
| 22 | Do | |
| 23 | Fr | 06:26 |
| 24 | Sa | |
| 25 | So | 13:40 |
| 26 | Mo | |
| 27 | Di | 17:28 |
| 28 | Mi | |
| 29 | Do | 19:09 |
| 30 | Fr | |
| 31 | Sa | 20:22 / EF |

## Februar

| Tag | | Phase/Zeit |
|---|---|---|
| 1 | So | ( 04:35 |
| 2 | Mo | 22:26 |
| 3 | Di | 23:55 |
| 4 | Mi | |
| 5 | Do | 02:10 |
| 6 | Fr | |
| 7 | Sa | 07:58 |
| 8* | So | |
| 9 | Mo | 15:58 |
| 10 | Di | |
| 11 | Mi | ○ 11:24 |
| 12 | Do | 02:10 |
| 13 | Fr | ☍ 20:55 |
| 14 | Sa | 14:18 |
| 15 | So | 00:38 |
| 16* | Mo | EF |
| 17* | Di | 03:14 |
| 18 | Mi | 14:57 |
| 19 | Do | EN 16:28 |
| 20 | Fr | 23:31 |
| 21 | Sa | |
| 22 | So | |
| 23 | Mo | 04:11 |
| 24 | Di | |
| 25 | Mi | 05:43 18:27 |
| 26 | Do | |
| 27 | Fr | 05:43 13:52 |
| 28 | Sa | 07:02 ( |

## März

| Tag | | Phase/Zeit |
|---|---|---|
| 1* | So | 06:01 |
| 2 | Mo | |
| 3 | Di | 08:16 |
| 4 | Mi | |
| 5 | Do | 13:28 09:42 |
| 6 | Fr | |
| 7 | Sa | 21:47 |
| 8 | So | |
| 9 | Mo | |
| 10 | Di | 08:36 |
| 11 | Mi | 04:37 |
| 12* | Do | 20:59 05:36 |
| 13* | Fr | 07:16 |
| 14 | Sa | EN |
| 15 | So | 09:52 |
| 16 | Mo | |
| 17 | Di | 21:57 |
| 18 | Mi | |
| 19 | Do | |
| 20 | Fr | 07:44 08:39 |
| 21 | Sa | |
| 22 | So | 14:02 |
| 23 | Mo | |
| 24 | Di | 16:44 |
| 25 | Mi | 07:46 |
| 26 | Do | 16:50 |
| 27 | Fr | 04:15 |
| 28 | Sa | 17:07 EF |
| 29 | So | |
| 30 | Mo | 17:39 |
| 31 | Di | |

## April

| Tag | | Phase/Zeit |
|---|---|---|
| 1 | Mi | 21:11 22:20 |
| 2 | Do | |
| 3* | Fr | |
| 4 | Sa | 04:37 |
| 5 | So | |
| 6 | Mo | 15:26 ☍ 08:38 |
| 7 | Di | |
| 8 | Mi | 14:22 |
| 9 | Do | EN |
| 10 | Fr | 04:05 00:25 |
| 11 | Sa | |
| 12 | So | 16:57 |
| 13 | Mo | |
| 14 | Di | |
| 15* | Mi | 04:53 |
| 16 | Do | |
| 17* | Fr | 15:06 |
| 18* | Sa | |
| 19 | So | 22:42 21:54 |
| 20 | Mo | |
| 21 | Di | 03:07 16:13 |
| 22 | Mi | |
| 23 | Do | ☍ 12:51 |
| 24 | Fr | 04:31 |
| 25 | Sa | 04:10 13:42 |
| 26 | So | |
| 27 | Mo | |
| 28 | Di | 03:56 |
| 29 | Mi | 05:58 |
| 30 | Do | |

## Mai

| Tag | | Phase/Zeit |
|---|---|---|
| 1 | Fr | |
| 2 | Sa | 11:50 |
| 3 | So | 12:05 |
| 4 | Mo | 21:48 |
| 5 | Di | 12:01 |
| 6 | Mi | |
| 7 | Do | 10:20 21:12 |
| 8* | Fr | EN |
| 9 | Sa | 23:11 |
| 10* | So | 16:31 |
| 11 | Mo | |
| 12 | Di | 10:49 |
| 13 | Mi | |
| 14 | Do | 20:40 |
| 15 | Fr | |
| 16 | Sa | 04:31 06:37 |
| 17* | So | |
| 18 | Mo | 10:04 22:28 |
| 19 | Di | |
| 20 | Mi | |
| 21 | Do | 13:07 |
| 22 | Fr | 14:07 |
| 23 | Sa | |
| 24 | So | 14:26 EF |
| 25 | Mo | 21:33 |
| 26 | Di | 15:59 |
| 27 | Mi | |
| 28 | Do | 20:39 |
| 29 | Fr | |
| 30* | Sa | |
| 31 | So | |

## Juni

| Tag | | Phase/Zeit |
|---|---|---|
| 1* | Mo | 05:22 ☍ 16:32 |
| 2 | Di | 17:18 ● 03:46 |
| 3 | Mi | |
| 4 | Do | 06:07 ☽ 05:20 EN |
| 5 | Fr | |
| 6 | Sa | 17:35 |
| 7 | So | |
| 8 | Mo | |
| 9 | Di | |
| 10 | Mi | 02:51 ○ 06:20 |
| 11 | Do | 10:04 |
| 12 | Fr | |
| 13 | Sa | 15:32 |
| 14 | So | |
| 15 | Mo | |
| 16 | Di | 19:24 ● 12:39 |
| 17* | Mi | ( 05:05 |
| 18 | Do | |
| 19 | Fr | 21:48 |
| 20* | Sa | |
| 21 | So | 23:37 EF |
| 22 | Mo | |
| 23 | Di | 01:40 |
| 24 | Mi | |
| 25 | Do | 06:05 ● 05:51 |
| 26 | Fr | |
| 27 | Sa | 13:55 |
| 28 | So | |
| 29 | Mo | ☍ 22:06 |
| 30 | Di | |

## Zusatzdaten

| | | | | | | | | | |
|---|---|---|---|---|---|---|---|---|---|
| 04.01. | EF | 26.04. | EF | 31.07. | EN | 05.10. | ( 13:48 | 26.12. | ( 18:42 |
| 26.02. | ☍ 22:55 | 19.05. | ☍ 21:05 | 11.08. | EF | 04.11. | EF | | |
| 28.02. | EF | 17.06. | ☍ 00:09 | 22.08. | ☍ 08:58 | 11.11. | ☍ 17:55 | | |
| 28.03. | ☽ 00:48 | 01.07. | ☽ 14:23 | 08.09. | EF | 03.12. | EF | | |

# 1998 – 2. Halbjahr

## Juli

| Tag | Wt | Zeit | Weiteres |
|---|---|---|---|
| 1* | Mi | 01:06 | ● 20:44 |
| 2 | Do | 13:46 | EN |
| 3 | Fr | | |
| 4 | Sa | | |
| 5* | So | 01:25 | |
| 6* | Mo | | |
| 7 | Di | 10:28 | |
| 8 | Mi | | ○ 18:02 |
| 9 | Do | | |
| 10 | Fr | 16:53 | |
| 11 | Sa | | |
| 12 | So | 21:23 | |
| 13 | Mo | | |
| 14 | Di | | |
| 15 | Mi | 00:46 | ☍ 12:25 |
| 16 | Do | 17:15 | ☽ |
| 17 | Fr | 03:34 | EF |
| 18 | Sa | | |
| 19 | So | 06:19 | |
| 20 | Mo | | |
| 21 | Di | 09:44 | |
| 22 | Mi | | |
| 23 | Do | 14:50 | ● 15:45 |
| 24 | Fr | | |
| 25 | Sa | 22:35 | |
| 26 | So | 03:56 | ☍ |
| 27 | Mo | | |
| 28 | Di | 09:15 | 23:22 |
| 29 | Mi | | |
| 30 | Do | 21:45 | ● 14:06 |
| 31 | Fr | | |

## August

| Tag | Wt | Zeit | Weiteres |
|---|---|---|---|
| 1*) | Sa | | |
| 2 | So | 09:49 | |
| 3* | Mo | | |
| 4 | Di | 19:19 | |
| 5 | Mi | | |
| 6 | Do | | |
| 7 | Fr | 01:32 | ○ 04:11 |
| 8 | Sa | 05:05 | ☍ 08:33 |
| 9 | So | | ☽ 19:02 |
| 10 | Mo | 07:11 | |
| 11 | Di | | |
| 12 | Mi | 09:05 | |
| 13 | Do | | 21:50 |
| 14 | Fr | | |
| 15 | Sa | 11:47 | |
| 16 | So | 15:56 | ● 03:04 |
| 17 | Mo | 22:02 | |
| 18* | Di | | ☽ 07:20 |
| 19 | Mi | | EN |
| 20* | Do | | |
| 21 | Fr | 06:22 | |
| 22 | Sa | | |
| 23 | So | 17:03 | |
| 24 | Mo | | |
| 25 | Di | 05:26 | ● 07:08 |
| 26 | Mi | 17:56 | |
| 27 | Do | | |
| 28 | Fr | | |
| 29 | Sa | | |
| 30 | So | | |
| 31 | Mo | | |

## September

| Tag | Wt | Zeit | Weiteres |
|---|---|---|---|
| 1*) | Di | 04:24 | |
| 2 | Mi | | |
| 3 | Do | 11:22 | |
| 4 | Fr | | |
| 5 | Sa | 14:49 | ☍ 15:59 |
| 6 | So | 15:53 | ○ 13:22 |
| 7 | Mo | | ☽ 03:22 |
| 8 | Di | 16:17 | |
| 9 | Mi | | |
| 10 | Do | 17:41 | |
| 11 | Fr | | |
| 12 | Sa | 21:21 | |
| 13 | So | | 03:59 |
| 14 | Mo | | |
| 15 | Di | 03:49 | |
| 16 | Mi | | |
| 17 | Do | 12:53 | ☍ 12:44 |
| 18* | Fr | | 19:03 |
| 19 | Sa | 23:58 | ● 14:03 |
| 20 | So | | |
| 21 | Mo | 12:23 | |
| 22 | Di | | |
| 23 | Mi | | EN |
| 24 | Do | 01:06 | |
| 25 | Fr | | |
| 26 | Sa | 12:31 | |
| 27 | So | 20:54 | |
| 28 | Mo | | |
| 29 | Di | | |
| 30* | Mi | | |

## Oktober

| Tag | Wt | Zeit | Weiteres |
|---|---|---|---|
| 1 | Do | | |
| 2 | Fr | 01:24 | ☍ 00:58 |
| 3 | Sa | 02:33 | ○ 22:13 |
| 4 | So | 01:58 | EF |
| 5 | Mo | 01:45 | |
| 6 | Di | 03:49 | |
| 7 | Mi | 09:26 | 13:12 |
| 8 | Do | 18:33 | ☍ 15:36 |
| 9 | Fr | | ☽ 20:18 |
| 10 | Sa | 06:03 | |
| 11 | So | 18:37 | |
| 12 | Mo | | 12:11 |
| 13 | Di | | EN |
| 14 | Mi | 07:17 | |
| 15* | Do | 18:06 | |
| 16 | Fr | | |
| 17* | Sa | | |
| 18 | So | 03:45 | 12:47 |
| 19 | Mo | 09:59 | |
| 20 | Di | | ☍ 05:58 |
| 21 | Mi | | |
| 22 | Do | | |
| 23 | Fr | | |
| 24 | Sa | | |
| 25 | So | | |
| 26 | Mo | | |
| 27 | Di | | |
| 28 | Mi | | |
| 29 | Do | | |
| 30 | Fr | | |
| 31 | Sa | | |

## November

| Tag | Wt | Zeit | Weiteres |
|---|---|---|---|
| 1* | So | 12:28 | ☾ 00:13 |
| 2 | Mo | | |
| 3 | Di | 12:13 | ○ 06:19 |
| 4 | Mi | | |
| 5 | Do | 11:12 | |
| 6 | Fr | | |
| 7* | Sa | 11:40 | |
| 8 | So | 15:34 | |
| 9 | Mo | | |
| 10 | Di | | |
| 11* | Mi | 23:38 | ● 01:29 |
| 12 | Do | | |
| 13 | Fr | 10:59 | |
| 14 | Sa | | ☽ 02:00 |
| 15 | So | 23:42 | EN |
| 16 | Mo | | |
| 17 | Di | 12:14 | ● 05:28 |
| 18 | Mi | | |
| 19 | Do | 23:46 | |
| 20 | Fr | | |
| 21 | Sa | | |
| 22 | So | 09:44 | |
| 23 | Mo | | ☍ 10:31 |
| 24 | Di | 17:15 | 01:24 |
| 25 | Mi | 21:35 | |
| 26 | Do | 22:54 | ☾ 10:41 |
| 27 | Fr | | |
| 28 | Sa | | |
| 29 | So | | |
| 30 | Mo | | |

## Dezember

| Tag | Wt | Zeit | Weiteres |
|---|---|---|---|
| 1* | Di | 22:31 | ○ 03:20 |
| 2 | Mi | 22:29 | |
| 3 | Do | | ○ 23:08 |
| 4 | Fr | 00:56 | ☍ 18:55 |
| 5 | Sa | 07:22 | ☽ 09:57 |
| 6 | So | | |
| 7* | Mo | 17:44 | EN |
| 8 | Di | | |
| 9 | Mi | 06:17 | ● 23:44 |
| 10 | Do | | |
| 11* | Fr | 18:48 | |
| 12 | Sa | | |
| 13 | So | 05:56 | |
| 14 | Mo | 15:18 | ● 13:22 |
| 15 | Di | 22:46 | |
| 16 | Mi | | |
| 17 | Do | 04:05 | ☍ 11:47 |
| 18 | Fr | 07:06 | |
| 19 | Sa | 07:06 | |
| 20 | So | | |
| 21 | Mo | | |
| 22 | Di | | |
| 23 | Mi | | |
| 24 | Do | | |
| 25 | Fr | | |
| 26 | Sa | | |
| 27 | So | | |
| 28 | Mo | | |
| 29 | Di | | |
| 30 | Mi | 08:23 | EF |
| 31 | Do | | |

# 1999 – 1. Halbjahr

## Januar
| Tag | | Zeit |
|---|---|---|
| 1* | Fr | 09:16 |
| 2* | Sa | ○ 03:51 |
| 3 | So | 11:32 |
| 4 | Mo | |
| 5 | Di | 16:50 |
| 6* | Mi | ☍ 06:09 |
| 7 | Do | |
| 8 | Fr | 01:54 / ☽ 19:03 |
| 9 | Sa | 13:50 / 15:23 |
| 10 | So | |
| 11* | Mo | EN |
| 12 | Di | 02:24 |
| 13 | Mi | |
| 14 | Do | |
| 15 | Fr | 13:30 |
| 16 | Sa | |
| 17* | So | 22:12 / 16:47 |
| 18* | Mo | |
| 19 | Di | 16:50 |
| 20 | Mi | 04:41 |
| 21 | Do | |
| 22 | Fr | 09:26 |
| 23 | Sa | |
| 24 | So | 12:53 / 00:47 |
| 25 | Mo | 15:30 |
| 26 | Di | |
| 27 | Mi | 17:58 |
| 28 | Do | |
| 29 | Fr | 20:16 |
| 30 | Sa | 21:17 |
| 31 | So | ○ 17:08 |

## Februar
| Tag | | Zeit |
|---|---|---|
| 1 | Mo | ☍ 13:27 |
| 2 | Di | 02:38 |
| 3 | Mi | |
| 4 | Do | 10:57 / 04:20 |
| 5 | Fr | |
| 6 | Sa | 22:07 / ☽ |
| 7 | So | |
| 8* | Mo | 12:59 |
| 9 | Di | 10:39 |
| 10 | Mi | |
| 11 | Do | 22:11 |
| 12 | Fr | EN |
| 13 | Sa | |
| 14 | So | 06:58 |
| 15 | Mo | ☍ 22:32 |
| 16* | Di | 12:41 / 07:40 |
| 17* | Mi | 16:47 |
| 18 | Do | 16:07 / 07:11 |
| 19 | Fr | |
| 20 | Sa | 18:30 |
| 21 | So | EF |
| 22 | Mo | 20:55 |
| 23 | Di | 03:44 |
| 24 | Mi | |
| 25 | Do | 00:10 |
| 26 | Fr | |
| 27 | Sa | 04:45 / ☍ 19:04 |
| 28 | So | |

## März
| Tag | | Zeit |
|---|---|---|
| 1* | Mo | ☽ 11:06 / ○ 08:00 |
| 2 | Di | |
| 3 | Mi | 19:35 |
| 4 | Do | 12:45 |
| 5 | Fr | |
| 6 | Sa | 06:23 |
| 7 | So | |
| 8 | Mo | 18:47 / EN |
| 9 | Di | |
| 10 | Mi | 06:55 / 09:42 |
| 11 | Do | |
| 12* | Fr | |
| 13* | Sa | 16:33 |
| 14 | So | |
| 15 | Mo | ☍ 22:31 / 05:50 |
| 16 | Di | |
| 17 | Mi | 19:49 |
| 18 | Do | 01:14 / 15:42 |
| 19 | Fr | |
| 20 | Sa | 02:10 / EF |
| 21 | So | |
| 22 | Mo | 03:06 |
| 23 | Di | |
| 24 | Mi | 05:34 / 11:19 |
| 25 | Do | |
| 26 | Fr | 10:23 |
| 27 | Sa | ☍ 22:38 |
| 28 | So | 18:35 |
| 29 | Mo | |
| 30 | Di | |
| 31 | Mi | ☽ 03:50 / ☾ 20:54 |

## April
| Tag | | Zeit |
|---|---|---|
| 1 | Do | ○ 00:50 |
| 2 | Fr | ☽ 14:50 |
| 3* | Sa | |
| 4 | So | 03:08 |
| 5 | Mo | |
| 6 | Di | 15:40 |
| 7 | Mi | 13:08 |
| 8 | Do | EN |
| 9 | Fr | 02:25 / 04:53 |
| 10 | Sa | |
| 11 | So | 09:36 / ☍ 13:56 |
| 12 | Mo | |
| 13 | Di | 12:47 |
| 14 | Mi | |
| 15* | Do | 03:14 |
| 16 | Fr | 13:08 / 06:23 |
| 17* | Sa | EF |
| 18* | So | 12:40 |
| 19 | Mo | |
| 20 | Di | 13:28 |
| 21 | Mi | 17:07 / 21:03 |
| 22 | Do | |
| 23 | Fr | 00:05 / 02:28 |
| 24 | Sa | |
| 25 | So | 09:47 |
| 26 | Mo | ☍ |
| 27 | Di | 21:14 / 03:19 |
| 28 | Mi | |
| 29 | Do | |
| 30 | Fr | ☾ 16:56 |

## Mai
| Tag | | Zeit |
|---|---|---|
| 1 | Sa | 09:37 |
| 2 | So | |
| 3 | Mo | 22:13 / EN |
| 4 | Di | |
| 5 | Mi | |
| 6 | Do | 09:41 |
| 7 | Fr | 18:17 |
| 8* | Sa | 19:30 |
| 9 | So | |
| 10* | Mo | 22:54 / ☍ 14:13 |
| 11 | Di | |
| 12 | Mi | 23:57 |
| 13 | Do | |
| 14 | Fr | 23:08 / 14:06 |
| 15 | Sa | |
| 16 | So | 22:40 / EF |
| 17* | Mo | |
| 18 | Di | |
| 19 | Mi | 00:38 |
| 20 | Do | ☍ 06:28 |
| 21 | Fr | 06:16 / 07:35 |
| 22 | Sa | |
| 23 | So | 15:30 |
| 24 | Mo | |
| 25 | Di | 03:06 / 09:57 |
| 26 | Mi | |
| 27 | Do | |
| 28 | Fr | 15:38 / EN |
| 29 | Sa | |
| 30* | So | ☾ 16:56 |
| 31 | Mo | |

## Juni
| Tag | | Zeit |
|---|---|---|
| 1* | Di | 04:07 |
| 2 | Mi | ☍ 22:57 |
| 3 | Do | 15:38 |
| 4 | Fr | |
| 5 | Sa | 01:02 / ○ 06:21 |
| 6 | So | 07:09 / ☾ 23:54 |
| 7 | Mo | |
| 8 | Di | 09:44 |
| 9 | Mi | |
| 10 | Do | 09:49 / ● 21:04 |
| 11 | Fr | |
| 12 | Sa | 09:15 |
| 13 | So | |
| 14 | Mo | |
| 15 | Di | 22:11 / ☍ 12:36 |
| 16 | Mi | 10:08 |
| 17* | Do | |
| 18 | Fr | 14:13 |
| 19 | Sa | |
| 20* | So | 22:11 / ● 20:14 |
| 21 | Mo | ☽ 17:29 |
| 22 | Di | 09:19 |
| 23 | Mi | |
| 24 | Do | 21:52 |
| 25 | Fr | |
| 26 | Sa | EN |
| 27 | So | |
| 28 | Mo | 10:13 / ○ 23:39 |
| 29 | Di | |
| 30 | Mi | 21:20 |

## Zusatzdaten

| | | |
|---|---|---|
| 08.02. EN | 11.08. EN | 31.10. ○ 03:20 |
| 08.05. ○ 19:23 | 03.09. EF | 29.12. ☾ 14:17 |
| 13.06. EF | 17.09. EN | ☍ 22:22 |
| 06.07. ☾ 07:19 | 09.10. ☾ 02:50 | |

# 1999 – 2. Halbjahr

## Juli

| Tag | Wt | Zeit | Ereignis |
|---|---|---|---|
| 1* | Do | | |
| 2 | Fr | 06:35 | ☍ 01:44 |
| 3 | Sa | | |
| 4 | So | 13:22 | |
| 5* | Mo | | 13:58 |
| 6* | Di | 17:23 | ● |
| 7 | Mi | | |
| 8 | Do | 19:01 | |
| 9 | Fr | | |
| 10 | Sa | | |
| 11 | So | 19:28 | EF |
| 12 | Mo | 20:27 | |
| 13 | Di | | 04:25 |
| 14 | Mi | 23:40 | ● ☍ 20:05 |
| 15 | Do | | |
| 16 | Fr | | |
| 17 | Sa | | |
| 18 | So | 06:20 | 01:57 |
| 19 | Mo | 16:31 | 11:01 |
| 20 | Di | | |
| 21 | Mi | | |
| 22 | Do | | EN |
| 23 | Fr | 04:49 | |
| 24 | Sa | 17:09 | |
| 25 | So | | |
| 26 | Mo | | |
| 27 | Di | | |
| 28 | Mi | 03:55 | ○ 13:26 |
| 29 | Do | 12:28 | ☍ 05:17 |
| 30 | Fr | | |
| 31 | Sa | | |

## August

| Tag | Wt | Zeit | Ereignis |
|---|---|---|---|
| 1* | So | 18:48 | ☾ 13:05 |
| 2 | Mo | 23:10 | |
| 3* | Di | | 19:28 |
| 4 | Mi | | |
| 5 | Do | 01:58 | |
| 6 | Fr | 03:54 | EF |
| 7 | Sa | | |
| 8 | So | 05:57 | |
| 9 | Mo | | 13:10 |
| 10 | Di | | |
| 11 | Mi | 09:23 | ● |
| 12 | Do | | |
| 13 | Fr | 15:25 | |
| 14 | Sa | | |
| 15 | So | 00:41 | ☾ 10:47 |
| 16 | Mo | | |
| 17 | Di | 12:33 | |
| 18* | Mi | | 03:48 |
| 19 | Do | | EN |
| 20* | Fr | 01:00 | |
| 21 | Sa | | |
| 22 | So | 11:50 | ☍ 10:21 |
| 23 | Mo | | |
| 24 | Di | 19:51 | ○ 01:49 |
| 25 | Mi | | |
| 26 | Do | 01:10 | ☽ 18:56 |
| 27 | Fr | | |
| 28 | Sa | | |
| 29 | So | | |
| 30 | Mo | 04:42 | |
| 31 | Di | | |

## September

| Tag | Wt | Zeit | Ereignis |
|---|---|---|---|
| 1*! | Mi | 07:26 | |
| 2 | Do | | 00:18 |
| 3 | Fr | 10:11 | ● |
| 4 | Sa | | |
| 5 | So | 13:30 | |
| 6 | Mo | | 08:53 |
| 7 | Di | 17:58 | |
| 8 | Mi | | |
| 9 | Do | | 00:04 |
| 10 | Fr | 00:17 | ☾ 19:14 |
| 11 | Sa | 09:09 | |
| 12 | So | | |
| 13 | Mo | 20:36 | |
| 14 | Di | | |
| 15 | Mi | | 22:07 |
| 16 | Do | 09:14 | ● |
| 17 | Fr | | |
| 18* | Sa | 20:39 | ☍ 16:36 |
| 19 | So | | |
| 20 | Mo | | |
| 21 | Di | 04:52 | |
| 22 | Mi | | 12:52 |
| 23 | Do | 09:35 | ○ 03:41 |
| 24 | Fr | | |
| 25 | Sa | 11:52 | |
| 26 | So | | EF |
| 27 | Mo | 13:22 | |
| 28 | Di | | |
| 29 | Mi | | |
| 30* | Do | | |

## Oktober

| Tag | Wt | Zeit | Ereignis |
|---|---|---|---|
| 1 | Fr | 15:32 | |
| 2 | Sa | 19:14 | ● 06:03 |
| 3 | So | | |
| 4 | Mo | 00:41 | ☍ 12:24 |
| 5 | Di | | |
| 6 | Mi | 07:53 | |
| 7 | Do | 17:02 | |
| 8 | Fr | | |
| 9 | Sa | | 13:36 |
| 10 | So | 04:20 | |
| 11 | Mo | 17:05 | |
| 12 | Di | | EN |
| 13 | Mi | | |
| 14 | Do | | |
| 15* | Fr | 05:18 | ● 17:01 |
| 16 | Sa | | |
| 17* | So | 14:34 | ☍ 22:49 |
| 18 | Mo | 19:42 | |
| 19 | Di | | |
| 20 | Mi | 21:26 | |
| 21 | Do | | 12:52 |
| 22 | Fr | 21:34 | ○ 23:04 |
| 23 | Sa | | |
| 24 | So | 22:10 | |
| 25 | Mo | | EF |
| 26 | Di | | |
| 27 | Mi | 00:48 | |
| 28 | Do | | |
| 29 | Fr | | |
| 30 | Sa | | ● 13:05 |
| 31 | So | | |

## November

| Tag | Wt | Zeit | Ereignis |
|---|---|---|---|
| 1* | Mo | 05:08 | |
| 2 | Di | 12:58 | |
| 3 | Mi | | 08:34 |
| 4 | Do | | ☍ |
| 5 | Fr | 22:47 | |
| 6 | Sa | | ● 04:54 |
| 7* | So | 10:16 | |
| 8 | Mo | 23:01 | |
| 9 | Di | | |
| 10 | Mi | | EN |
| 11* | Do | 11:47 | |
| 12 | Fr | 22:22 | |
| 13 | Sa | | |
| 14 | So | 04:58 | ● 02:47 |
| 15 | Mo | 07:27 | |
| 16 | Di | 07:15 | 10:04 |
| 17 | Mi | 06:30 | |
| 18 | Do | 07:20 | ☍ 23:10 |
| 19 | Fr | 11:12 | |
| 20 | Sa | | |
| 21 | So | | ○ 08:05 |
| 22 | Mo | | EF |
| 23 | Di | | |
| 24 | Mi | | 18:54 |
| 25 | Do | | |
| 26 | Fr | | |
| 27 | Sa | | |
| 28 | So | | ● 00:20 |
| 29 | Mo | | |
| 30 | Di | | |

## Dezember

| Tag | Wt | Zeit | Ereignis |
|---|---|---|---|
| 1* | Mi | 18:30 | ☾ 15:06 |
| 2 | Do | | |
| 3 | Fr | 04:36 | |
| 4 | Sa | | |
| 5 | So | 16:28 | ● 23:33 |
| 6 | Mo | | EN |
| 7* | Di | | |
| 8 | Mi | 05:15 | ☍ 06:14 |
| 9 | Do | 18:00 | |
| 10 | Fr | | |
| 11* | Sa | 05:19 | |
| 12 | So | | |
| 13 | Mo | | |
| 14 | Di | 13:31 | ● 01:51 |
| 15 | Mi | | 09:17 |
| 16 | Do | 17:46 | |
| 17 | Fr | | |
| 18 | Sa | 18:40 | |
| 19 | So | 17:53 | |
| 20 | Mo | | 18:33 |
| 21 | Di | 17:33 | ○ EF |
| 22 | Mi | | 02:21 |
| 23 | Do | 19:35 | ☍ |
| 24 | Fr | | |
| 25 | Sa | | |
| 26 | So | 01:15 | ● 15:06 |
| 27 | Mo | | |
| 28 | Di | | |
| 29 | Mi | 10:37 | |
| 30 | Do | | |
| 31 | Fr | | |

# 2000 – 1. Halbjahr

## Januar

| Tag | WT | Zeit |
|---|---|---|
| 1* | Sa | 22:33 |
| 2* | So | |
| 3 | Mo | |
| 4 | Di | EN |
| 5 | Mi | 11:25 |
| 6* | Do | 19:15 ● |
| 7 | Fr | 23:54 |
| 8 | Sa | |
| 9 | So | |
| 10 | Mo | 11:00 |
| 11* | Di | |
| 12 | Mi | 19:49 |
| 13 | Do | 16:39 |
| 14 | Fr | 14:33 ☽ |
| 15 | Sa | 01:39 |
| 16 | So | |
| 17* | Mo | 04:26 |
| 18* | Di | |
| 19 | Mi | 05:02 |
| 20 | Do | |
| 21 | Fr | 04:59 ○ |
| 22 | Sa | 05:40 |
| 23 | So | |
| 24 | Mo | 06:08 |
| 25 | Di | |
| 26 | Mi | 10:10 |
| 27 | Do | 18:02 |
| 28 | Fr | 06:58 ☾ |
| 29 | Sa | 08:55 |
| 30 | So | 05:19 |
| 31 | Mo | |

## Februar

| Tag | WT | Zeit |
|---|---|---|
| 1 | Di | 18:11 EN |
| 2 | Mi | |
| 3 | Do | |
| 4 | Fr | 06:32 — 12:55 |
| 5 | Sa | 14:05 |
| 6 | So | 17:03 |
| 7 | Mo | |
| 8* | Di | |
| 9 | Mi | 01:18 — 22:00 |
| 10 | Do | |
| 11 | Fr | 07:22 |
| 12 | Sa | |
| 13 | So | 11:24 — 00:20 |
| 14 | Mo | |
| 15 | Di | 13:46 |
| 16* | Mi | |
| 17* | Do | 15:12 — 19:21 |
| 18* | Fr | |
| 19 | Sa | 16:54 — 17:26 |
| 20 | So | |
| 21 | Mo | 20:22 |
| 22 | Di | 16:26 |
| 23 | Mi | |
| 24 | Do | 02:59 |
| 25 | Fr | |
| 26 | Sa | 13:11 |
| 27 | Mo | 04:52 |
| 28 | Mo | EN |
| 29 | Di | 01:46 |

## März

| Tag | WT | Zeit |
|---|---|---|
| 1* | Mi | |
| 2 | Do | 14:15 — 17:48 |
| 3 | Fr | |
| 4 | Sa | 00:31 |
| 5 | So | |
| 6* | Mo | 07:55 — 06:15 ● |
| 7 | Di | |
| 8 | Mi | 13:02 |
| 9 | Do | 03:48 |
| 10 | Fr | |
| 11 | Sa | 16:47 |
| 12* | So | |
| 13* | Mo | 19:52 — 07:57 |
| 14 | Di | |
| 15 | Mi | 22:44 |
| 16 | Do | |
| 17 | Fr | 00:35 |
| 18 | Sa | |
| 19 | So | 01:49 |
| 20 | Mo | 05:58 — 05:44 ○ |
| 21 | Di | 01:37 |
| 22 | Mi | 12:19 |
| 23 | Do | |
| 24 | Fr | 21:44 |
| 25 | Sa | |
| 26 | So | 10:52 — 02:21 |
| 27 | Mo | |
| 28 | Di | 23:35 |
| 29 | Mi | |
| 30 | Do | 00:16 |
| 31 | Fr | |

## April

| Tag | WT | Zeit |
|---|---|---|
| 1! | Sa | 10:13 |
| 2 | So | |
| 3* | Mo | 17:23 — 20:11 ● |
| 4 | Di | |
| 5 | Mi | 21:30 |
| 6 | Do | |
| 7 | Fr | 23:59 |
| 8 | Sa | |
| 9 | So | 02:17 |
| 10 | Mo | EF |
| 11 | Di | 05:17 — 14:30 |
| 12 | Mi | 04:39 |
| 13 | Do | 09:20 |
| 14 | Fr | |
| 15* | Sa | 14:37 |
| 16 | So | 10:38 |
| 17* | Mo | 21:36 — 19:41 |
| 18* | Di | |
| 19 | Mi | |
| 20 | Do | 06:59 |
| 21 | Fr | |
| 22 | Sa | 18:48 |
| 23 | So | |
| 24 | Mo | |
| 25 | Di | 07:43 EN |
| 26 | Mi | 21:29 ● |
| 27 | Do | 19:07 |
| 28 | Fr | |
| 29 | Sa | |
| 30 | So | |

## Mai

| Tag | WT | Zeit |
|---|---|---|
| 1 | Mo | 02:56 — 22:46 |
| 2 | Di | |
| 3 | Mi | 06:55 |
| 4 | Do | 08:24 — 06:11 ● |
| 5 | Fr | |
| 6 | Sa | 09:15 |
| 7 | So | |
| 8* | Mo | 11:02 |
| 9 | Di | |
| 10* | Mi | 14:42 — 08:00 |
| 11 | Do | 22:00 |
| 12 | Fr | 20:28 |
| 13 | Sa | |
| 14 | So | |
| 15 | Mo | 04:17 — 17:23 |
| 16 | Di | |
| 17* | Mi | 14:10 — 09:34 |
| 18* | Do | |
| 19 | Fr | |
| 20 | Sa | 02:02 |
| 21 | So | |
| 22 | Mo | 15:01 EN — 09:53 |
| 23 | Di | |
| 24 | Mi | |
| 25 | Do | 03:06 |
| 26 | Fr | 13:55 ● |
| 27 | Sa | 12:09 |
| 28 | So | |
| 29 | Mo | 09:07 |
| 30* | Di | 17:03 |
| 31 | Mi | |

## Juni

| Tag | WT | Zeit |
|---|---|---|
| 1* | Do | 18:35 — 14:13 |
| 2 | Fr | 18:31 |
| 3 | Sa | |
| 4 | So | 18:47 — 13:30 |
| 5 | Mo | 18:47 |
| 6 | Di | 20:58 |
| 7 | Mi | |
| 8 | Do | |
| 9 | Fr | 02:00 — 05:30 ● |
| 10 | Sa | 23:38 |
| 11 | So | 09:56 |
| 12 | Mo | |
| 13 | Di | |
| 14 | Mi | 20:19 |
| 15 | Do | |
| 16 | Fr | 23:27 ○ |
| 17* | Sa | 08:28 |
| 18 | So | 21:27 |
| 19 | Mo | 13:21 |
| 20* | Di | |
| 21 | Mi | 09:53 |
| 22 | Do | |
| 23 | Fr | 19:56 |
| 24 | Sa | |
| 25 | So | 19:56 |
| 26 | Mo | 02:20 — 03:00 ● |
| 27 | Di | |
| 28 | Mi | |
| 29 | Do | 05:00 |
| 30 | Fr | |

## Zusatzdaten

| Datum | | Datum | | Datum | | Datum | | Datum | |
|---|---|---|---|---|---|---|---|---|---|
| 21.01. | ♌ 11:23 | 26.04. | EF | 25.06. | ♈ 05:30 | 16.07. | ♋ 16:28 | 06.10. | EN |
| 17.02. | EF | 10.05. | EF | 02.07. | EF | 30.07. | EF | 20.10. | EF |
| 28.03. | EN | 05.06. | EF | 08.07. | EF | 12.08. | EF | 15.11. | EF |
| 04.04. | ♋ 12:47 | 19.06. | EN | 16.07. | EN | 08.09. | EN | 13.12. | EF |

# 2000 – 2. Halbjahr

## Juli

| Tag | Wt | Zeit | Mondphase |
|---|---|---|---|
| 1* | Sa | 05:10 | ● 21:19 |
| 2 | So | 21:12 | ☊ |
| 3 | Mo | 04:39 | |
| 4 | Di | | |
| 5* | Mi | 05:20 | |
| 6* | Do | 08:48 | |
| 7 | Fr | | |
| 8 | Sa | 14:52 | ) |
| 9 | So | 15:49 | |
| 10 | Mo | | |
| 11 | Di | | |
| 12 | Mi | 02:07 | |
| 13 | Do | | |
| 14 | Fr | 14:29 | |
| 15 | Sa | | ○ 15:54 |
| 16 | So | | |
| 17 | Mo | 03:28 | |
| 18 | Di | | |
| 19 | Mi | 15:45 | |
| 20 | Do | | |
| 21 | Fr | 02:10 | |
| 22* | Sa | | ( 00:51 |
| 23 | So | 09:45 | ☾ 13:02 |
| 24 | Mo | | |
| 25 | Di | | |
| 26 | Mi | 14:02 | |
| 27 | Do | 15:31 | |
| 28 | Fr | | |
| 29 | Sa | 15:25 | |
| 30 | So | | ☊ 05:40 |
| 31 | Mo | | ● 04:24 |

## August

| Tag | Wt | Zeit | Mondphase |
|---|---|---|---|
| 1*' | Di | 15:28 | |
| 2 | Mi | | |
| 3* | Do | 17:32 | |
| 4 | Fr | | ) 14:28 |
| 5 | Sa | 23:05 | |
| 6 | So | | |
| 7 | Mo | 08:31 | 03:01 |
| 8 | Di | | |
| 9 | Mi | 20:45 | |
| 10 | Do | | |
| 11 | Fr | | |
| 12 | Sa | 09:44 | 19:51 |
| 13 | So | | |
| 14 | Mo | | |
| 15 | Di | 21:42 | ○ 06:12 |
| 16 | Mi | | |
| 17 | Do | 07:45 | |
| 18* | Fr | | ( 06:02 |
| 19 | Sa | 15:32 | |
| 20* | So | 20:56 | |
| 21 | Mo | | 20:51 |
| 22 | Di | | ☾ 12:57 |
| 23 | Mi | | |
| 24 | Do | 00:01 | |
| 25 | Fr | 01:18 | |
| 26 | Sa | | EF |
| 27 | So | 01:56 | 12:20 |
| 28 | Mo | | ● |
| 29 | Di | 03:34 | |
| 30 | Mi | | ) 23:38 |
| 31 | Do | | |

## September

| Tag | Wt | Zeit | Mondphase |
|---|---|---|---|
| 1*' | Fr | 07:56 | |
| 2 | Sa | | |
| 3 | So | 16:09 | 18:27 |
| 4 | Mo | | |
| 5 | Di | 03:48 | |
| 6 | Mi | | |
| 7 | Do | 16:45 | ☊ 23:58 |
| 8 | Fr | | |
| 9 | Sa | | |
| 10 | So | 04:35 | |
| 11 | Mo | | ○ 21:36 |
| 12 | Di | 14:01 | |
| 13 | Mi | | |
| 14 | Do | 21:06 | ( 11:32 |
| 15 | Fr | | |
| 16 | Sa | 02:23 | |
| 17 | So | 06:17 | |
| 18* | Mo | | ☾ 03:28 |
| 19 | Di | 09:01 | 17:52 |
| 20 | Mi | | |
| 21 | Do | 11:03 | EF |
| 22 | Fr | | |
| 23 | Sa | 13:23 | |
| 24 | So | | ● 21:52 |
| 25 | Mo | 17:31 | |
| 26 | Di | | 09:06 |
| 27 | Mi | | |
| 28 | Do | | |
| 29 | Fr | | |
| 30* | Sa | | |

## Oktober

| Tag | Wt | Zeit | Mondphase |
|---|---|---|---|
| 1 | So | 00:51 | |
| 2 | Mo | | |
| 3 | Di | 11:43 | 12:58 |
| 4 | Mi | | ☊ 04:47 |
| 5 | Do | 00:34 | |
| 6 | Fr | 12:37 | |
| 7 | Sa | | |
| 8 | So | 21:52 | |
| 9 | Mo | | |
| 10 | Di | | ( 19:01 |
| 11 | Mi | 04:07 | ○ 10:52 |
| 12 | Do | | |
| 13 | Fr | 14:43 | |
| 14 | Sa | 17:53 | |
| 15* | So | 21:31 | ☾ 20:56 |
| 16 | Mo | 08:20 | 09:59 |
| 17* | Di | 11:38 | |
| 18 | Mi | 14:43 | 17:52 |
| 19 | Do | 17:53 | ☊ |
| 20 | Fr | 21:31 | |
| 21 | Sa | 02:24 | |
| 22 | So | 08:41 | ● 17:46 |
| 23 | Mo | | |
| 24 | Di | | |
| 25 | Mi | | 09:57 |
| 26 | Do | | |
| 27 | Fr | 19:03 | |
| 28 | Sa | | |
| 29 | So | | |
| 30 | Mo | | |
| 31 | Di | | |

## November

| Tag | Wt | Zeit | Mondphase |
|---|---|---|---|
| 1* | Mi | 07:42 | ☊ 08:59 |
| 2 | Do | 20:14 | EN |
| 3 | Fr | | ( 08:26 |
| 4 | Sa | | |
| 5 | So | 06:03 | |
| 6 | Mo | | |
| 7* | Di | 12:13 | |
| 8 | Mi | 15:28 | ○ 03:43 |
| 9 | Do | 17:22 | |
| 10 | Fr | 19:20 | 22:14 |
| 11* | Sa | 22:16 | |
| 12 | So | | ☾ 23:26 |
| 13 | Mo | 02:36 | |
| 14 | Di | 08:34 | |
| 15 | Mi | 16:34 | 16:24 |
| 16 | Do | | |
| 17 | Fr | 02:58 | |
| 18 | Sa | 15:28 | ● |
| 19 | So | | |
| 20 | Mo | | 23:50 |
| 21 | Di | | |
| 22 | Mi | | |
| 23 | Do | | 00:11 |
| 24 | Fr | | |
| 25 | Sa | | 13:51 |
| 26 | So | | ☊ |
| 27 | Mo | | |
| 28 | Di | | |
| 29 | Mi | | |
| 30 | Do | | |

## Dezember

| Tag | Wt | Zeit | Mondphase |
|---|---|---|---|
| 1* | Fr | | EN |
| 2 | Sa | 04:24 | |
| 3 | So | | ● 04:54 |
| 4 | Mo | 15:18 | |
| 5 | Di | 22:28 | ( 14:08 |
| 6 | Mi | | |
| 7* | Do | 01:51 | |
| 8 | Fr | | |
| 9 | Sa | | |
| 10 | So | | ○ 10:03 |
| 11* | Mo | 02:50 | |
| 12 | Di | 03:10 | ☊ 05:39 |
| 13 | Mi | 04:31 | |
| 14 | Do | | |
| 15 | Fr | 08:02 | |
| 16 | Sa | 14:13 | |
| 17 | So | 22:58 | |
| 18 | Mo | | ● 01:41 |
| 19 | Di | 09:55 | ) 05:51 |
| 20 | Mi | 22:26 | |
| 21 | Do | | |
| 22 | Fr | | |
| 23 | Sa | 11:28 | |
| 24 | So | | |
| 25 | Mo | | ● 18:21 |
| 26 | Di | | ☊ 17:57 |
| 27 | Mi | | |
| 28 | Do | | |
| 29 | Fr | | |
| 30 | Sa | | EN |
| 31 | So | | |

# 2001 – 1. Halbjahr

Kalender mit Mondphasen für die Monate Januar, Februar, März, April, Mai und Juni 2001.

## Zusatzdaten

| | | | | | | | | | |
|---|---|---|---|---|---|---|---|---|---|
| 02.01. | ☾ 23:02 | 01.04. | ☾ 11:19 | 04.08. | EN | 02.10. | ☾ 19:46 | 22.12. | EN |
| 09.01. | ☊ 14:25 | 28.06. | ☊ 14:17 | 19.08. | EF | 16.10. | ☾ 01:56 | | |
| 08.02. | EF | 05.07. | ☊ 01:49 | 02.09. | EN | 12.11. | EF | | |
| 25.03. | ☊ 17:09 | 13.07. | ☾ 02:49 | 17.09. | EF | 07.12. | EF | | |

# 2001 – 2. Halbjahr

## Juli

| Tag | | Zeit | Zeit |
|---|---|---|---|
| 1* | So | 05:14 | |
| 2 | Mo | | |
| 3 | Di | | |
| 4 | Mi | 14:23 | |
| 5* | Do | | 17:04 |
| 6* | Fr | | |
| 7 | Sa | 01:34 | |
| 8 | So | | |
| 9 | Mo | 14:06 | |
| 10 | Di | | |
| 11 | Mi | | |
| 12 | Do | 02:37 | |
| 13 | Fr | 20:44 | |
| 14 | Sa | 13:14 | |
| 15 | So | | |
| 16 | Mo | 20:27 | |
| 17 | Di | | |
| 18 | Mi | 23:57 | |
| 19 | Do | 08:25 | |
| 20 | Fr | 21:45 | |
| 21 | Sa | | |
| 22 | So | EF | 00:44 |
| 23 | Mo | 00:30 | |
| 24 | Di | | |
| 25 | Mi | 21:27 | 01:09 |
| 26 | Do | | |
| 27 | Fr | 12:08 | 04:18 |
| 28 | Sa | | |
| 29 | So | 10:45 | |
| 30 | Mo | | |
| 31 | Di | 20:17 | |

## August

| Tag | | Zeit | Zeit |
|---|---|---|---|
| 1* | Mi | | 05:00 |
| 2 | Do | | |
| 3* | Fr | 07:54 | |
| 4 | Sa | | 07:56 |
| 5 | So | 20:31 | |
| 6 | Mo | | |
| 7 | Di | 09:06 | |
| 8 | Mi | | 08:56 |
| 9 | Do | 20:24 | |
| 10 | Fr | | |
| 11 | Sa | | 09:52 |
| 12 | So | 05:00 | |
| 13 | Mo | 11:51 | |
| 14 | Di | | |
| 15 | Mi | 09:56 | 16:09 |
| 16 | Do | 11:26 | |
| 17 | Fr | | 21:54 |
| 18* | Sa | 10:54 | |
| 19 | So | | |
| 20* | Mo | 10:20 | |
| 21 | Di | | |
| 22 | Mi | 17:00 | |
| 23 | Do | | |
| 24 | Fr | 02:03 | |
| 25 | Sa | | 07:23 |
| 26 | So | | |
| 27 | Mo | 13:49 | |
| 28 | Di | | |
| 29 | Mi | | |
| 30 | Do | | |
| 31 | Fr | | |

## September

| Tag | | Zeit | Zeit |
|---|---|---|---|
| 1*† | Sa | | 02:33 |
| 2 | So | | 23:44 |
| 3 | Mo | | |
| 4 | Di | 14:59 | |
| 5 | Mi | | 14:05 |
| 6 | Do | 02:19 | |
| 7 | Fr | | |
| 8 | Sa | 11:42 | |
| 9 | So | | |
| 10 | Mo | 18:10 | 21:00 |
| 11 | Di | | 22:06 |
| 12 | Mi | 21:17 | |
| 13 | Do | | |
| 14 | Fr | 21:40 | |
| 15 | Sa | | |
| 16 | So | 21:01 | |
| 17 | Mo | | 12:27 |
| 18* | Di | | |
| 19 | Mi | 21:28 | 15:21 |
| 20 | Do | | |
| 21 | Fr | 01:03 | |
| 22 | Sa | | |
| 23 | So | 08:49 | 11:30 |
| 24 | Mo | | |
| 25 | Di | 20:06 | |
| 26 | Mi | | |
| 27 | Do | | |
| 28 | Fr | 08:51 | |
| 29 | Sa | | EN |
| 30* | So | | |

## Oktober

| Tag | | Zeit | Zeit |
|---|---|---|---|
| 1 | Mo | 21:09 | |
| 2 | Di | | 15:48 |
| 3 | Mi | | |
| 4 | Do | 08:02 | |
| 5 | Fr | | |
| 6 | Sa | 17:13 | |
| 7 | So | | |
| 8 | Mo | 00:20 | 01:45 |
| 9 | Di | | 06:19 |
| 10 | Mi | 04:55 | |
| 11 | Do | | |
| 12 | Fr | 06:59 | |
| 13 | Sa | | |
| 14 | So | 07:27 | |
| 15* | Mo | | EF |
| 16 | Di | | 21:23 |
| 17* | Mi | 08:04 | |
| 18 | Do | | |
| 19 | Fr | 10:48 | |
| 20 | Sa | | |
| 21 | So | 17:12 | 17:26 |
| 22 | Mo | | |
| 23 | Di | 22:53 | |
| 24 | Mi | 03:27 | 04:58 |
| 25 | Do | | |
| 26 | Fr | 14:57 | |
| 27 | Sa | | |
| 28 | So | 03:16 | |
| 29 | Mo | | 02:04 |
| 30 | Di | 13:49 | |
| 31 | Mi | | |

## November

| Tag | | Zeit | Zeit |
|---|---|---|---|
| 1* | Do | | 06:40 |
| 2 | Fr | 22:14 | |
| 3 | Sa | | |
| 4 | So | | 03:35 |
| 5 | Mo | 04:45 | |
| 6 | Di | | |
| 7 | Mi | 09:35 | 13:21 |
| 8 | Do | | |
| 9 | Fr | 12:50 | |
| 10 | Sa | | |
| 11* | So | 14:54 | 10:16 |
| 12 | Mo | | |
| 13 | Di | 16:46 | |
| 14 | Mi | | |
| 15 | Do | 19:52 | 07:40 |
| 16 | Fr | | |
| 17 | Sa | | 23:13 |
| 18 | So | 01:41 | |
| 19 | Mo | | |
| 20 | Di | 10:56 | |
| 21 | Mi | | |
| 22 | Do | 22:53 | 00:21 |
| 23 | Fr | | EN |
| 24 | Sa | 11:22 | |
| 25 | So | | 10:48 |
| 26 | Mo | | |
| 27 | Di | 22:07 | |
| 28 | Mi | | |
| 29 | Do | 06:05 | 21:48 |
| 30 | Fr | | |

## Dezember

| Tag | | Zeit | Zeit |
|---|---|---|---|
| 1* | Sa | 11:31 | 07:53 |
| 2 | So | | |
| 3 | Mo | 15:17 | |
| 4 | Di | | |
| 5 | Mi | 18:12 | 20:52 |
| 6 | Do | | |
| 7* | Fr | 20:58 | 17:10 |
| 8 | Sa | | |
| 9 | So | | |
| 10 | Mo | 00:10 | |
| 11* | Di | | |
| 12 | Mi | 04:31 | 21:47 |
| 13 | Do | | 05:43 |
| 14 | Fr | 10:49 | |
| 15 | Sa | | |
| 16 | So | 19:44 | |
| 17 | Mo | | |
| 18 | Di | 07:10 | 21:56 |
| 19 | Mi | | 19:38 |
| 20 | Do | 19:46 | |
| 21 | Fr | | |
| 22 | Sa | 07:13 | 00:21 |
| 23 | Sc | | |
| 24 | Di | 15:40 | |
| 25 | Mi | | 10:48 |
| 26 | Do | 22:07 | |
| 27 | Fr | | |
| 28 | Sa | 20:41 | 14:36 |
| 29 | So | | 11:40 |
| 30 | So | 23:10 | |
| 31 | Mc | | |

# Über den Autor

Hannes Probst wurde 1929 in Wien geboren und ist gelernter Goldschmied. Seit 30 Jahren gibt er Seminare zu den Themen Pyramidenenergie sowie Kristallsteinschwingungen. Darüber hinaus ist er als Zeitqualitätsberater und Mentaltrainer tätig.

Ferner arbeitet er seit 10 Jahren als Biokybernetiker. In diesen insgesamt 30 Jahren hat er umfangreiches Wissen zusammengetragen, das er nun in diesem Band vorlegt.